骨折の機能解剖学的運動療法

The therapeutic exercise for fractures
based on functional anatomy

その基礎から臨床まで

総論・上肢

第2版

● 監修
青木隆明
岐阜大学大学院医学系研究科 関節再建外科学先端医療講座・
リハビリテーション科医学博士・准教授

林　典雄
運動器機能解剖学研究所代表

● 著
松本正知
桑名市総合医療センターリハビリテーション科
早稲田大学スポーツ科学研究科

中外医学社

序

　2015年（平成27年）10月15日に本書を出版させていただき5年が経過しました．時代は令和へと移り変わり，地球温暖化の影響と目される異常気象により災害が続発し，新型コロナウイルス感染症のパンデミックにより生活環境は驚くほど激変しました．今まででは想像もつかなかったことが，普通に起こっています．セラピストを取り巻く学習環境と技術の伝承は，感染予防とそれに伴うsocial distanceを保つために，限られた範囲でしか行うことができません．論文や書物，Webでの講義や勉強会などで知識を蓄えることが主となり，対面にて技術を伝え学ぶ機会は非常に少なくなりました．

　そのような中，本書の増刷の話を頂きました．この5年で多くの出会いを経験し，ご指摘も頂きました．発見と同時に過ちにも気付くことができました．「ごめんなさい」もありました．そして，新たにお伝えしたいことも生まれて参りました．せっかくの増刷の機会ですので，今できることとして本書の改訂をさせて頂くことにしました．主な改訂点として，総論でfasciaと慢性疼痛のfear-avoidance modelを加筆し，肩関節周辺と前腕・手関節の骨折の評価と運動療法について最新の知見を加筆しました．また，全ての章を詳細に見直しました．稚拙な内容ですが，何かの足しになれば幸いです．そして，後進も育って参りましたので，当院の仲間と共に3年後には本書の実録集として「実践!!　骨折と脱臼の機能解剖学的運動療法　～急性期からADLの獲得まで～」を作成しようと思っております．

　最後になりましたが，前書を読んでいただいた先生方，これから本書を読んでいただく先生方に心より感謝を申し上げます．何らかの制限がなく技術をお伝えすることができる世の中になりましたら，本書の内容を実技と共にお伝えしたいと思っております．

　それでは，「骨折の機能解剖学的運動療法　その基礎から臨床まで 総論・上肢 第2版」の始まりです．

2021年11月

松本正知

初版の序

　3年を要しこの本が完成しました．身に余る光栄と責任の重さ，僅かばかりの開放感を感じています．

　本書は，総論で骨折の運動療法を行うために必要な最低限の知識を網羅し，各論では骨折後に必ず起こる組織の修復過程を基礎に，疫学，整形外科的な治療の考え方，評価と治療についてまとめました．随所に，知識(Knowledge)・技術(Skill)・個人的な意見(Opinion)などが配置されています．ご一読いただき，整形外科医との連携と共通認識の重要性について感じていただければ幸いです．

　さて，内容については今知りうる限りの知識と技術を収めました．しかし，全ては進歩し新しい発見の連続です．それは，同時に過去の過ちに気づくことでもあり，とても大切なことです．もしかしたら，この本の内容も明日には間違っていることに気づくかもしれません．そのときは，「ごめんなさい」です．

　最後になりますが，整形外科の基礎と運動療法の発想を教えていただいた加藤 明先生，学生時代からずっとご指導いただいている林 典雄先生，整形外科リハビリテーション学会への入会後いつもご指導いただいている浅野昭裕先生，世界の広さを教えていただいた青木隆明先生，桑名西医療センターのスタッフの皆様，本書の企画から出版に至るまでお力添えいただいた中外医学社の宮崎氏，沖田氏，この本の作成にご協力いただいた全ての方々へ，心より感謝申し上げます．

　それでは，「骨折の機能解剖学的運動療法　その基礎から臨床まで」の始まりです．

　　　　平成27年10月

　　　　　　　　　　　　　　　　　　　　　　　　　　　　　松本正知

目 次

総論

Ⅰ 骨折後の運動療法 　1
- はじめに……………………………………………………1

Ⅱ 骨に関する基礎知識 　2
- 骨の構造 …………………………………………………2
  1. 骨膜…………………………………………………2
  2. 皮質骨，緻密骨……………………………………2
  3. 海綿骨，骨梁，骨髄………………………………2
- 骨の形による分類 ………………………………………3
  1. 長管骨，長骨（long bone）………………………3
  - ナレッジ　AO/OTA分類と長管骨の骨幹部，近位部，遠位部の分類……4
  2. 短骨（small bone, short bone）……………………5
  3. 扁平骨（flat bone）…………………………………5
  4. 不規則骨（irregular bone）…………………………5
  5. 含気骨（pneumatic bone）…………………………5
  6. 種子骨（sesamoid bone）…………………………5
- 骨への血行系と神経系 …………………………………5
  1. 栄養血管系…………………………………………5
  2. 骨膜血管系…………………………………………5
  3. 骨端・骨幹端部血管系……………………………5
  4. 骨の神経系…………………………………………6
  - オピニオン　臨床との接点…………………………………6

III 骨折に関する基礎知識 7

■ 骨折の分類 ■ 7
　1．原因による分類 7
　2．連続性による分類 7
　ナレッジ　Riss：ひび 7
　3．骨折線による分類 8
　4．外力の加わり方による分類 8
　5．部位による分類 9
　6．外界と骨折部との交通による分類 10
　7．転位方向による分類 10
　8．小児の骨端成長軟骨板損傷の分類 10

■ 臨床症状 ■ 11
　1．全身症状 11
　2．局所症状 12

■ 骨折時の合併症 ■ 12
　1．皮膚軟部組織の損傷と感染 12
　2．血管損傷 12
　3．神経損傷 13
　4．急性コンパートメント症候群（acute compartment syndrome） 13
　5．脂肪塞栓症候群（fat embolism syndrome） 13
　6．肺血栓塞栓症（PTE：pulmonary thromboembolism） 13
　7．内臓損傷 14
　スキル　神経損傷の評価 14
　スキル　急性コンパートメント症候群に至らない状態 14

■ 骨折の治療 ■ 14
　1．保存療法（conservative treatment）と手術療法（operative treatment, surgical treatment）の選択 14
　2．整復（reduction） 15
　3．固定（fixation, immobilization） 15
　スキル　膝蓋骨の可動性の維持 16
　ナレッジ　シーネ 16

■ 固定材料とその固定理論 ■ 16
　1．鋼線（wire） 16
　ナレッジ　ラグスクリュー 17
　ナレッジ　リーミングとは 17
　2．スクリュー（screw） 18

ナレッジ　タッピング，ピンゲージ（デプスゲージ） ･････････････････････････ 18
　　3．プレート（plate） ･･ 18
　　4．髄内釘 ･･･ 20
　　ナレッジ　ダイナミゼーション（dynamization）とは ･････････････････････ 22
　　5．創外固定（external fixation） ･･･ 22
　　オピニオン　固定性の善し悪し ･･･ 23

■ 骨折および周辺組織の修復過程　　　　　　　　　　　　　　　　　　　24
　　1．各組織の修復過程 ･･･ 24
　　ナレッジ　抜糸 ･･･ 24
　　ナレッジ&オピニオン　fasciaの定義と構造 ･･･････････････････････････････ 25
　　オピニオン　fasciaという言葉の曖昧さ ･･･････････････････････････････････ 27
　　ナレッジ　皮下の結合組織と脂肪組織について ･････････････････････････････ 28
　　スキル　エコーを使用した皮下組織の滑走練習 ･････････････････････････････ 28
　　2．平均的な骨癒合期間 ･･ 30
　　3．骨折の治癒に影響を与える因子 ･･ 30
　　4．骨折の異常経過 ･･ 30
　　スキル　セラピストが作る骨癒合不全や偽関節 ･････････････････････････････ 31
　　5．骨折治癒後の合併症 ･･ 31

■ 骨折後の運動療法の立案　　　　　　　　　　　　　　　　　　　　　　31
　　1．拘縮の始まりと早期運動療法 ･･ 32
　　ナレッジ　攣縮 ･･･ 32
　　2．拘縮の予防を目的とした早期運動療法 ･･････････････････････････････････ 32
　　ナレッジ　反回抑制 ･･･ 34
　　3．拘縮の改善を目的とした運動療法 ･･････････････････････････････････････ 35
　　ナレッジ&スキル　筋の短縮へのアプローチと夜間装具の使い方 ････････････ 36
　　スキル　筋収縮練習とストレッチングのコツ1 ･････････････････････････････ 36
　　ナレッジ，オピニオン&スキル　痛みの定義とfear-avoidance model（恐怖-回避モデル） ････ 38

各論　● 上肢の骨折

I　鎖骨骨折　　　　　　　　　　　　　　　　　　　　　　　　　　　　39
■ 概要　　　　　　　　　　　　　　　　　　　　　　　　　　　　　　39
■ 整形外科的治療　　　　　　　　　　　　　　　　　　　　　　　　　　39
■ 評価　　　　　　　　　　　　　　　　　　　　　　　　　　　　　　43
　　1．評価の基本項目 ･･ 43

チェック	評価の基本項目	43
スキル	肩甲上腕関節の可動域測定① 概要	45
スキル	肩甲上腕関節の可動域測定② 測定準備	46
スキル	肩甲上腕関節の可動域測定③ A-I line による肩甲骨の位置と傾きの把握	48
スキル	肩甲上腕関節の可動域測定④	49
スキル	肩甲上腕関節の可動域測定⑤ 信頼性と参考可動域	51

- 運動療法 ································ 52
  - 1．鎖骨骨幹部骨折 ································ 52
  - 2．鎖骨遠位端骨折 ································ 52
  - ナレッジ 鎖骨骨折で肩関節の挙上や外転運動が 90°までに制限される理由 ······· 53

II 肩甲骨骨折　54

- 概要 ································ 54
- 整形外科的治療 ································ 55
  - ナレッジ 肩上方懸垂複合体（SSSC）損傷 ································ 57
- 評価 ································ 58
  - 1．保存療法（体部骨折，安定型の頸部骨折） ································ 58
  - 2．手術療法 ································ 59
- 運動療法 ································ 59
  - 1．保存療法 ································ 59
  - 2．手術療法 ································ 60
  - ナレッジ&スキル 肩甲上腕関節の可動域練習のコツ① 求心位について ········· 61
  - ナレッジ&スキル 肩甲上腕関節の可動域練習のコツ② 臨床での求心位の定め方 ···· 61
  - ナレッジ 指標 ドイツ語と英語 ································ 64

III 上腕骨近位部骨折　65

- 概要 ································ 65
- 整形外科的治療 ································ 66
- 評価 ································ 70
  - 1．保存療法 ································ 70
  - 2．手術療法 ································ 74
  - ナレッジ 骨頭壊死の可能性，人工骨頭が選択される理由 ································ 75
- 運動療法 ································ 79
  - 1．保存療法 ································ 79
  - ナレッジ&オピニオン 早期運動療法が推奨される1つの理由 ················· 80

スキル&ナレッジ　我々の stooping exercise ① ……………………………………………… 80
　　スキル&ナレッジ　我々の stooping exercise ② ……………………………………………… 81
　　スキル&ナレッジ　我々の stooping exercise ③ ……………………………………………… 81
　　2．手術療法 …………………………………………………………………………………………… 83
　　スキル　大結節を肩峰下へ通過させるためのコツ ……………………………………………… 88
　　スキル　拘縮肩に対する運動療法 ………………………………………………………………… 91
　　オピニオン　自主練習の考え方 …………………………………………………………………… 91
　　オピニオン&スキル　肩関節周囲炎に対する運動療法のお話①　挙上動作 ………………… 92
　　オピニオン&スキル　肩関節周囲炎に対する運動療法のお話②　結帯動作 ………………… 98

Ⅳ　上腕骨骨幹部骨折　　107

■ 概要 ■ …………………………………………………………………………………………… 107
■ 整形外科的治療 ■ ……………………………………………………………………………… 108
　　1．保存療法 …………………………………………………………………………………………… 108
　　2．手術療法 …………………………………………………………………………………………… 109
　　ナレッジ&スキル　ストッキネットベルポー固定 ……………………………………………… 109
　　ナレッジ　順行性と逆行性の髄内釘 ……………………………………………………………… 110
■ 評価 ■ …………………………………………………………………………………………… 112
　　1．保存療法 …………………………………………………………………………………………… 112
　　2．手術療法 …………………………………………………………………………………………… 115
■ 運動療法 ■ ……………………………………………………………………………………… 115
　　1．保存療法 …………………………………………………………………………………………… 115
　　スキル　ハンギングキャスト下でのストレッチングの工夫 …………………………………… 117
　　ナレッジ&スキル　肘関節固定下での上腕筋と上腕三頭筋内側頭の
　　　　　　　　　　　ストレッチングの有用性 ………………………………………………… 117
　　2．手術療法 …………………………………………………………………………………………… 118
　　スキル　浮腫管理の実際 …………………………………………………………………………… 120

Ⅴ　上腕骨遠位部骨折　　121

■ 概要 ■ …………………………………………………………………………………………… 121
　　1．小児の骨折 ………………………………………………………………………………………… 121
　　2．成人の骨折 ………………………………………………………………………………………… 124
■ 整形外科的治療 ■ ……………………………………………………………………………… 125
　　1．上腕骨通顆骨折 …………………………………………………………………………………… 125
　　2．上腕骨遠位部Ｔ・Ｙ型骨折 ……………………………………………………………………… 125

- 評価 ……………………………………………………………………………………… 126
- 運動療法 ………………………………………………………………………………… 127
  - オピニオン&スキル　肘関節可動域改善のコツ …………………………………… 129
  - チェック　どうしても肘が伸びない ………………………………………………… 132

VI　肘頭骨折　133

- 概要 ……………………………………………………………………………………… 133
- 整形外科的治療 ………………………………………………………………………… 134
- 評価 ……………………………………………………………………………………… 135
  1．保存療法 ………………………………………………………………………… 135
  2．手術療法 ………………………………………………………………………… 135
- 運動療法 ………………………………………………………………………………… 136
  1．保存療法 ………………………………………………………………………… 136
  2．手術療法 ………………………………………………………………………… 136

VII　橈骨頭骨折，橈骨頚部骨折　140

- 概要 ……………………………………………………………………………………… 140
- 整形外科的治療 ………………………………………………………………………… 141
- 評価 ……………………………………………………………………………………… 141
  1．保存療法 ………………………………………………………………………… 141
  - ナレッジ　プレート固定のための safe zone ……………………………………… 143
  2．手術療法 ………………………………………………………………………… 144
  - スキル　前腕の回旋可動域測定のコツ …………………………………………… 145
  - ナレッジ　外側側副靱帯複合体と手術後の輪状靱帯について ………………… 145
- 運動療法 ………………………………………………………………………………… 146
  1．保存療法 ………………………………………………………………………… 146
  2．手術療法 ………………………………………………………………………… 146

VIII　前腕骨骨幹部骨折　147

- 概要 ……………………………………………………………………………………… 147
- 整形外科的治療 ………………………………………………………………………… 148
  1．両前腕骨骨幹部骨折 …………………………………………………………… 148
  2．Monteggia 骨折 ………………………………………………………………… 151
  3．Galeazzi 骨折 …………………………………………………………………… 152

- ■ 評価 152
  - ナレッジ　セメス ワインスタイン モノフィラメント テストって？ 153
  - ナレッジ　回旋制限は，橈骨と尺骨のどれくらいの変形で起こるの？ 154
- ■ 運動療法 154
  - 1．両前腕骨骨幹部骨折 154
  - ナレッジ　少しだけ小児の急性塑性変形（acute plastic bowing）について 155
  - 2．Monteggia 骨折 156
  - 3．Galeazzi 骨折 156
  - ナレッジ　前腕の回旋可動域改善のコツ① 157
  - スキル　前腕の回旋可動域改善のコツ② 159
  - ブレイクスルー　ダイナミック回旋装具の開発 162
  - スキル&ナレッジ　プレート固定による回内制限 163

IX 前腕骨遠位部骨折　165

- ■ 概要 165
- ■ 整形外科的治療 165
  - ナレッジ　ギプスを巻いたとき，巻きかえ時の注意点 168
- ■ 評価 170
  - ナレッジ　radial length, radial tilt, ulnar variance, volar（palmar）tilt について 172
  - ナレッジ　Watershed line と遠位・近位設置型の掌側ロッキングプレート 175
  - ナレッジ　手関節の運動①　手関節の自動背屈運動 176
  - ナレッジ　手関節の運動②　手根中央関節と橈骨・尺骨手根関節の運動方向 178
  - スキル　手関節の可動域の測定法 180
- ■ 運動療法 182
  - スキル　筋収縮練習とストレッチングのコツ2 187
  - スキル　靱帯と関節包の伸張性獲得のコツ 189
  - スキル　手根中央関節の可動域改善のコツ 190
  - スキル　橈骨手根関節と尺骨手根関節の可動域改善のコツ 191
  - スキル　症例提示　どのように運動療法を考えますか？ 193
  - スキル　おまけ 195

X 舟状骨骨折 196

- 概要 ·· 196
  - ナレッジ　SNAC wrist と SLAC wrist ·· 198
- 整形外科的治療 ·· 199
- 評価 ·· 201
- 運動療法 ·· 201

索引 ·· 203

I 骨折後の運動療法

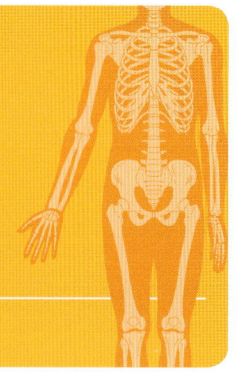

はじめに

　各種骨折後の運動療法は，人工関節置換術などの変性疾患に対する比較的画一的な術後の運動療法と違い，1例1例が全て異なることを理解しなければならない．

　例えば，診断名は上腕骨近位部骨折であっても，受傷機転，骨折型，軟部組織の損傷状態，血管や神経損傷の有無，整復状態，合併症，全身状態，個人の状況などが異なり，これらを総合的に判断し，その上で保存療法もしくは手術療法が選択される．手術療法が選択された場合には，内固定材料による骨接合部の固定性により外固定期間が異なるだけでなく，その手術方法により侵襲を受ける組織も異なる．運動療法の実施においては，それらを十分に理解するとともに，骨折と同時に損傷した周辺組織や手術による侵襲組織の修復過程を考慮し，可動域ならびに筋力を改善することで，患部や全身的な機能の回復を目的とする．このように，同一の骨折名であったとしても，その症例で考えるべき内容や治療過程が大きく異なることもまれではなく，整形外科医との連携と共通認識が非常に大切である．

　本書では，あえて骨折後何週で，何らかの治療プログラムを行うという書き方をしていない．修復過程と機能解剖学的な側面から，整形外科医との共通認識の上に治療プログラムを立案することを目的として書かれている．本書が骨折治療に関わるセラピストの一助となれば幸いである．

III 骨に関する基礎知識

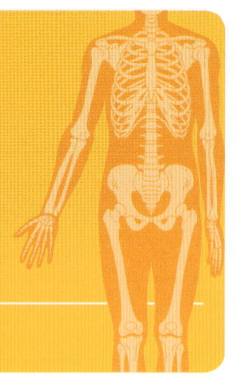

総論

骨の構造 図1

骨は，骨膜，関節軟骨，血管・リンパ管，神経，骨質，骨質中や表面に存在する細胞，骨髄から構成される．骨折を理解するためには，正常な骨構造を理解し，骨折により骨組織がどのように破壊されているかを想像する必要がある．

1 骨膜

骨膜は，筋の付着部や関節軟骨以外の部分を覆っている．血管と神経が多く存在し，骨折時の修復や成長に重要な役割を担っている．外骨膜の表層はコラーゲン線維と線維芽細胞（線維層）から成り，深層は骨芽細胞による造骨能力がある．また，神経は血管運動神経と感覚神経から成るため，痛みの刺激には鋭敏な組織である．

2 皮質骨，緻密骨

非常に固い組織であり，外環状層板や幾重にも重なる骨単位（osteon），内環状層板から構成される．骨単位は，緻密骨の構造を明らかにしたハバースの名前に由来しハバース系とも呼ばれ，血管やリンパ管，神経の通るハバース管を中心に，同心円状の骨層板が形成されており，皮質骨構造の基本単位となる．ハバース管との間は，横走するフォルクマン管によって連結されている．骨単位の隙間には，ハバース管をもたない介在層板が存在している．

このような構造をもつ皮質骨は，縦方向の応力には強く，剪断力や捻転力には弱い特性がある．

3 海綿骨，骨梁，骨髄

骨梁は，海綿骨を構成する棒状と板状の微小骨で，互いに結合しスポンジ状・網目状の構造を呈している．強度は皮質骨と同等で，その形状より非常に表面積が大きく，骨にかかる負荷に対応するよう合目的に配列されている．骨梁の間隙には血管や骨髄が存在し，これらを総称して海綿骨という．

骨髄（bone marrow）は，大別して造血細胞（hematopoietic cell）と骨髄基質細胞（bone marrow cell），幹細胞（stem cell）を有し，主に成人における造血機能を担っている．小児期では全ての骨髄が赤色髄であるが，加齢に伴い脂肪髄へと変化して黄色髄となり造血機能を失う．

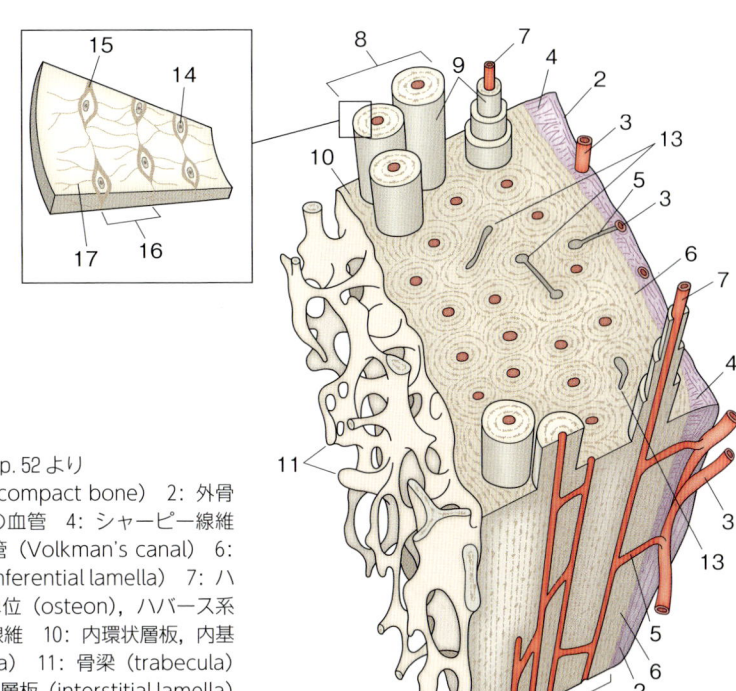

図1 皮質骨と海綿骨の構造 文献❶ p.52より
1：皮質骨 (cortical bone), 緻密骨 (compact bone) 2：外骨膜, 骨膜 (periosteum) 3：骨膜内の血管 4：シャーピー線維 (Sharpey's fiber) 5：フォルクマン管 (Volkman's canal) 6：外環状層板, 外基礎層板 (outer circumferential lamella) 7：ハバース管 (Haversian canal) 8：骨単位 (osteon), ハバース系 (Haversian system) 9：コラーゲン線維 10：内環状層板, 内基礎層板 (Inner circumferential lamella) 11：骨梁 (trabecula) 12：海綿骨 (spongy bone) 13：介在層板 (interstitial lamella) 14：骨細胞 (osteocyte) 15：骨小腔 (lacuna) 16：骨層板 (bone lamella) 17：骨細管 (bone canaliculus)

 の形による分類

成人の骨の数は206個の骨から構成され、形態上は長管骨、短骨、扁平骨、不規則骨、含気骨、種子骨に分類される。

❶ 長管骨, 長骨 (long bone)

関節軟骨 (articular cartilage), 骨端 (epiphysis), 骨幹端 (metaphysis), 骨幹 (diaphysis) より構成される。

関節軟骨は、硝子軟骨によって覆われ、その下層には軟骨下骨が存在している。関節軟骨には血管・リンパ管・神経はなく、軟骨細胞とコラーゲン (collagen) やプロテオグリカン (proteoglycan) 等の細胞外基質から構成されている。栄養は滑液によりもたらされ、軟骨細胞は代謝が盛んである。コラーゲンとプロテオグリカンの合成と分解とが絶えず行われており、弾性作用や荷重緩衝作用とともに高い耐久性を持ち合わせている。

骨端部は、薄い皮質骨に覆われ海綿骨により満たされている。骨端から骨幹の移行部を骨幹端といい、成長期には骨端成長軟骨板が存在し長軸方向への成長を担っている。強度は、皮質骨や海綿骨よりも劣っている。

骨幹部は皮質骨により囲まれた筒状の部分で骨髄腔を形成しており、海綿骨は少ない。長軸方向の圧や曲げ応力に抗しており、中央部の皮質骨が最も厚くなっている。

❶中村隆一, 他. 基礎運動学. 第4版. 医歯薬出版; 1992.

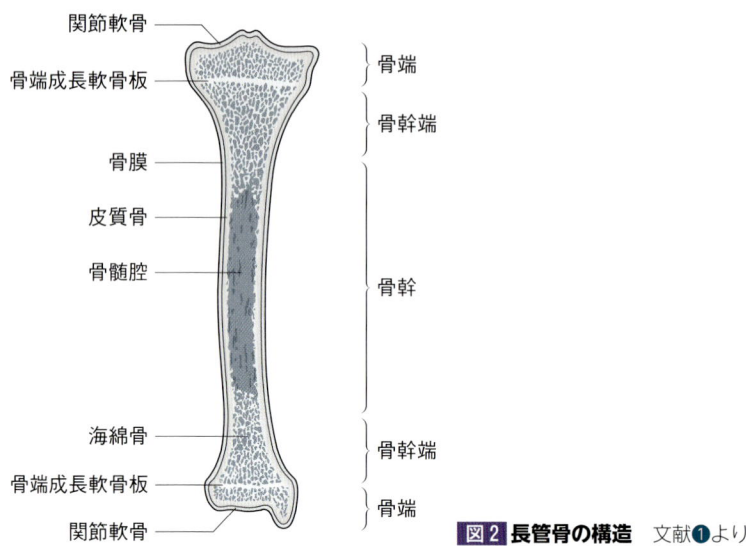

図2 長管骨の構造　文献❶より

Knowledge　AO/OTA 分類と長管骨の骨幹部，近位部，遠位部の分類

　長管骨の構造を示す際に，図2 の構造分類とは別に骨幹部，近位部，遠位部という分け方をすることがあります．一般的に骨幹部は，レントゲン写真で皮質骨がみられる部位を指しますが，2018 年に改訂された AO/OTA（Arbeitsgemeinschaft für Osteosynthesefragen/Orthopaedic Trauma Association）分類では関節面付近の最大横径の平方で囲まれる部位を近位部と遠位部とし，それ以外を骨幹部としています 図3．

　AO/OTA 分類は，インターネット経由で簡単に調べることができますので，是非ご参照ください．検索エンジンを使い「AO/OTA 分類」と入力すると簡単に見つけることができます．

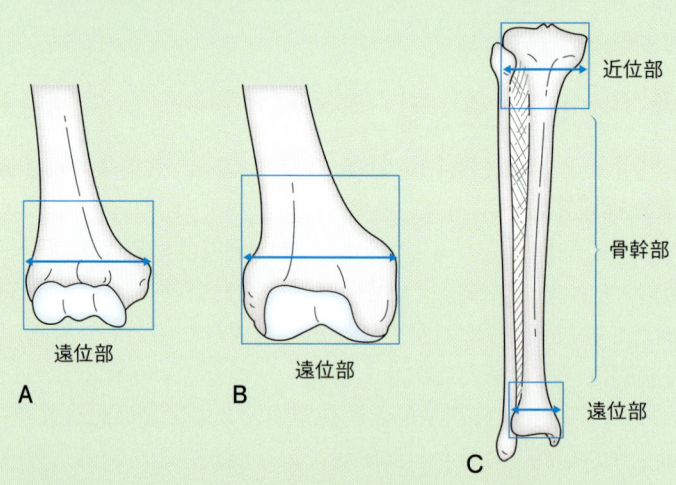

図3 AO/OTA の分類における長管骨の骨幹部，近位部，遠位部
A：上腕骨遠位部　B：大腿骨遠位部　C：脛骨近位部と遠位部

② 短骨（small bone, short bone）

手根骨や足根骨がこれにあたる．ほとんどが海綿骨で薄い皮質骨と関節軟骨に覆われている．

③ 扁平骨（flat bone）

頭蓋骨や肩甲骨，腸骨がこれにあたる．内外の緻密骨の間に海綿骨が存在している．

④ 不規則骨（irregular bone）

不規則な形をした骨で，椎骨や下顎骨など1つの骨で複数の特徴のある骨をいう．

⑤ 含気骨（pneumatic bone）

蝶形骨洞や上顎骨洞など，空洞をもつ骨をいう．

⑥ 種子骨（sesamoid bone）

種子骨は骨に付着する腱や靱帯内に存在する．滑車の役割を果たし，力の伝達を円滑にしている．人体最大の種子骨は，膝蓋骨である．

骨への血行系と神経系

① 栄養血管系 図4

長管骨では，骨幹部の皮質骨を斜めに貫いて髄腔へ進入する 図4B．上下に分岐したのち小動脈から毛細血管へと分岐し皮質骨の内側や骨髄を栄養する．また，貫通前には骨膜に，貫通中も分枝を出しハバース管やフォルクマン管を介して栄養を送っている．また，骨全体の約70％を栄養するとされている．静脈系は，動脈系と対照的に存在し，通常の静脈の構造と異なり弁をもたない．中心静脈洞から動脈系とほぼ並行し骨外へ走行する．

短骨では，複数の栄養動脈が皮質骨を貫いて血液供給を行っている．血管の吻合が豊富であるが，血管の解剖学的走行と骨折線の関係から壊死を起こしやすい骨がいくつか存在する．

② 骨膜血管系

骨膜動脈系は，骨膜および皮質の外層1/3しか栄養を行っていない．しかし，骨膜からの血行は，骨折の修復過程にとって非常に重要である．骨単位の中を走行するハバース管からの血流や新生血管の増生には限りがある．栄養血管系が何らかの原因で途絶した場合には，骨膜動脈系がそれを埋め合わせるように血流量が増加する．

③ 骨端・骨幹端部血管系

骨端動脈や骨幹端動脈は，それぞれの周辺から進入し，栄養動脈との吻合も数多く存在する．成長期では，骨端成長軟骨板が存在するため，骨端部の血液供給は主に骨端動

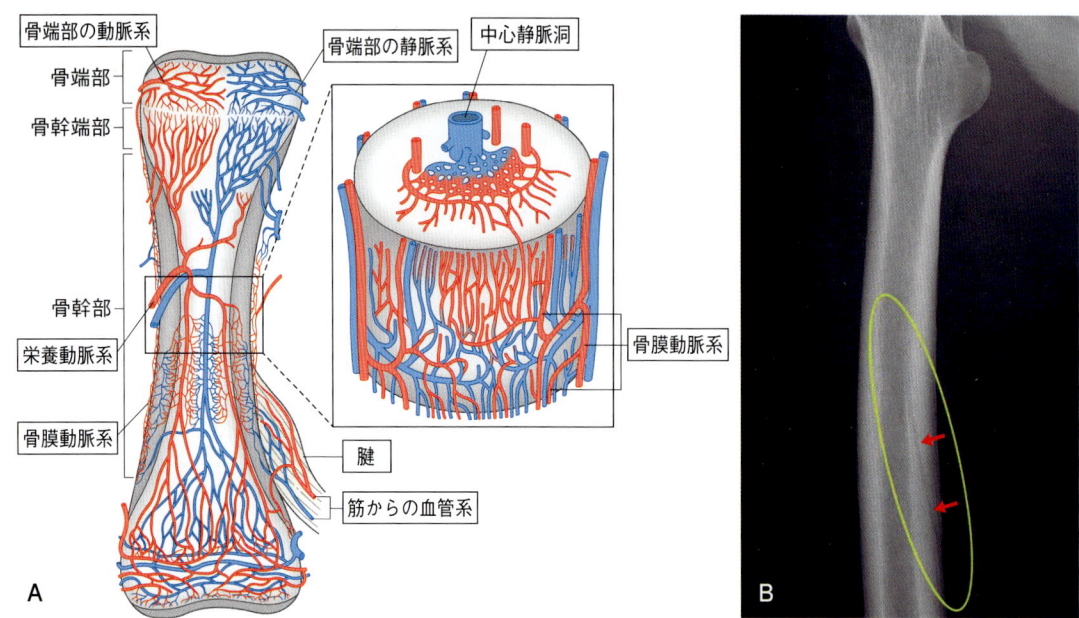

図4 長管骨への血行
A：長管骨への血行は，栄養動脈系，骨膜動脈系，骨端・骨幹端動脈系に大別されるが，筋の付着部からも腱を介して骨への血行が存在する．（文献❷より改変）
B：大腿骨の栄養血管像（40歳男性）
骨折線のようにも見えるが，反対側の皮質骨には認められない．骨折と見間違えることがあるので注意が必要である．

脈によるものであるが，成長の終了に伴い成長軟骨が消失し，これらは吻合を形成する．

4 骨の神経系

　骨への神経分布は，栄養血管系や骨膜血管系とともに走行し，ハバース系にまで至る．有髄神経と無髄神経が存在している．特に，骨膜の神経は血管運動神経と感覚神経が主であるため，痛みの刺激には鋭敏な組織である．

オピニオン Opinion　臨床との接点

　この章にも臨床に役立つ重要な情報があります．
　この章は，骨癒合の予測に役立ちます．レントゲンなどで骨折の状態，損傷した組織を想像してみてください．骨膜や血管の損傷程度はどうでしょうか？
　骨癒合の可能性をディスカッションする助けになると思いますよ．

Standing S, editors. Gray's Anatomy. 40th ed. Churchill Livingstone；2008.

III 骨折に関する基礎知識

折の分類

1. 原因による分類

a. 外傷性骨折（traumatic fracture）
　一般的な骨折がこれにあたる．正常な骨に外力が作用し生じた骨折である．

b. 病的骨折（pathological fracture），特発性骨折（spontaneous fracture）
　骨形成不全症や大理石病などの骨系統疾患，原発性あるいは転移性の骨腫瘍，化膿性脊髄炎などの炎症性疾患，骨粗鬆症や骨軟化症などの代謝性骨疾患，結核菌の感染，骨萎縮などの基礎疾患を基盤とした脆弱な骨に生じた骨折である．

c. 疲労骨折（fatigue fracture, stress fracture）
　正常な骨の一定部位に，ストレスが繰り返し作用し生じた骨折である．スポーツを行う若年者に多い．

2. 連続性による分類 図5

a. 完全骨折（complete fracture）
　骨の連続性が完全に断たれた骨折をいう．

b. 不完全骨折，不全骨折（incomplete fracture）
　骨の連続性が一部でも残っている骨折をいう．亀裂骨折（fissure fracture）や若木骨折（greenstick fracture），竹節骨折（bamboo fracture）などがこれにあたる．

c. 不顕性骨折（occult fracture）
　骨折の臨床症状がありながら，単純レントゲン写真にて確認できない骨折をいう．磁気共鳴画像法（MRI）や骨シンチグラフィにて確認することができる．骨挫傷（bone bruise）との区別は困難とされている．

ナレッジ Knowledge　Riss：ひび

　医師との会話のなかで"リス（Riss）"という言葉がたまに出てきます．
　ドイツ語を使用していたころの名残なのでしょうか．"リス"とは"亀裂"を意味しており，一般的にいわれる"ひび"もこの分類に含まれます．

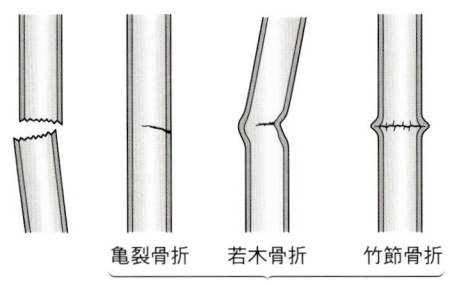

亀裂骨折　若木骨折　竹節骨折

完全骨折　　　不完全骨折

図5 連続性による分類

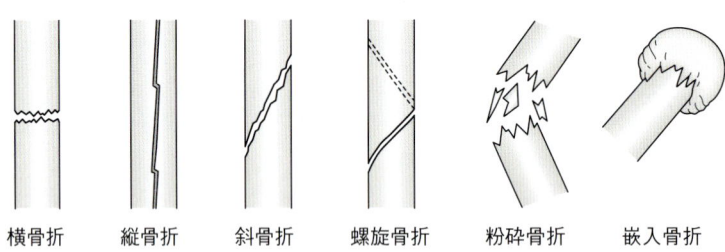

横骨折　縦骨折　斜骨折　螺旋骨折　粉砕骨折　嵌入骨折

図6 骨折線による分類

③ 骨折線による分類 図6

骨折線の走行により下記のように分類される．

a．横骨折（transverse fracture）
骨の長軸に対し骨折線が，直角に存在する骨折をいう．

b．縦骨折（longitudinal fracture）
骨の長軸に対し骨折線が，平行に存在する骨折をいう．

c．斜骨折（oblique fracture）
骨の長軸に対し骨折線が，斜めに存在する骨折をいう．

d．螺旋骨折（spiral fracture）
骨折線が螺旋状の骨折をいう．

e．粉砕骨折（comminuted fracture）
骨片が多く粉砕状の骨折をいう．

f．嵌入骨折（impacted fracture）
一方の骨片に他方の骨片が嵌入した骨折をいう．

④ 外力の加わり方による分類 図7

a．圧迫骨折（compression fracture）
軸圧方向への圧迫力により生じる骨折をいう．胸腰椎圧迫骨折や踵骨骨折，脛骨プラトー（高原）骨折がこれにあたる．

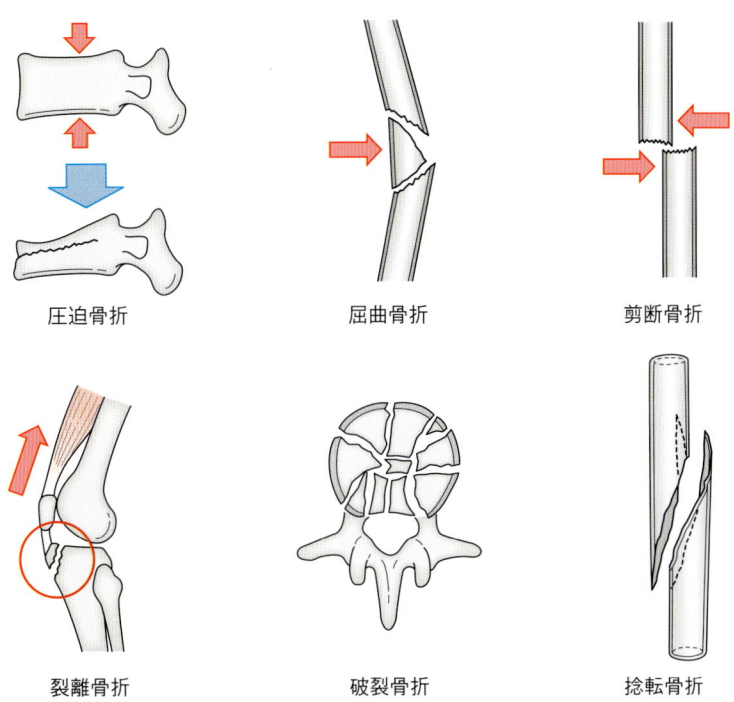

図7 外力の加わり方による分類

b．屈曲骨折（bending fracture）
長管骨に屈曲力が作用し生じた骨折をいう．

c．剪断骨折，引違い骨折（shearing fracture）
作用する外力が，前後や上下など逆方向の剪断力により生じた骨折をいう．軸椎の歯突起骨折や，長管骨に多くみられる横骨折がこれにあたる．

d．裂離骨折，剥離骨折（avulsion fracture）
強力な筋の収縮力や，なんらかの外力が靱帯や関節包を介し付着部の骨を裂離させる骨折をいう．代表例として，骨性バンカート損傷（Bony Bankart lesion），上前腸骨棘，下前腸骨棘，坐骨結節，脛骨粗面などの裂離骨折がある．

e．破裂骨折（burst fracture）
脊椎椎体などに，強力な軸圧方向の圧迫力が作用し破裂を生じた骨折をいう．

f．捻転骨折（torsion fracture）
長管骨などに，捻転力が作用し生じた骨折をいい，螺旋骨折となる．

❺ 部位による分類　図8

a．関節外骨折（extraarticular fracture）
骨折線が，関節包内に至らない骨折をいう．さらに長管骨の場合は，骨幹部骨折，骨幹端部骨折，骨端部骨折に分類することができる．

b．関節内骨折（intraarticular fracture）
骨折線が，関節包内に至る骨折をいう．関節拘縮や骨癒合不全となりやすく，関節面の変形治癒後に二次性の変形性関節症となる可能性がある．

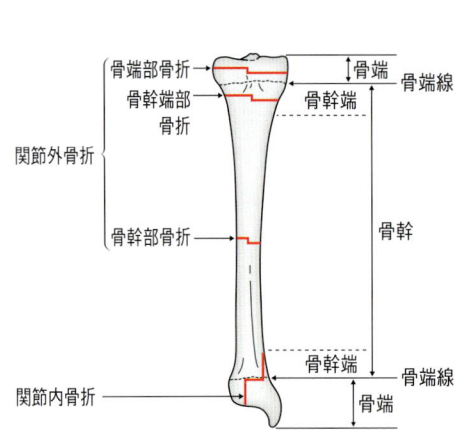

図8 部位による分類

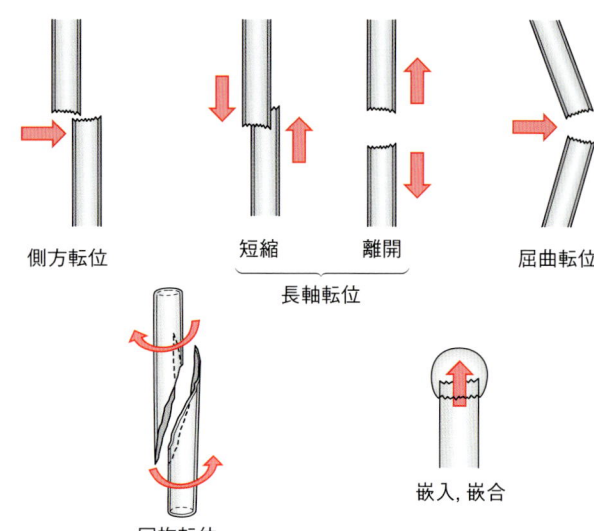

図9 転位方向による分類

6 外界と骨折部との交通による分類

a．皮下骨折（closed fracture）または単純骨折（simple fracture）
外界と骨折部との間に交通がない骨折をいう．

b．開放骨折（open fracture）または複雑骨折（compound fracture）
外界と骨折部との間に交通のある骨折をいう．外界との接触があるため，感染や骨髄炎の危険性が高く骨折部の治癒も遷延しやすい．

本来，複雑骨折は外界との交通があることを示し，世間一般的に使われる粉砕骨折を意味するものではない．

7 転位方向による分類 図9

転位の方向により下記のように分類される．
a．側方転位（lateral displacement）
b．長軸転位（longitudinal displacement）
　短縮（shortening）
　離開（distraction）
c．屈曲転位（angular displacement）
d．回旋転位（rotatory displacement）
e．嵌入，嵌合（impaction）

8 小児の骨端成長軟骨板損傷の分類

小児の骨傷の約15～19％は，骨端成長軟骨板での損傷とされている．一般的には，Salter-Harrisの分類[3] 図10やOgdenの分類[4]が用いられる．

---

[3] Salter RB, et al. J Bone Joint Surg. 1963; 45-A: 587-622.
[4] Ogden JA. Skeletal Radiol. 1981; 6: 237-53.

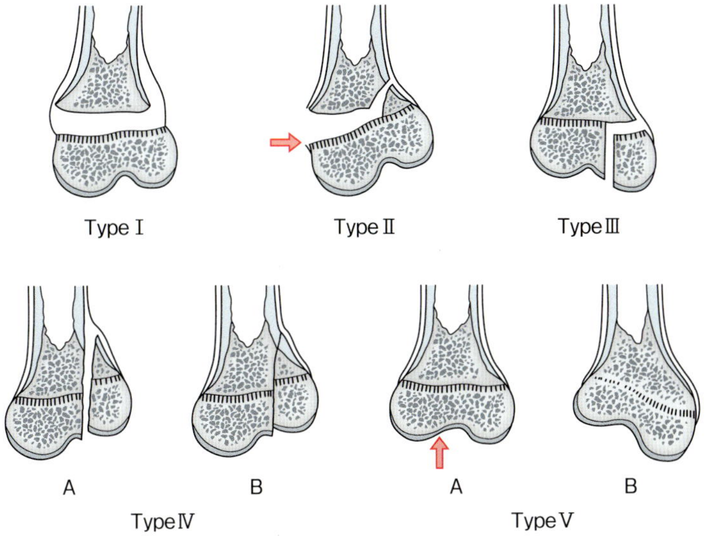

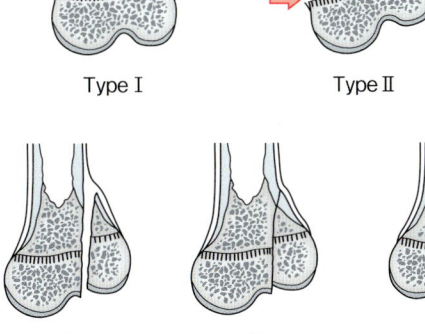

図10 Salter-Harris の分類　文献❸より改変

Type Ⅰ： 皮質骨や海綿骨の骨折を伴わず，骨端部と骨幹端部が完全に分離する．剥離外力や剪断力で起こる．骨端成長軟骨板は骨端部に付着しており，本軟骨の厚い年少児に起こりやすい．整復しやすく成長障害を残さないことが多い．

Type Ⅱ： 最も多い型である．骨幹端部に三角形をした骨片（Thurston-Holland's sign）を伴う．TypeⅠと同様に剥離外力や剪断力で起こり，整復も容易で成長障害を残さないことが多い．

Type Ⅲ： Type Ⅱとは反対に，骨端部の骨折を伴う関節内骨折である．手術を必要とすることもあり良好な整復位が得られれば，成長障害を残すことは少ない．

Type Ⅳ： 骨端部と骨幹端部を貫く関節内縦骨折で，関節面と骨端成長軟骨板を正確に整復し固定する必要がある．上腕骨外顆骨折でみられることが多く外反変形を残すことがある．Bは骨癒合により早期の閉塞となった骨端成長軟骨板の整復不良例イメージ図．

Type Ⅴ： 膝関節や足関節などの単軸関節に生じることが多く，内反や外反力が加わり骨端成長軟骨板を挫滅させる．通常，転位は認められないため見過ごされることが多く，成長障害を残すことが確定的である．
Bは挫滅による骨端成長軟骨板の壊死と成長障害となったイメージ図．

臨床症状

1　全身症状

　多発骨折や開放性骨折で，軟部組織の損傷が激しく出血量が多い場合には，低容量性のショック（hypovolemic shock）を引き起こすことがある．ショックの症状は，蒼白（pallor），冷汗（perspiration），虚脱（prostration），脈拍の触知困難（pulselessness），呼吸不全（pulmonary dysfunction）等であり，ショックの5徴候という．激しい疼痛はショックを助長する可能性がある．

　骨盤輪複合骨折では，骨盤腔内の血管損傷や内臓損傷により，重篤なショックとなる可能性があるため注意が必要である．　**Warp!!** 骨盤骨折〔体幹・下肢編（1版）p. 14〕

　四肢の単独骨折ではショックに陥ることは少ないが，四肢などに長時間の圧迫があった場合は，挫滅（圧挫）症候群（crush syndrome）にも注意を要する．

2 局所症状

炎症の4徴候（発赤，熱感，腫脹，疼痛）に加えて機能障害を伴うことが多い．

a．疼痛（pain）

骨折部では周辺組織の損傷を伴い，炎症反応による激しい自発痛と運動痛，圧痛（マルゲーニュ圧痛：Malgaigne tenderness）が生じる．これらの疼痛は，血管と神経に富む骨膜損傷による閾値低下が原因とされている．**Warp!!** 骨への血行系と神経系（p. 5）

軽度の不完全骨折でも，骨折部周囲には圧痛や軸方向への叩打にて痛みが出現する．これを軸圧痛（axial compression pain）または介達痛（indirect pain）と呼び，骨折の補助診断となる．

b．腫脹（swelling, tumor）

骨髄，骨膜，周辺組織の損傷による出血や炎症反応により，発赤や熱感を伴った腫脹が認められる．骨折後の周辺組織の腫脹は，タンパク量がきわめて多く，線維素（fibrin）も多く含まれているので，結合組織の増殖を招き拘縮の原因となる．また，皮下組織への体液の貯留を浮腫（edema）と表現される[5]．

c．変形（deformity）と機能障害（dysfunction）

骨片に転位が存在する場合には，変形が明らかとなる．疼痛や変形などを基盤とした機能障害がみられる．

d．異常可動性（abnormal mobility）と軋音（crepitus）

完全骨折部を他動的に動かすと，多方向性の異常可動性を認める．また，骨折部がこすれあう軋音（れきおん）が生じることもある．また脱臼骨折では，一方の骨が他方へと陥入し，不動となる場合もある．

e．関節血症，出血性関節症（hemarthrosis）

関節内骨折や靱帯損傷，半月板損傷など関節構成体に損傷があると，出血により関節腔内に血液が貯留する．特に，関節穿刺の際の関節液に，骨髄からの脂肪滴が混在していることが確認されると，関節内骨折の可能性が高く，レントゲンなどでは読影できない骨折の補助診断となる．靱帯損傷や半月板損傷では，脂肪滴は混入しない．

骨折時の合併症

1 皮膚軟部組織の損傷と感染

開放骨折の場合，骨折部と外界が交通するため感染の危険性が高くなる．一般的にGustilo-Andersonの分類[6]やGustiloらの分類[7]が用いられる 表1．

2 血管損傷

鋭利な骨片や外傷時の刺傷により，血管が損傷されることがある．好発部位としては，骨盤輪複合骨折における内腸骨動脈や，膝関節の後方脱臼に伴う膝窩動脈の損傷が挙げられる．

---

[5] 伊藤正男，他編．医学大事典．第2版．医学書院；2009．
[6] Gustilo RB, et al. J Bone Joint Surg. 1976; 58-A: 453-8.
[7] Gustilo RB, et al. J Trauma. 1984; 24: 742-6.

表1 Gustilo-Andersonの分類，Gustiloらの分類

Type Ⅰ	長さ1 cm未満できれいな創の開放骨折．
Type Ⅱ	長さ1 cmより大きい裂創を伴う開放骨折で，軟部組織の広範な損傷，皮膚の弁状剥離，裂離などを伴わないもの．
Type Ⅲ-A	広範な軟部組織の裂創や弁状剥離．高エネルギー外傷にもかかわらず（創の大きさを問わず），骨折部が軟部組織で十分に覆われているもの．
Type Ⅲ-B	骨膜の剥離を伴った広範な軟部組織の損傷で，骨が露出されているもの．通常大きく汚染されている．
Type Ⅲ-C	修復の必要な動脈損傷を伴う開放骨折

文献❻❼より

　また，上腕骨顆上骨折の合併症として有名な障害にVolkmann拘縮がある．本症は，上腕動脈の損傷や圧迫に起因する阻血性拘縮（ischemic contracture）である．

Warp!! 上腕骨遠位部骨折（p. 121）

❸ 神経損傷

　上腕骨骨幹部骨折による橈骨神経損傷や，腓骨頭骨折に伴う腓骨神経損傷など，骨折部の近くを末梢神経が走行している場合には注意を要する．血管と末梢神経は併走していることが多く，骨折に血管損傷が認められた場合，末梢神経損傷を合併していることが多いため注意が必要である．

❹ 急性コンパートメント症候群（acute compartment syndrome）

　骨折や打撲により筋膜で囲まれた区画内の内圧が亢進することで，筋や神経に血流障害を起こし，最終的には筋肉が瘢痕化する病態である．症状は，通常の骨折では考えられないような灼熱感と疼痛を訴え，他動伸張により疼痛が増強する．また，腫脹，蒼白，錯感覚，麻痺，脈拍消失を認める．筋肉は，6～8時間以上の阻血状態で不可逆性の変化が生じるとされており，この病態が疑われた際は，速やかに筋膜切開による減圧処置が行われる．筋膜切開の適応は，区画内圧が30～50 mmHg，あるいは拡張期血圧より20～30 mmHgを差し引いた数値とされている．

❺ 脂肪塞栓症候群（fat embolism syndrome）

　なんらかの原因で生じた脂肪の栓子が，肺・心臓・腎臓などで塞栓を生じるものをいう．骨折後12～48時間以内に発症しやすく，1～5％程度の骨折患者に発症するとされている．発熱，頻脈，前胸部痛，腋窩部痛，呼吸器障害，中枢神経障害，結膜に点状出血斑を生じ，胸部レントゲン像の"吹雪様陰影"を認めることもある．適切な処置がなされない場合の死亡率は，10～20％とされている．

❻ 肺血栓塞栓症（PTE: pulmonary thromboembolism）

　血液凝固による血栓が下肢の深部静脈に生じることを，深部静脈血栓症（DVT: deep vain thrombosis）といい，外傷後の安静や下肢のギプス固定が原因で発生することもある．この血栓が，肺に移動し塞栓を生じるものを肺血栓塞栓症という．
　致死率は50％との報告もあり，早期荷重歩行，足関節自動運動，持続的他動運動，間

欠的空気圧迫法，弾性包帯やストッキングの利用，薬物療法などの予防が重要である．

 内臓損傷

骨盤輪複合骨折による膀胱や尿道の損傷の他に，肋骨骨折では外傷性の気胸や血胸を起こすことがある．

Skill 神経損傷の評価

神経障害は早期発見が予後を大きく左右します．運動の観察や感覚検査，骨折部の状態から神経損傷の有無を常に予測し，確認する作業を怠ってはなりません．

Skill 急性コンパートメント症候群に至らない状態

臨床的には，筋膜切開の適応とならない急性コンパートメント症候群の前段階の状態は多く存在します．筋挫傷とでも表現すれば良いのでしょうか．評価は，各筋の圧痛の確認と軽く伸張し筋内圧を高めてみてください．圧痛の存在や，健側との比較にて抵抗感や伸張性の低下を認めたら，これを疑ってみてください．

治療は，筋ポンプ作用を期待し痛みを伴わない程度での反復した筋収縮練習や，筋膜の伸張を期待してストレッチングを施行しています．痛みを感じる，ほんの少し手前で行うのがコツです．

 **骨折の治療**

 保存療法（conservative treatment）と手術療法（operative treatment, surgical treatment）の選択

骨の形には機能的な意味がある．その機能を回復させるための治療原則は，解剖学的な整復と固定，早期運動療法であり，血行の温存も重要な要因である．

保存療法の多くは，転位の少ない場合や整復位が良好に保持されている場合に選択される．一般的に血行が温存されるために骨癒合が期待できる．しかし，整復位を保持することが難しく，骨癒合が得られるまでに長期間の外固定が必要なこともある．その結果，長期臥床，免荷，骨折部や隣接する関節の可動域制限，筋力低下などの問題が発生する．

手術療法は，安定した内固定が得られ，早期の可動域練習や荷重，歩行が可能となる．しかし，手術侵襲に伴う軟部組織の損傷や固定器具による体積の増加により，癒着や拘縮の可能性がある．同時に感染の問題も考慮されなければならない．

整形外科医による保存療法か手術療法かの選択は，受傷機転，骨折の型，軟部組織の損傷状態，血管・神経損傷の有無，整復状態や全身状態，個人の置かれた状況などから総合的に判断される 表2 ．

表2 手術療法の適応

①膝蓋骨骨折や肘頭骨折など，自己の筋力で骨折部が離開するもの
②骨端部骨折または転位を伴う関節内骨折
③修復を要する血管損傷を合併する骨折
④軟部組織が介在して骨折の整復が不十分で骨癒合が期待できない場合
⑤成人の大腿骨骨幹部骨折のように，明らかに手術療法の方が機能的予後が良いと考えられる場合
⑥精神障害や認知症など長期臥床，安静保持の困難な場合
⑦高齢者の骨折
⑧転移性腫瘍による四肢長管骨の病的骨折
⑨多発外傷に伴う骨折で，全身管理に有利であると考えられる場合
⑩早期の職業復帰，スポーツ復帰を目的とする場合

文献❽より改変

2 整復（reduction）

整復には，徒手整復，牽引による整復，観血的な整復がある．

a．徒手整復（manual reduction）

可能な限り早期に麻酔下で徒手的な整復が行われる．通常は，レントゲン透視下のもと軟部組織の二次的損傷を避けるために愛護的に行われる．受傷後6〜12時間以内であれば，腫脹が完成しておらず整復が行いやすいとされている．屈曲変形や短縮に比べ回旋変形は，発見されにくいために注意が必要とされる．

b．牽引による整復

徒手整復が困難な場合や手術までの整復位の保持が必要な場合に行われる．牽引法としては，Kirschner鋼線やStainmannピンを直接骨に刺入して行う直達牽引（direct traction）図11と皮膚を介しスピードトラックを用いて行う介達牽引（indirect traction）がある．

c．観血的整復

徒手整復や牽引による整復で良好な整復が困難な場合や，整復位の保持ができない場合には，観血的整復とともに各種固定材料を用いた内固定が行われる．

3 固定（fixation, immobilization）

a．外固定（external fixation）

骨折部を体外から固定する方法で，絆創膏やテープによる固定，格子状の針金，アルミ板，ガラス繊維性素材を用いた副子固定，ギプス包帯を用いた固定法がある．

ギプス固定の場合，浮腫の軽減に伴い患部の周径が変化するため，1〜2週ごとに巻き替える必要がある．

b．創外固定（external fixation）

骨折部の遠位と近位に数本の鋼線を貫通させ，創外で連結器を用いて固定する方法である．最終固定までの一時的な固定として用いられることが望ましいとされている．

c．内固定（internal fixation）

骨折部を，鋼線，スクリュー，プレート，髄内釘などの固定材料（implant）を用い手術的に固定する方法である．

❽内田淳正，他監修．標準整形外科学．第11版，医学書院；2011．p. 699．

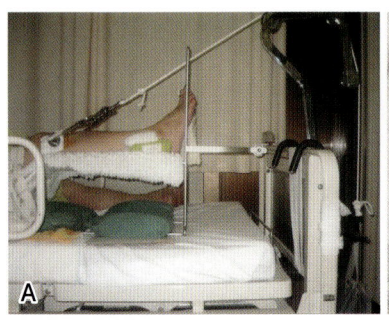 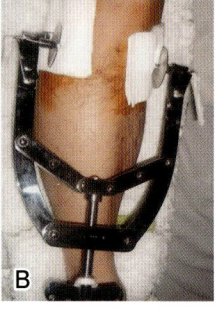 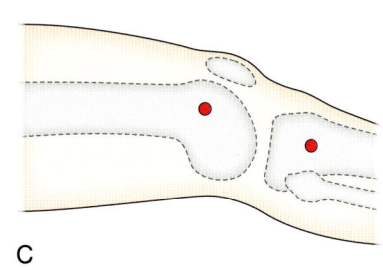

図11 直達牽引例
A: 脛骨近位部からの直達牽引　B: 実際のKirschner鋼線の刺入部
C: 大腿骨と脛骨のKirschner鋼線の刺入部シェーマ（文献❾より）

Skill　膝蓋骨の可動性の維持

大腿骨の骨幹部骨折例や骨盤骨折例に対してKirschner（キルシュナー）鋼線を用いた直達牽引が行われる際に，鋼線を脛骨近位部だけでなく大腿骨遠位部 図11C に刺入することがあります．

長期間にわたり牽引が余儀なくされる場合は，ピン刺入部の皮膚の状態を観察しつつ，膝蓋骨の可動性を可及的に維持することが，その後の膝関節の可動域の改善において重要です．

Knowledge　シーネ

"シーネ" という言葉もよく耳にします．つづりは "schiene" と書き，もちろん意味は副子です．これもドイツ語です．

固定材料とその固定理論

1　鋼線（wire）

a．締結用鋼線（soft wire）

一見すると，ただの針金であるが抗張力に富み，膝蓋骨骨折や肘頭骨折などで骨を引き寄せる目的で使用される．磁性を帯びないように作られている 図12AB ． **Warp!!** 肘頭骨折（p. 133），膝蓋骨骨折〔体幹・下肢編（1版）p. 118〕

b．Kirschner鋼線

K-wireとも呼ばれ抗張力と弾力性に富む．Colles骨折などでKapandji法（Intrafocal pinning法）の整復用器材として使用されたり，骨折部の仮固定，中空スクリューのガイド，創外固定の固定部材，中実型の髄内釘など幅広く使用されている 図12C． **Warp!!** 前腕骨遠位部骨折（p. 165）

❾整形外科リハビリテーション学会．整形外科運動療法ナビゲーション　下肢・体幹．メジカルビュー社；2008．

Post-Fracture Rehabilitation Master Book 17

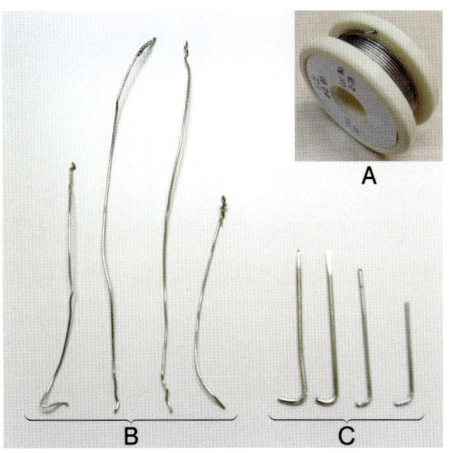

図12 鋼線
A：締結用鋼線（使用前）　B：締結用鋼線（使用後）
C：Kirschner 鋼線（使用後）

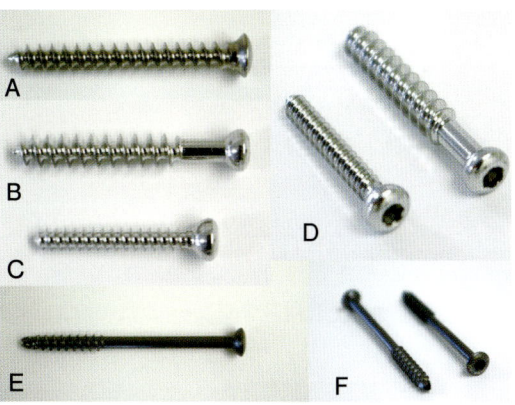

図13 各種スクリュー
A：海綿骨スクリュー
B：圧迫用海綿骨スクリュー
　皮質骨部は円柱状であり海綿骨側にネジ山があるため，海綿骨を皮質骨側へ引き寄せ圧迫させる働きがある．
C：皮質骨スクリュー
D：海綿骨スクリューと皮質骨スクリューの比較
　海綿骨スクリューと皮質骨スクリューでは，ネジ山の高さならびにピッチが異なる．
EF：中空スクリュー，内果骨折用（malleolar screw）
　スクリューヘッドと先端部が中空となりつながっている．Kirschner 鋼線が骨折部への線路となり固定がなされる．E, F は，圧迫用の中空スクリューということになる．

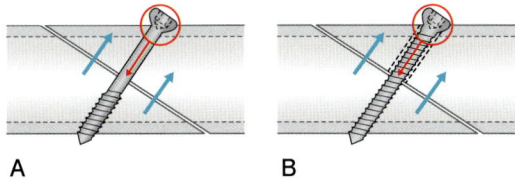

図14 圧迫用スクリューの作用機序
A：スクリューは骨折線に対し垂直かつ均等な距離で刺入されると最も圧迫力が高くなるとされている．スクリューヘッド（赤丸）を支点に，その近位部が円柱で遠位部にはネジ山があるため，骨折部より遠位骨片はねじ込む作業により引き寄せられ近位部に圧迫される．
B：皮質骨スクリューを用いた場合は，近位骨片にスクリューのネジ山より少し大きくリーミング（点線）をすることで圧迫用スクリューと同様の作用が得られる．

Ⅲ 骨折に関する基礎知識

Knowledge　ラグスクリュー

　物質間に圧迫力を作用させるスクリューをラグスクリュー（lag screw）といいます．この単語は，医療系だけではなく住宅や建築関係の専門用語としても用いられているようでコーチボルトともいわれるようです．

Knowledge　リーミングとは

　リーミングとは，"ream：穴を広げる"の動名詞で，"穴を広げること"を意味します．以前は，髄内釘を挿入する際のリーミングが，骨髄内の血行の障害，感染，脂肪塞栓の発生を招く等の報告がなされてきましたが，その後の研究でそれほど問題にならないことがわかってきました[10]．

[10] 松末吉隆. 骨折・脱臼. 改訂第2版. 冨士川恭輔, 他編. 南山堂; 2005. p. 84-5.

2 スクリュー（screw）

材質は，ほとんどがステンレス，チタン，チタン合金などの金属製であるが，骨吸収性素材を用いたものもある．

a．海綿骨スクリュー（cancellous screw）

海綿骨部での固定を目的としており，スポンジ様の構造をもつ海綿骨で固定性が発揮できるように比較的太いシャフトに深いネジ山をもつ．使用される部位によってネジ山の大きさは異なる 図13A．

b．圧迫用スクリュー（compression screw）

スクリューの遠位部のネジ山が，遠位骨片を近位部へ引き寄せ，圧迫させる働きをもつ 図13B 図14A．

c．皮質骨スクリュー（cortical screw）

骨単位によって構成される皮質骨は硬く，小さいネジ山で固定性が得られる 図13CD．骨幹部でのプレートや髄内釘の固定，皮質骨の骨片の固定に用いられることが多いが，圧迫用のスクリューとして用いられることもある 図14B．
通常，皮質骨スクリューはタッピングしピンゲージで長さを測定してから使用される．

d．中空スクリュー（canulated screw）

スクリューの中が空間になっており，骨折部の整復後にKirschner鋼線を刺入し，そのガイド下でこれを刺入する．中空であるためスクリューとしての強度は低下するが，整復位を保持したまま固定することができる 図13EF．

e．骨吸収性スクリュー（absorbable bone screw）

海綿骨の固定や移植骨の固定などで使用されることがある．骨癒合の可能性が高い部位での使用が推奨されている．

> **Knowledge　タッピング，ピンゲージ（デプスゲージ）**
>
> タッピングのTapはドリルに似た雌ネジを切るための道具で，タッピングはその工程を意味します．"タップを切る・タップを立てる"ともいいます．ピンゲージは，穴を開けた後で用いられ皮質骨スクリューの長さを決めるための測定器具です．

3 プレート（plate）

機能から区別すると中和プレート，圧迫プレート，架橋プレート，支持プレート，ロッキングプレートなどに分けられる．

a．中和プレート（neutrarization plate）

長管骨の骨折などで，圧迫スクリューだけでは力学的に不十分な場合の補強用として用いられる．回旋力や屈曲力を中和することができ，骨折線を貫くスクリューが必要である 図15AB．

プレートの固定力は，骨への圧迫力と摩擦力により得られる．繰り返される骨への衝撃や歪みは，スクリューやプレートの緩みの原因となり，固定力の喪失や破損を起こす

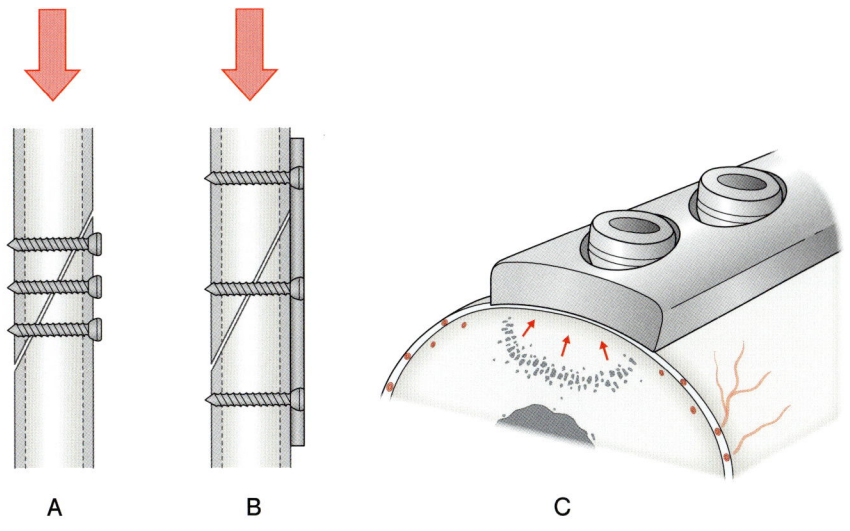

図15 中和プレート
A：骨への長軸方向に加わる外力に対し，垂直に刺入されたスクリューが効果的である．
B：中和プレートは，それを補強するために用いられる．
C：プレートの圧迫力による一時的な骨量の減少およびリモデリングのイメージ図．（文献⓫より）
　　一時的な骨量の減少は，術後約3カ月で解消すると報告されている[11]．

可能性がある．また，圧迫に伴うプレート下の血流障害のために，一時的な骨量の減少や皮質骨の希薄化の問題もある 図15C．　**Warp!!** 骨への血行系と神経系（p.5）

b．圧迫プレート（compression plate）

静的圧迫プレート（SCP：static compression plate）と動的圧迫プレート（DCP：dynamic compression plate）図16 がある．DCP は，横骨折で使用されることが多く骨折部に圧迫力を作用させるためのプレートである．圧迫スクリューとの併用が効果的とされる．中和プレートと同様の問題が残存する．

c．架橋プレート（bridging plate）

骨幹部の粉砕骨折などで用いられる．骨折部の展開は骨膜外で行われるため血流が温存されるという利点がある 図17．

d．支持プレート（buttress plate, supporting plate）

脛骨近位端骨折や橈骨遠位端骨折 図18 で用いられることが多い．骨端部や骨幹端部の皮質骨の薄い部分で骨折部や移植骨の転位を防ぐために用いられる．　**Warp!!** 前腕骨遠位部骨折（p.165），脛骨近位端骨折〔体幹・下肢編（1版）p.125〕

e．ロッキングプレート（locking plate）

近年，上腕骨近位部や橈骨遠位端，膝関節周囲など多くの部位でロッキングプレートが使用されている．中和プレートや圧迫プレートの問題点であった血流や摩擦力の問題を解決するために開発されたプレートで，骨に密着させる必要はない 図19．スクリューとプレートはロッキングされてしまうと一塊となり，骨への外力は骨折部へ伝わることなくプレートへ伝えられる．生体内に創外固定器を留置したようなものである．
　したがって，早期からの運動療法が可能となるが，過大な外力はスクリュー刺入部の

⓫ Muller ME, et al. 骨折手術法マニュアル　AO法の実際．改訂第3版．シュプリンガー・フェラーアーク東京；1995. p.63-6.

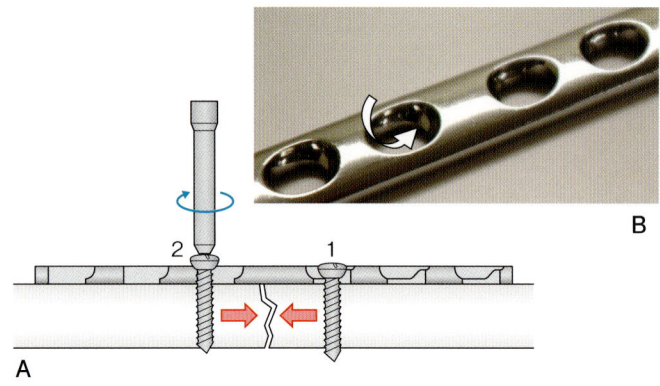

図16 圧迫プレート
A: スクリュー1で一方を固定し，スクリュー2を骨折部より遠位端のスクリュー孔から刺入していく（B: 白矢印）とプレートが水平移動して骨折部に圧迫力が働く．（文献⓬より）
B: 実際の圧迫プレート

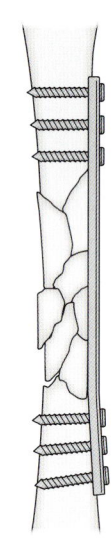

図17 架橋プレート

骨破壊や，スクリューそのものの破損の可能性がある．また，プレートとその隙間とによる容積の増加が，筋や靱帯の静的緊張を高めたり，プレートとの滑走障害が疼痛や可動域に影響することもある．

❹ 髄内釘

a．中空型髄内釘

長管骨の骨幹部や骨幹端部に多く用いられるが，骨端部に使用されることもある．

古くはキュンチャー（Kuntscher）法に代表され，骨折部を展開することなく整復と固定がなされる．

骨膜などの軟部組織への侵襲が少なく強固な固定が得られるため，早期からの運動療法が可能とされている．Kuntscher 法は，骨髄腔をリーミング **Warp!!** リーミングとは（p. 17）して挿入することで髄内釘と皮質骨間が密着し安定性を得ており，骨幹部の横骨折などには良い適応となるが，骨幹端部では回旋力に対する固定性が得られないため，近年では遠位と近位に横止めスクリューを用いたインターロッキングネイル（interlocking nail）を用いることがほとんどである 図20．遷延癒合の場合には，横止めスクリューのみを除去してダイナミゼーション（dynamization） **Warp!!** ダイナミゼーションとは（p. 22）を行うこともある．

b．中実型髄内釘（Ender nail）

Ender nail は，Kirschner 鋼線と同様に中実型の髄内釘である．長管骨の骨幹部や骨幹端部で主に使用されるが，大腿骨の転子部骨折で用いられることもある．骨折部を展開することなく整復と固定が可能で3〜4本の Ender nail を使用し，刺入部，骨幹部，骨端部の3点により固定がなされる 図21．骨端部でピンの先端を扇状とし骨幹部で反張させることで屈曲や捻転に抗し，弾力性をもった固定性が期待される．安定性がよい場合には，早期の運動療法と荷重が可能であるが，斜骨折では短縮や回旋変形をきたす可能性がある．手技的に難しく，近年は行われることが少なくなってきている．

⓬内田淳正，他監修．標準整形外科学．第 11 版，医学書院；2011．

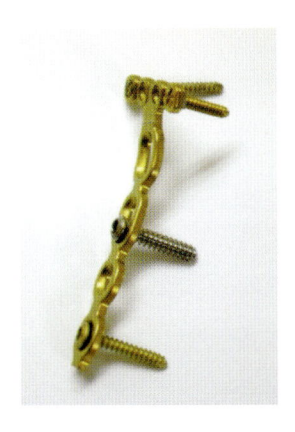

図18 橈骨遠位端用の支持プレート

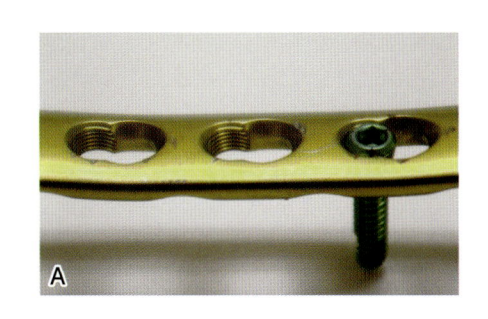

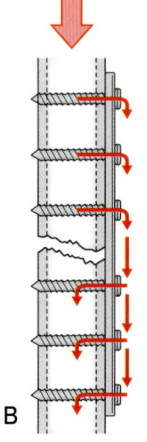

図19 ロッキングプレート（脛骨用）
A：プレート側には，コンビネーションホールと呼ばれロッキングスクリューと通常のスクリュー孔がありどちらも使用可能である．また，ロッキング用のスクリューヘッドに雄ネジが切ってありプレートとの固定が可能となる．ロッキングスクリューが使用された場合には，骨とスクリュー間での固定性が把握しにくいという欠点もある．
B：横骨折などでロッキングプレートが使われた場合，骨に伝わった外力はスクリューからプレートへ伝わり骨折部を介することなく反対側へ伝わる．

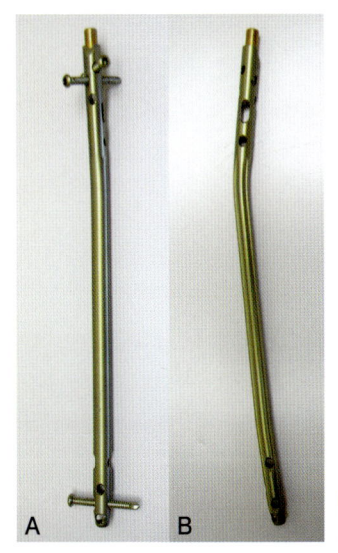

図20 インターロッキングネイル（下腿用）
A：正面より　B：側方より

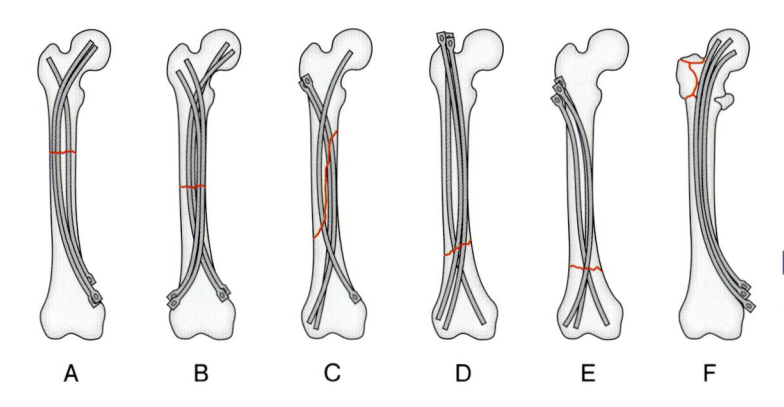

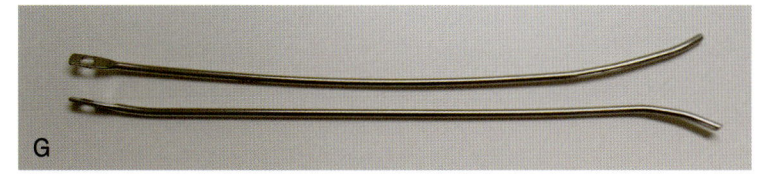

図21 Ender nail の刺入法
A：骨幹部近位 1/3 の横骨折に対する刺入法
B：骨幹部の横骨折に対する刺入法
　　A と B に対する適応が最も良く早期荷重が可能とされている．
C：斜骨折では，整復や固定性が得られにくく短縮や回旋変形をきたしやすい．
DE：遠位骨幹端部に対する刺入法
F：転子部骨折に対する刺入法
G：Ender nail

III 骨折に関する基礎知識

> **Knowledge** ダイナミゼーション（dynamization）とは

ダイナミゼーションとは中枢側か末梢側のどちらか一方の横止めスクリューを除去することで，骨折部に圧迫力を作用させ骨癒合を促進させることです．横骨折では良い適応となりますが，斜骨折や粉砕骨折などスクリューを除去することで骨折部の不安定性が懸念される場合は行いません 図22 ．

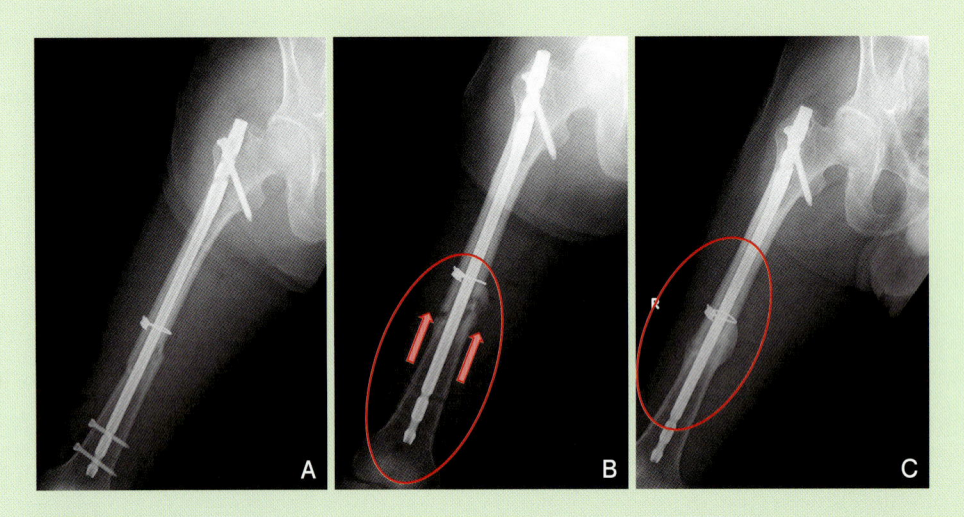

図22 ダイナミゼーション
A：大腿骨骨幹部骨折に対しインターロッキングネイルを用いた固定が行われた．
B：遠位のスクリューを2本とも抜去することで骨折部への圧迫力を期待し，ダイナミゼーションが行われた．
C：ダイナミゼーション後，9カ月が経過し骨癒合が得られた．

5 創外固定（external fixation）

　　数多くの創外固定器（external fixator）が開発されている 図23 ．
　内固定材のように直接骨折部を固定するのではなく，その遠位と近位より鋼線やスクリューを刺入し，体外で連結器によって固定される．小さな皮膚切開で固定ができ，開放創部の管理が可能であるとする理由で，感染の危険性がある開放骨折，粉砕骨折で内固定が不可能な場合，腫脹が強い場合，コンパートメント症候群，骨盤骨折などで用いられる．また，アライメント調整が装着後に可能であるため関節固定や骨切り術後の固定にも用いられる．さらに，骨端成長軟骨板を避けることができるため小児の骨折にも適応がある．しかし，鋼線やスクリュー刺入部での感染の可能性や関節運動を制限するなどの問題がある．
　　運動療法を行う際には，ピンやスクリューの刺入部での皮膚を確認し，関節運動に伴う皮膚損傷に注意しなければならない．

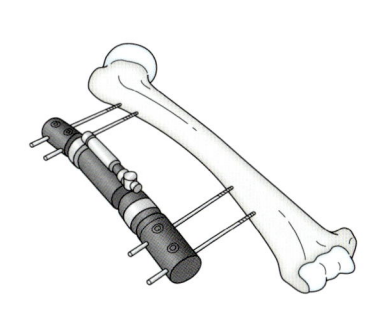

Unilateral 型創外固定器

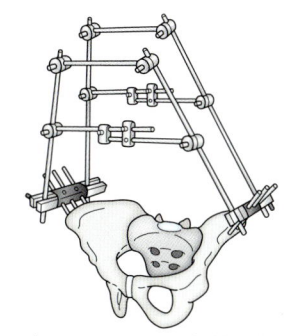

骨盤用 Hoffmann 型創外固定器

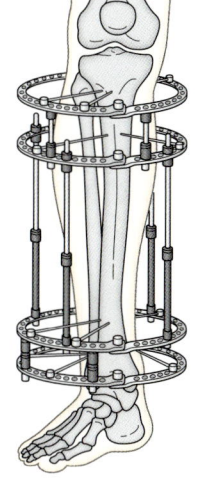

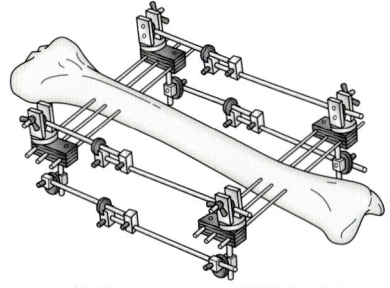

長管骨用 Hoffmann 型創外固定器

Ilizarov 型創外固定器

図23 創外固定器

Opinion　固定性の善し悪し

　手術記録を見ていると，"固定性は良好であった""近位より3番目のスクリューの効きが悪い"などと書かれているのを目にします．鋼線の掛かり方や締め付け具合，スクリューの締め付け具合，プレートへの圧のかかり具合，髄内釘の挿入感などから判断して書かれています．

　これらを確認できるのは術者だけです．可能であれば手術法を理解し，見学しながら固定性の善し悪しを確認すると良いでしょう．そのためには整形外科医と共通の言葉でコミュニケーションをとることが重要ではないでしょうか．

骨折および周辺組織の修復過程 図24

　骨折に伴い周辺組織も同時に損傷されている可能性が高く，それぞれの組織の修復もまた同時に進行する．損傷された組織の評価は，受傷機転や画像所見，圧痛や伸張痛などの理学所見から推察する．手術が行われた場合は，術中所見や術後画像なども加味し推察する．何らかの要因で骨折時と手術までの時間差ができてしまうことがある．その場合は，骨折時ならびに手術時からの2つの修復過程を考慮する必要がある．

❶ 各組織の修復過程

a．骨

　正常な骨折の修復過程には，仮骨形成を伴わない直接骨折治癒（一次骨折治癒）と仮骨形成を伴う間接骨折治癒（二次骨折治癒）がある[12]．前者は，プレートなどで解剖学的に強固に固定された際に起こる．間接骨折治癒の過程は，一般的にRockwoodら[13]の述べる炎症期，修復期，リモデリング期を経て治癒するとされている．骨組織は，正常な過程をたどれば他の組織とは異なり瘢痕なく治癒する組織である．修復能力は若年者であれば高く，高齢者になればより低下する．自然矯正能力（Wolfの法則）も小児期であれば高いが，成人では低下する．

b．皮膚

　皮膚の修復も炎症期，増殖期，成熟・再構築期に分けられ，数カ月間で安定した瘢痕組織となる．

c．筋

　一般的に筋の再生能力は高く，部分的な筋損傷で筋内膜が残存した場合は，機能障害をほとんど残すことなく2週程度でほぼ正常な筋線維となる．血管や神経にまで及ぶ損傷の場合は，阻血に伴う線維化が進み瘢痕組織となる．

d．靱帯

　靱帯の修復過程も，皮膚や他の組織と同様に炎症期，増殖期，成熟・再構築期に分けられる．図24は側副靱帯のような修復能力が高い組織の過程を示している．前十字靱帯や後十字靱帯の損傷では，その修復過程は側副靱帯のそれとは大きく異なる．

e．腱

　腱の修復には，損傷を受けた腱組織自身によるもの（intrinsic heeling）と損傷を受けた周辺組織からの修復（extrinsic heeling）が存在する．

Knowledge　抜糸

　手術後の抜糸は，術後1週間から2週間の間に行われます．しかし，縫合部の大きさや状態，部位により一定ではなく，視診や図24の修復過程が考慮され決定されます．

[13] Rockwood CA Jr, editors. Fractures in Adults. 4th ed. JB Lippincott; 1966. p. 269-71.

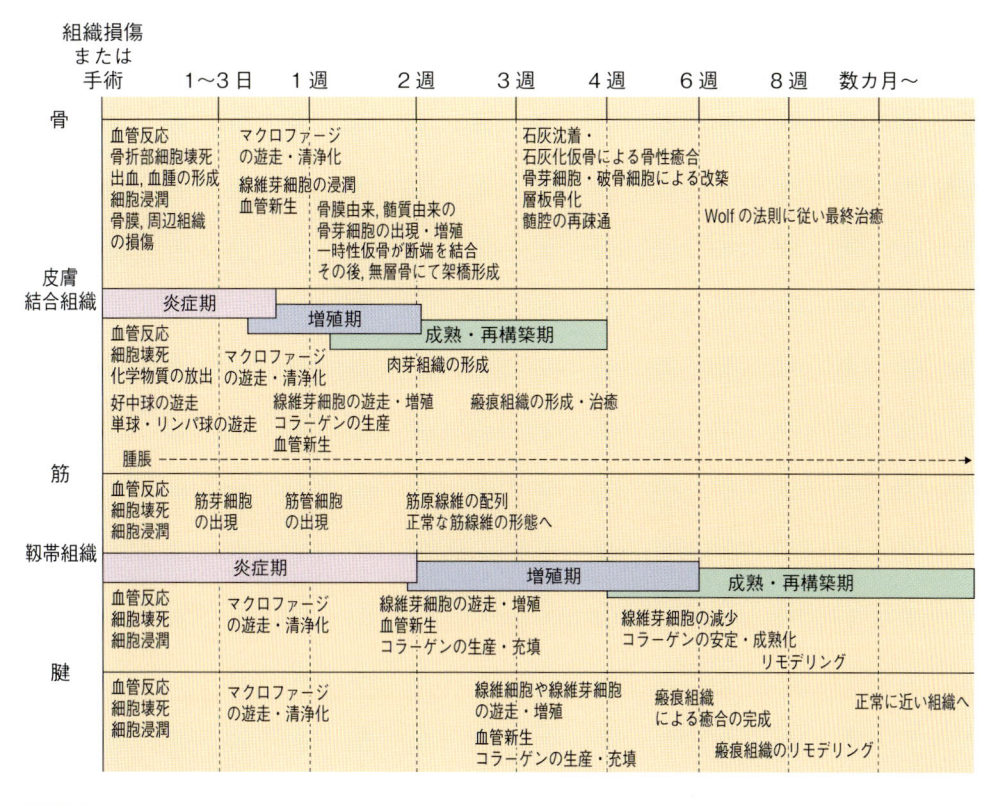

図24 各組織の修復過程

Knowledge & Opinion　fasciaの定義と構造

　各組織の修復過程を考える際にfasciaについて知ることは，骨折治療における運動療法を行う上で重要と考えます．そこで，少しお話しさせて頂きます．まず，fasciaと結合組織という言葉は同義語でありません．結合組織という言葉は総称であり，疎性結合組織や密性結合組織，脂肪組織などの固有結合組織，骨や軟骨，血液などの特殊結合組織，そして胎生期に存在する胚性結合組織に分類されるそうです．また，fasciaも総称ですが，厳密な言葉の使い方や定義は，過渡期にあり世界的にコンセンサスの得られたものは存在しないようです．2012年に発表されたRobertら[14]のfasciaに関するレビュー論文は，それまでのfasciaに関する定義の変遷を伝えています．その中で，fasciaには，密性結合組織，非密性または疎性結合組織，浅筋膜，深筋膜，筋間中隔，骨間膜，骨膜，神経血管系，筋外膜，腱膜，筋周膜，筋内膜，靱帯，腱，内臓周囲の膜などを含む可能性を示しました．また，小林は，2016年に出版されたTHE整形内科の中でfasciaを「線維性結合組織の総称」と説明し[15]，2019年4月時点では「ネットワーク機能を有する『目視可能な線維構成体』」と表現しました[16]．世界的に有名な解剖学書であるGRAY'S Anatomyにおいても40th ed（2008），41st ed（2015），42nd ed（2020）で，その説明内容が変化してきています．

　さて，まだまだ不十分な定義のfasciaですが，図で見てみましょう．足関節近位部の水平断図を例に挙げてみます 図25A ．運動器を扱うセラピストに関連が深いfasciaには，皮下組織（一般的に言われる浅筋膜），深筋膜，"筋間"や"筋と骨との間"に存在する結合組織と脂肪組織，筋上膜（筋外膜），筋周膜，筋内膜，血管の周囲に存在する結合組織と脂肪組織，神経外膜（paraneurium），神経上膜，神経周膜，神経内膜等が挙げられ，筆者はこれらを運動器に関連するfasciaと考えています．その領域を 図25B に示します．

[14] Schleip R, et al. J Bodyw Mov Ther. 2021; 16: 496-502.
[15] 小林只. THE 整形内科. 白石吉彦, 他編. 南山堂; 2016. p. 37-49.
[16] 小林只. 臨スポーツ医. 2020; 37: 120-7.

とても広いことがわかります．fasciaの構造に目を向けると，その構造をtensegrity structure（引っ張り応力と圧縮力の均衡が取れた立体構造）と捉える報告があります[17][18]．tensegrityという言葉は，tensile（張力）とintegrity（統合）からなる造語であり，Richard Buckminster Fuller（リチャード バックミンスター フラー）により命名され，この構造は特許も取得されています[19]．いささか難解な言葉ではありますが，適度な柔軟性，伸張性，滑走性，支持性が同時に必要な構造と言い換えることができます．そして，その特性により，筋間等の滑走性を維持すると共に，血管や神経の位置関係を一定に保ち，第二の骨格の役割を担うと考えられます．例として，tensegrity structure toyを示します 図26A ．筆者は，このおもちゃを基にfasciaの構造を想像しています．木製の柱を膠原線維，ゴムバンドを弾性線維，そしてその構造物の中にある木の丸い物体を，感覚受容体（自由神経終末，ポリモーダル受容器，etc．）と考えます．また，それらの中を神経や血管が走行する様子を 図26B のようにスキーマとして考えています．骨折に伴う組織の損傷や炎症の波及，手術侵襲によりこれらのバランスが崩れると，fasciaの構造上の問題が生じるだけでなく，同部を走行する神経や血管，侵害受容体に影響を与える可能性があります．急性期であれば，炎症に伴う腫脹などによりその安定性は低下し，痛みを助長する可能性があります 図26C ．また，時間の経過と共に，拘縮の原因となる可能性があり，滑走性の低下，癒着などにより，神経や脈管系の圧迫，滑走障害，虚血，侵害受容体への刺激などをもたらす可能性があります 図26D ．

また，深筋膜より深層に存在する結合組織と脂肪組織について今西ら[20]は，「深筋膜下では，深筋膜から分葉した筋膜が隔壁を形成し，隔壁，筋肉，骨格の間隙を扁平脂肪と流線上筋膜が埋める構造を形成していた．」と述べ，さらに深筋膜下の筋や腱の周囲には，潤滑性脂肪筋膜系（lubricant adipofascial system: LAFS） 図27 が存在すると述べました[21]． **Warp!!** 皮下の結合組織と脂肪組織について（p.28）

潤滑性脂肪筋膜系は，関節運動や各筋肉固有の伸縮運動を円滑にしている可能性が報告されており[20]，これらの組織の炎症後の変化を想像してみてください．セラピストが一般的に使用する言葉ですが，「リバウンド」の原因の1つになる可能性があります．筆者はこの状態を，fasciaによる拘縮と考えています．

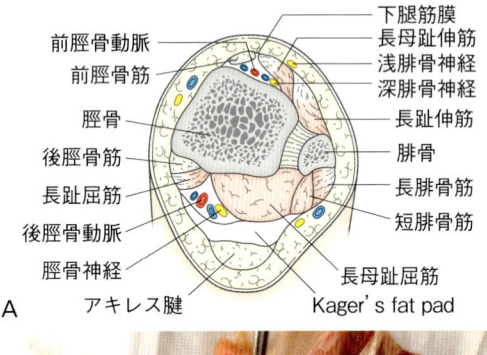

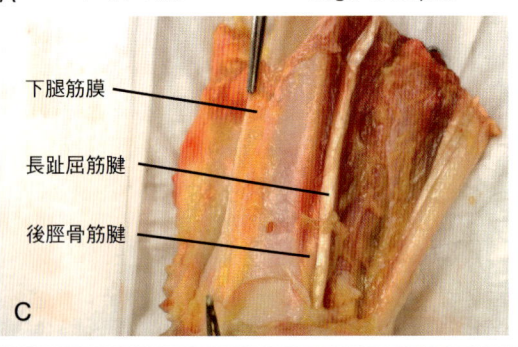

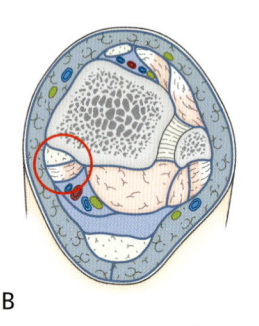

図25 足関節近位部の水平断図

A：足関節近位部の水平断像を示す．
B：筆者は，皮下組織，深筋膜，"筋間"や"筋と骨との間"に存在する結合組織と脂肪組織，筋上（外）膜，筋周膜，筋内膜，血管の周囲に存在する結合組織と脂肪組織，筋外膜（paraneurium），神経上膜，神経周膜，神経内膜等を，運動器に関連するfasciaと考えている．その領域を示す（筋内は着色していない）．
C：B図，赤円部の肉眼解剖像を示す．下腿筋膜を反転し，後脛骨筋と長趾屈筋の周辺を観察した．脂肪組織や結合組織が観察された．

[17] Chaitow L. J Bodyw Mov Ther. 2011; 15: 1-2.
[18] Schleip R, et al. J Bodyw Mov Ther. 2012; 16: 496-502.
[19] Fuller RB. Tensile-integrity structures, US pat, US3063521A, 1962-11-13.
[20] 今西宣晶．慶應医学．1994; 71: T12-T33.
[21] 今西宣晶．臨スポーツ医．2020; 37: 128-32.

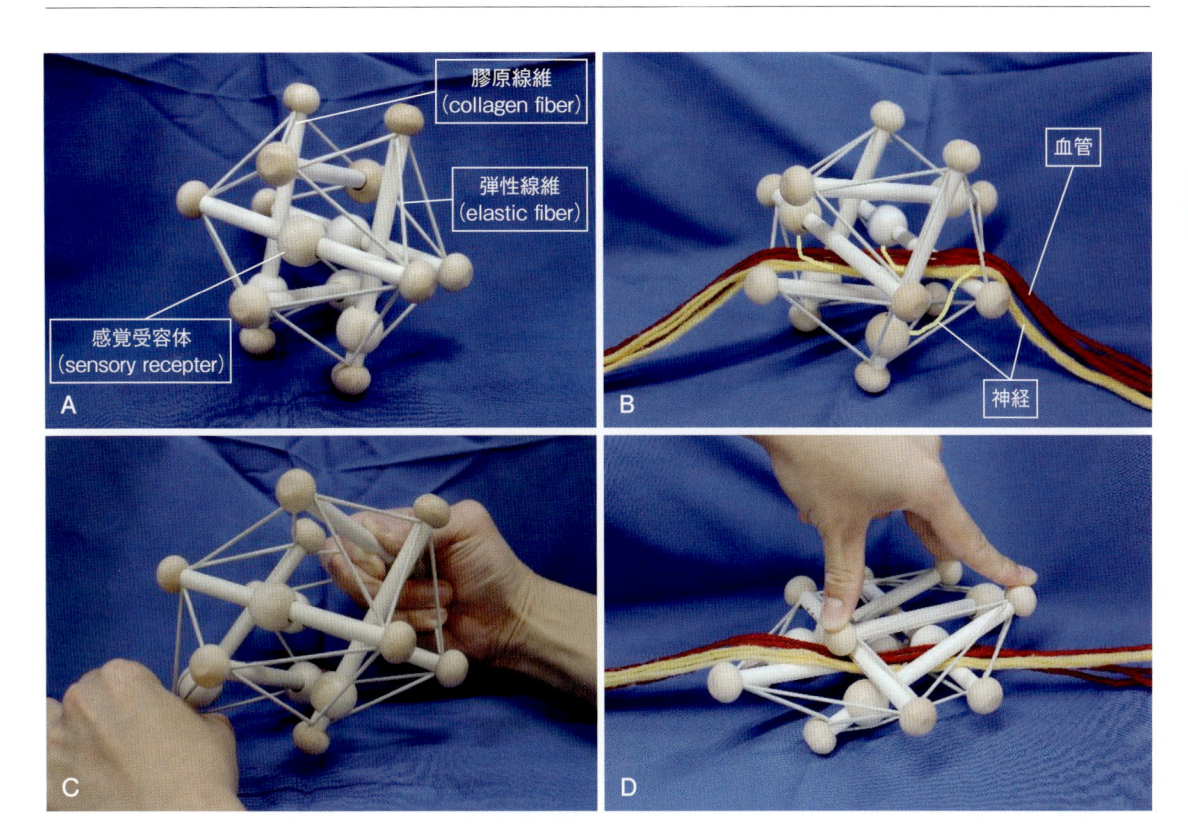

図26 tensegrity structure の例
A：支柱とそれを支えるゴムバンドによって，正二十面体が保たれている．木製の柱を膠原線維，ゴムバンドを弾性線維，そしてその構造物の中にある木の丸い物体を，感覚受容体と考える．
B：fascia の神経と血管が走行する様子を毛糸にて再現した．
C：ゴムバンドが伸びたり，緩んだり，切れたりすると tensegrity structure の維持は困難となり不安定な状態となる．
D：何らかの影響で構造が変化し，その状態で固まってしまうと毛糸や木の丸い物体は圧迫される可能性がある．

Opinion　fascia という言葉の曖昧さ

　前述致しましたが fascia という言葉は総称です．例えば「長母趾屈筋と長趾屈筋の間の fascia」図25AB という句には，「長母趾屈筋の筋上（外）膜，その間に存在する疎性結合組織と脂肪組織，そして長趾屈筋の筋上膜」が存在します．つまり，「fascia」という言葉一つにくくられてしまうことで治療すべき対象部位が，曖昧になる危険性を伴います．したがって，本書では，fascia という言葉をほとんど使用しません．細かく伝えることができないからです．しかしながら，fascia の構造 図26，深筋膜下の潤滑性脂肪筋膜系（lubricant adipofascial system：LAFS）の存在 図25 図27 は，骨折後の運動療法を行う上で非常に重要です．そして，それらを各組織の修復過程 図24 に関連付けて本書をお読みいただければ幸いです．
　ちなみに，筋膜は英語で myofascia という独立した言葉で表現されるようです．

Knowledge 皮下の結合組織と脂肪組織について

　Ophir[22]らは，「組織の機械的な性質は，主に組織の構造によって決定される」と述べています．皮下組織の滑走練習を行う際も，まず当該部位の皮下組織の構造を知ることが大事です．
　今西[20][23]は，皮下（真皮下）から深筋膜に至る結合組織と脂肪組織の2層構造と，深筋膜下の脂肪筋膜組織の組織形態と構造について全身的に観察し，各部位の特徴を詳細に報告しました．多くの報告で，皮下より深筋膜に至る結合組織と脂肪組織とをまとめて浅筋膜と表現していますが，今西は皮下の脂肪組織の間にある膜状組織に着目し，それを浅筋膜 図27-1 としました．皮下の脂肪組織と結合組織の基本構造は，この浅筋膜を挟み浅層と深層に分けられ，浅層は粒状脂肪 図27-2 と蜂巣状筋膜 図27-3 が格子状に取り囲み堅固な構造を示し，皮膚や浅筋膜と強く結合することで，外力から深部の組織を保護する防御的役割を担うとしました．そして，これを防御性脂肪筋膜系（protective adipofascial system: PAFS）と分類しました．そして，深層は扁平脂肪 図27-4 と流線状筋膜 図27-5 が緩く包含し，周囲の組織とも緩く結合することで，皮膚の滑走や筋骨格系の運動を円滑に行わせる潤滑剤としての役割を果たしているとし，潤滑性脂肪筋膜系（lubricant adipofascial system: LAFS）と分類しました．また，全身が基本的な2層構造ではないことにも言及し，脂肪筋膜構造の全身的な分布についても報告しました．
　臨床的に考えれば，年齢や体型など個体差が存在します．これらの基本構造と各部位の特徴を理解した上で，健側を参考に滑走練習を行うことが重要と考えます．

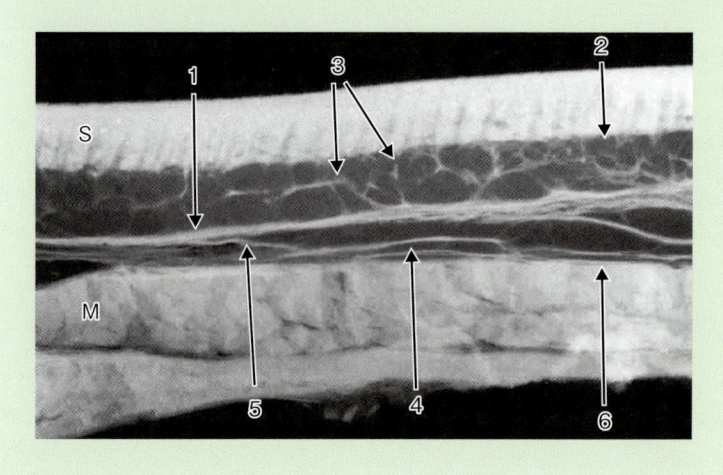

図27 皮膚と深筋膜の間に介在する皮下の結合組織と脂肪組織の基本構造 文献[20]より

1. 浅筋膜
2. 粒状細胞（脂肪） 3. 蜂巣状筋膜
   防御性脂肪筋膜系（protective adipofascial system: PAFS）
4. 扁平脂肪 5. 流線状筋膜
   潤滑性脂肪筋膜系（lubricant adipofascial system: LAFS）
6. 深筋膜 S. 皮膚 M. 筋肉

Skill エコーを使用した皮下組織の滑走練習

　皮下組織の走査には，通常使用するジェルは用いず，プローブの表面を水で湿らせ皮膚と密着させた後に除圧し，長軸方向と短軸方向に動かすことで皮下組織の状態と滑走性を評価します 図28A [24]．防御性脂肪筋膜系：PAFSと潤滑性脂肪筋膜系：LAFSの2層構造を呈する部位では，表皮からPAFSまでがプローブの動きに追従するため，今西ら[20][23]の述べる浅筋膜を境としたLAFSの滑走状態を観察することができます 図28BC ．
　創部の皮下組織と正常な組織を比較したい場合，それらを1画面の中に半分ずつ納め上記の方法で評価します 図29 ．このプローブ操作をそのまま皮下組織の滑走練習の1つとして使用することができます．

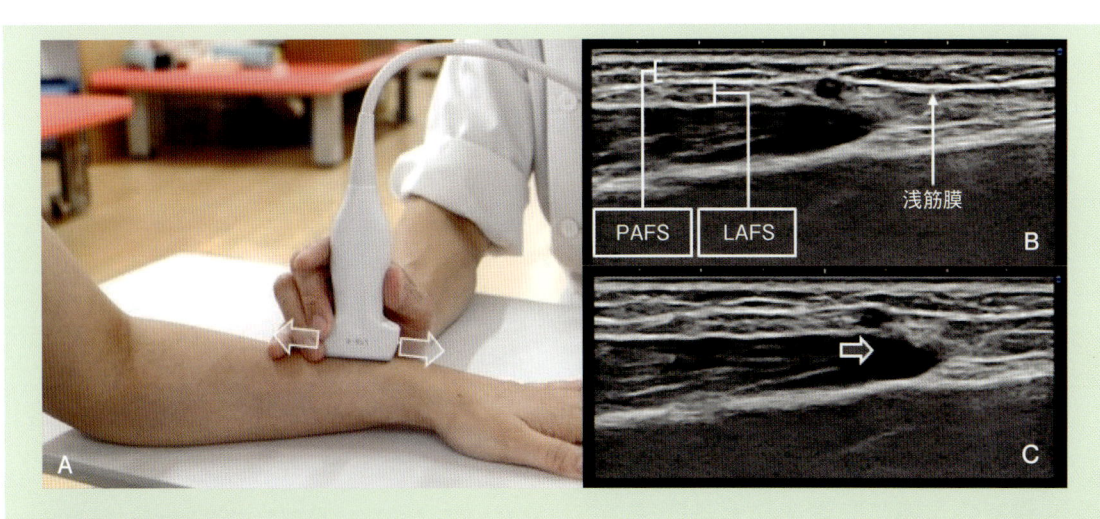

図28 **皮下組織の走査** 文献㉔より
A：皮下組織の評価法
BC：Aの走査により得られたエコー像　前腕の遠位背側部は，今西らの述べた2層構造を呈しており，長軸走査にて近位方向へプローブを動かすと，画面上では，血管と筋が遠位へと移動したかのように観察できる．この動きは皮膚とPAFSが，LAFSを境に近位へ移動したことによる現象である．

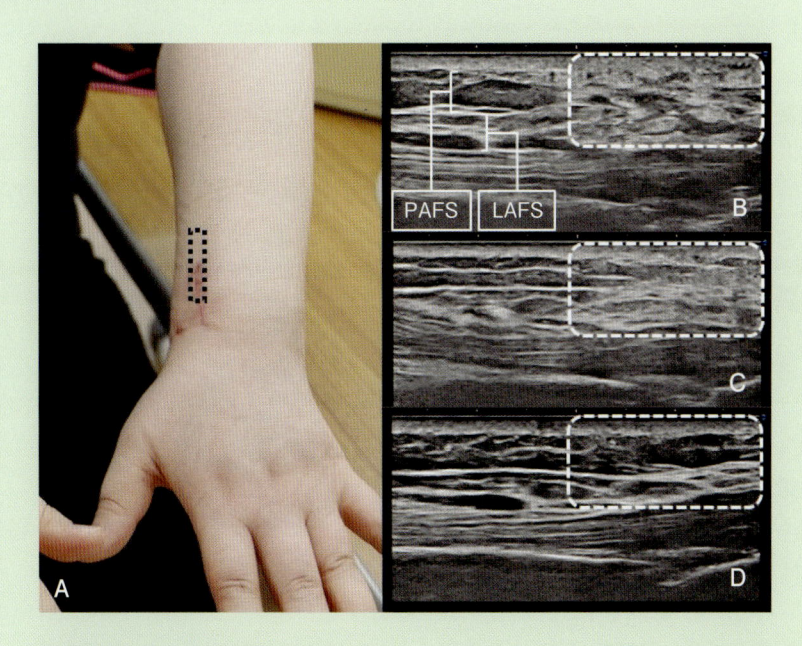

図29 **術創部の皮下組織** 文献㉔より
A：術創部の観察位置
B：術後4週の皮下組織　皮下から深筋膜に至る瘢痕組織が一塊となり（点線四角部），LAFSでの滑走性は認められなかった．
C：術後12週の皮下組織　各層の再構築が行われてきており，LAFSの滑走性も向上してきているように見えた．
D：術後9カ月の皮下組織　PAFSとLAFSの2層構造が確認された．

㉒ Ophir J, et al. Ultrasound Med Biol. 2000; 26: S23-29.
㉓ Nakajima H, et al. Scand J Plast Reconstr Surg Hand Surg. 2004; 38: 261-6.
㉔ 松本正知, 他. 臨スポーツ医. 2020; 37: 176-182.

表3 Gurltによる骨折の平均癒合日数

中手骨	2週	脛骨，上腕骨頸部	7週
肋骨	3週	両下腿骨	8週
鎖骨	4週	大腿骨　骨幹部	8週
前腕骨	5週	頸部	12週
上腕骨骨幹部	6週		

2 平均的な骨癒合期間

　平均的な骨の癒合期間としては，Gurltによるものが一般的である 表3．種々の因子や年齢によりその期間は前後する．あくまでおおよその癒合期間と考えるべきである．

3 骨折の治癒に影響を与える因子

a．全身性因子

　栄養状態の不良やビタミンの不足は，骨癒合の不良因子であり，認知症を伴った高齢者では栄養管理を必要とする場合もある．特に，急激な体重の減少は筋肉量の低下をもたらしADLの低下を招く恐れがあるので注意を要する．

　また，骨代謝を阻害する薬剤の使用や代謝性疾患，内分泌疾患も不良因子となる．

b．局所性因子

　骨折の部位や形，転位の状態，骨破壊や欠損の状態，外界との交通状態や感染の有無，神経損傷や血管損傷の有無，骨膜損傷や軟部組織の介在，整復や固定性の良否などにより骨癒合は左右される．

4 骨折の異常経過

a．変形癒合，変形治癒（malunion）

　十分な整復ができず固定されたり，整復位を保てず解剖学的な形態や位置関係から逸脱したまま骨癒合した状態をいう．

b．遷延癒合，遷延治癒（delayed union）

　遷延とは"延びること"，"長引くこと"を意味する．遷延治癒とは予測される平均的な治癒期間から，なんらかの原因で骨癒合期間が延びることを意味する．骨癒合を阻害している原因が排除されれば骨癒合は進行する．

c．骨癒合不全，偽関節（nonunion）

　骨折部の癒合が停止した状態をいう．原因としては，不十分な固定や感染，骨欠損，栄養状態の不良，高齢などが挙げられる．骨折端は萎縮し，骨折間隙は瘢痕組織で満たされ異常な可動性を認める．治療としては，自家骨の移植や血管柄付き骨移植が行われる．

Skill セラピストが作る骨癒合不全や偽関節

骨癒合不全や偽関節は，十分な骨癒合が得られる前に実施される不適切な可動域練習が，骨折部に作用し引き起こす可能性があります．触診や視診により骨折部に不適切な力が働いていないか十分に確認してください．また，レントゲン所見の確認や整形外科医とのディスカッションも重要でしょう．
　超音波診断装置（以下：エコー）を用いて，骨折部に異常な動きが生じていないかを確認しながら行うことも将来的に有用な方法です．

⑤ 骨折治癒後の合併症

a．骨化性筋炎（myositis ossificans）

　化骨性筋炎ともいい，外傷後や手術後に発症することが多い．原因は損傷された筋や靱帯の出血が基質化して筋肉内に異所性骨化（ectopic ossification）を生じると考えられている．また，暴力的な可動域練習を施行した際にも起こるとされている．
　好発部位として肘関節では上腕筋や上腕三頭筋内側頭，股関節周囲では腸腰筋や内転筋，膝関節では内側・外側・中間広筋である．
　予防には，愛護的な整復と関節可動域練習が基本である．しかし，いったん出現した場合には無理な可動域練習は行わず投薬を行い，安静を保つことが重要である．手術的な骨化部の除去は，成熟骨となった後に行われる．

b．Sudeck 骨萎縮（Sudeck atrophy）

　長期の不動や非荷重により，廃用性骨萎縮（disuse bone atrophy）が起こる．
　これに対し，発赤からチアノーゼ，蒼白へと変化する皮膚の変色，腫脹，可動域制限，荷重や運動時の激しい疼痛を伴って生じる急性の骨萎縮を Sudeck 骨萎縮という．複合性局所疼痛症候群（CRPS: complex regional pain syndrome）の typeⅠまたは，反射性交感神経性ジストロフィー（RSD: reflex sympathetic dystrophy）に含まれる病態である．

c．外傷後関節症（post-traumatic osteoarthritis）

　関節内骨折における関節面の整復不良や骨軟骨片の欠損，変形治癒，高度な関節拘縮などにより変形性関節症に進行した状態をいう．

d．慢性骨髄炎（chronic osteomyelitis）

　開放骨折後の対応が不適切な場合，腐骨が残り骨髄炎が慢性化したものをいう．腐骨は炎症性の肉芽や膿汁，壊死骨に囲まれているため，同部の局所血流が不十分となり，抗生物質などの薬剤が届きにくく再発を繰り返しやすい．治療は，外科的な腐骨の摘出術や病巣の掻爬，持続灌流などが行われる．

骨折後の運動療法の立案

　運動療法の立案には，同時に進行している各組織の修復過程を考慮した時間的な思考が重要である 図24．

1 拘縮の始まりと早期運動療法

　骨折による軟部組織の損傷は，骨折部の周辺組織がもっとも影響を受けやすく，手術侵襲ではその進入路が問題となる．

　皮膚や軟部組織の損傷において，受傷直後から約72時間（3日間）を炎症期，72時間以降を増殖期とする報告を散見する．炎症期には骨折部の出血や，炎症反応によるタンパクや線維素を多く含む腫脹を伴い，筋の攣縮（spasm）と相まって拘縮の原因となる．また，増殖期では線維芽細胞の遊走と増殖，コラーゲンの生産，血管の新生による肉芽組織の形成と癒着が開始される．つまり，拘縮は受傷直後から始まっていることとなる．しかし，臨床的には局所の安静による炎症の沈静化も重要であるため，この72時間を1つの区切りとし，受傷後または手術後4日目より早期運動療法を開始すべきと考えている．

　また，4週程度を経過した頃に成熟・再構築期が終了するため，この時期までを"拘縮の予防を目的とした早期運動療法"と捉え，それ以降を"改善を目的とした運動療法"と考える．

Knowledge 攣縮

攣縮とは，継続的な筋肉の収縮状態で，随意的に筋の収縮と弛緩をコントロールできない状態をいい，痛みを伴う場合と伴わない場合があるとされています[25]．

2 拘縮の予防を目的とした早期運動療法

　骨折治療における運動療法で最も重要なことは，骨癒合を妨げないことである．骨癒合を得るためには，骨折の程度にもよるが，ある程度の拘縮は覚悟する必要がある．そして，その判断は，理論的でなければならない．早期運動療法の第一歩は，必ず骨折部の固定性に関する情報を収集するとともに，固定性の程度に見合った運動の選択である．特に関節内骨折では，軟骨面の解剖学的整復が必須で，同時に，その後行われる可動域練習に耐えうる固定性が必要である．この固定性について主治医に確認する作業を怠ってはならない．

　骨折後の拘縮に対する運動療法で，心に刻まれた言葉がある．

「拘縮には起こる順番があります．その逆から治療を考えなさい．」

恩師の言葉であり，骨折後の運動療法を行う上での原則を述べた言葉である．この言葉の理解のために，閉鎖性の大腿骨骨幹部骨折のレントゲン像と超音波診断装置（以下：エコー）による画像を提示する 図30．骨折に伴い 図30A，その周辺組織は損傷される．同部の正常なエコー像 図30B と比較すると，中間広筋は血腫や液体成分の貯留により2.5倍程度に腫れており骨膜，筋実質部と筋内腱，微細な神経や血管などの損傷が疑わ

[25] 伊藤正男，他編．医学大事典．第2版．医学書院；2009．

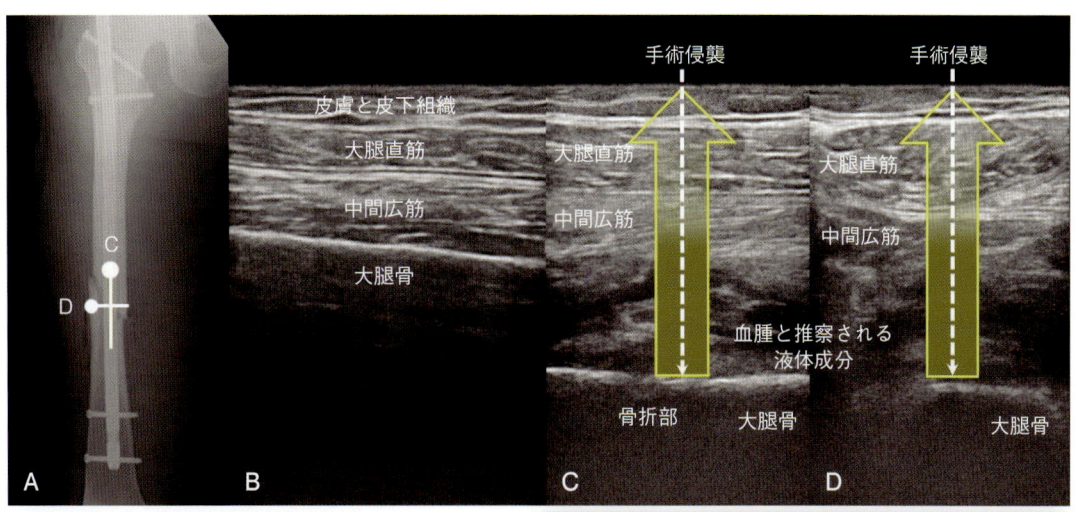

図30 拘縮の発生と運動療法を考えるためのシェーマ

A：大腿骨骨幹部骨折の手術後のレントゲン像
B：健側の大腿部の長軸エコー像
CE：患側の長軸エコー像
DF：患側の短軸エコー像

閉鎖性骨折の場合，骨折に伴う組織の損傷は，骨折部周囲で激しいと推測できる（黄色矢印のグラデーションがその程度を示す）．したがって，損傷が少ないと思われる組織より，アプローチしていく（緑色矢印の方向）．

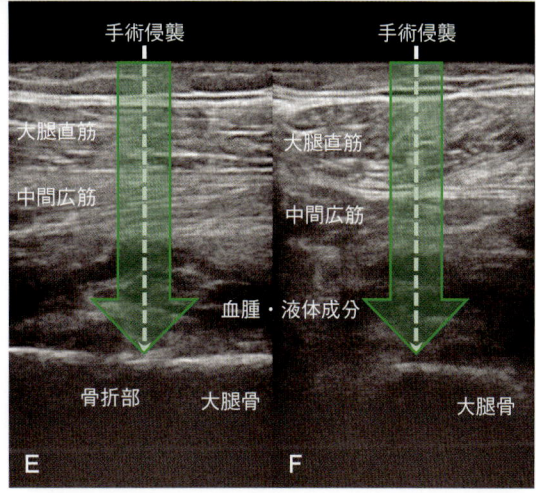

れる 図30CD．表層にある大腿直筋も，何らかの損傷または炎症の波及により，1.5倍程度に腫れている．皮膚と皮下組織に，目立った変化はない．この部分に手術侵襲が加わったと仮定すると，皮膚から骨折部に達する縦方向の侵襲が加わることとなる．

「拘縮が起こる順番」は，構造的な要素である組織の損傷に加え，修復過程 図24 という時間的な要素も併せて考える必要がある．組織の損傷としては，皮膚と皮下組織の損傷が最も少ないことになり，深部に向かうほど損傷の程度は大きくなる．時間の経過と共に修復が起こり，損傷を受けた部分は，癒着や瘢痕組織など不均質な dense irregular connective tissue（密で不規則な結合組織）に起因した拘縮が発生し，その程度は深部に向かうほど高くなる．開放性骨折であれば，より一層考えるべき要素が多くなる．

「その逆から治療を考えなさい」が示す意味は，拘縮となる可能性が低い部位から順を追って開始することを意味している．本骨折であれば皮膚と皮下組織より開始しなさいということになる 図30EF．急性期であれば特に皮下組織の浮腫を軽減させることは，重要な運動療法のスタートになる．次に，皮膚や皮下組織の滑走練習，筋間（大腿直筋・中間広筋など）の滑走練習へと進み，骨周辺組織へとアプローチする． **Warp!!** 皮下の結合組織と脂肪組織について（p. 28），エコーを使用した皮下組織の滑走練習（p. 28）

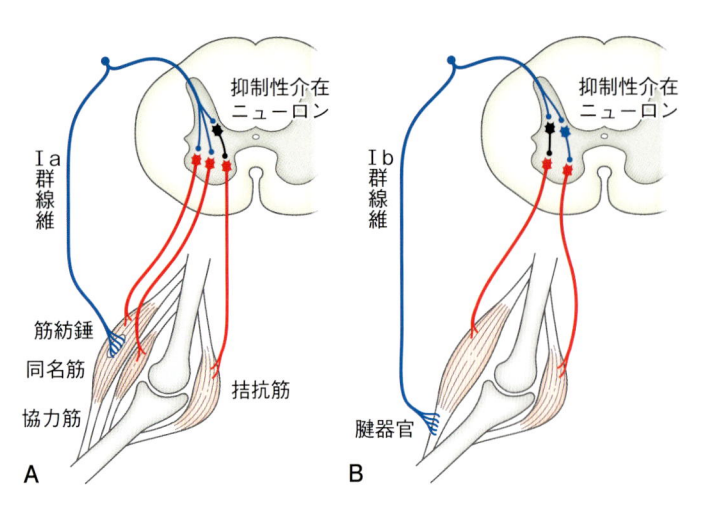

図31 Ⅰa抑制とⅠb抑制　文献㉖より
A：**Ⅰa抑制**　相反(性)抑制ともいわれ，腱反射や随意運動時の筋紡錘からの求心性インパルスがⅠa線維を伝わり，1個以上の抑制性介在ニューロンを介して拮抗筋を抑制する機構である．
B：**Ⅰb抑制**　ゴルジ腱器官(Goldi tendon organ)は筋腱移行部に多く存在する張力の受容器である．自動や他動的な張力を感知し，求心性インパルスがⅠb線維を伝わり抑制性介在ニューロンを介し同名筋の筋の収縮量を調整したり抑制している．治療技術としては，筋腱移行部に徒手的な伸張を加えることで，同名筋の弛緩を期待することができる．

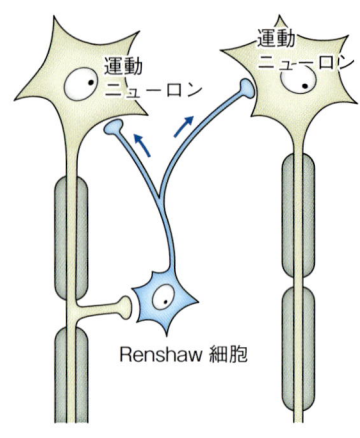

図32 Renshaw細胞による反回抑制
Renshaw細胞は抑制性介在ニューロンであり，α運動ニューロンだけでなくγ運動ニューロンやⅠa介在ニューロンにもシナプス結合し抑制を行う．

　修復過程を考慮すれば，中間広筋など骨折部周辺の筋へのアプローチは受傷後2週程度からの開始が妥当と考えられ，この時期より筋収縮練習を開始する．
　fasciaの構造と潤滑性脂肪筋膜系の存在を考慮すると，筋間の滑走練習には自動運動や自動介助運動を用いることが重要である．これらには，筋ポンプ作用による循環の改善，発痛物質の排泄，Ⅰa抑制 図31A による筋のリラクセーションも期待することができる．徒手的な方法ではⅠb抑制 図31B を利用した筋のリラクセーションや，筋線維の長軸方向と短軸方向へのストレッチングなどを行う．具体的な方法は，各論にて示す．
　可動域練習においては，整復固定された関節や骨の形態を理解することが最も重要である．そして，修復された軟部組織の状態と，基本的な解剖学と運動学の知識に基づき行われるべきであり，レントゲン像やCT，MRI像などの画像所見を適宜確認しながら，その後の進行について，医師と共通の理解をしておくことが望ましい．

Knowledge　反回抑制

　反回抑制 図32 とは，運動ニューロンが軸索側枝を出しRenshaw細胞を介して自らの運動ニューロンや他の運動ニューロンを抑制する回路をいいます．内山ら[27]は，TypeⅡやⅡa線維に比しTypeⅠ線維を支配する小さな運動単位のα運動ニューロンで強く機能することを報告しています．また，Katzら[28]は，健常者の下腿三頭筋の弱い収縮では反回抑制が強く働き，強い収縮では弱く働くことを報告しています．

[26] 大地陸男．生理学テキスト．第6版．文光堂；2010．p. 78-9．
[27] 内山孝憲．バイオメカニクス学会誌．2003；27（2）：76-82．
[28] Katz R, et al. Brain. 1982; 105: 103-24.

3 拘縮の改善を目的とした運動療法

　症例によっては，早期運動療法の実施にも関わらず，結果として拘縮を呈する場合もある．また，難治性の拘縮例に遭遇することも稀ではない．この時期は，皮膚，皮下組織，筋，靱帯，腱，各組織間の結合組織，関節包などの線維化に伴う柔軟性と伸張性の低下，各組織の短縮，組織間の滑走性の低下などの様々な問題を，同時に改善しなければならない．とりわけ，骨折部とその周辺組織へのアプローチは重要であり，痛みの出現部位，圧痛，骨折部周辺組織の柔軟性を総合的に評価する．

　長母趾屈筋を例とし，その伸張性が低下している症例の筋収縮動態をエコーにて観察してみると，表層の筋線維だけが収縮・弛緩し，深層の筋線維はほとんど活動していないことが多い 図33DE．ここに運動療法のポイントがある．修復過程 図24 の進行に伴い骨折部の周囲では，深部の筋が収縮や弛緩ができない状態に陥ることは比較的多く，骨折時の損傷や炎症の波及による影響と考えられる．この場合，徒手的にこの深部の筋の柔軟性と伸張性を改善する操作が必要である．

　また，筋間など組織間の滑走性の改善には，当然のことながら組織間に滑走刺激を作用させることが必要である．その方法としては，十分な筋収縮距離（amplitude）と他動的な筋伸張距離 図34 とを獲得することが重要で，付随して周辺の結合組織，脂肪組織，血管，神経などの組織間滑走性を改善させる．近年では，整形外科医との連携による生理食塩水などを用いた組織間のリリースも考慮されることが増えており，拘縮治療の幅も広がりつつある．さらに，自主練習を行わせる指導や日常生活において使用させる配慮も重要で，皮下組織と筋，筋肉，筋間，筋と骨との間の滑走性を維持・改善するための筋収縮は，骨折治療における運動療法において重要な役割を果たす．

　運動療法で獲得した可動域を可能な限り翌日の運動療法まで維持するために，夜間装具などを計画的に利用することも大切である．

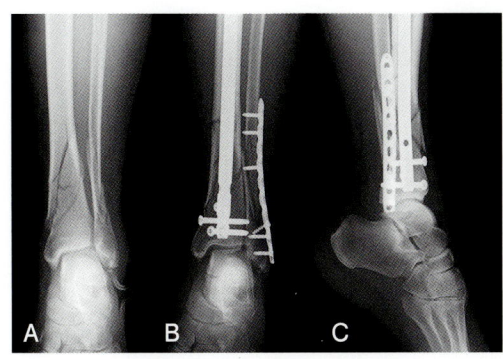

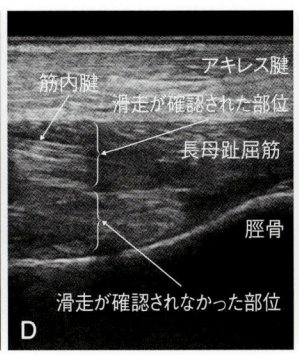

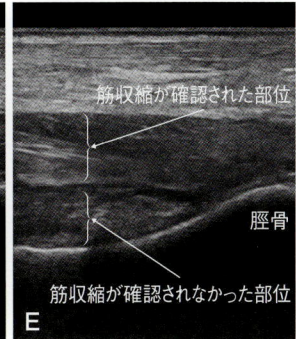

図33 下腿遠位部粉砕骨折後の長母趾屈筋の状態
A：骨折時
BC：脛骨はインターロッキングネイル，腓骨はロッキングプレートにより固定され，2週間の外固定がなされた．
D：術後2週のエコー画像．足関節中間位で，長母趾屈筋を他動的に伸張した際のエコー像．筋内腱より表層の筋線維だけが滑走し，深層部が活動する様子を確認することはできなかった．
E：術後2週のエコー画像．Dと同肢位で長母趾屈筋を収縮させたときのエコー像．表層の長母趾屈筋のみが収縮し，深層部は収縮できない状態が観察された．
　また，表層と深層の間には，通常観察されることがない low density area が確認され筋線維が裂けているようにも観察された．

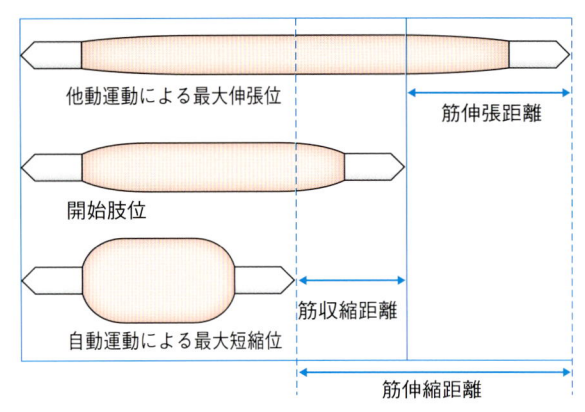

図34 筋収縮距離と筋伸張距離

臨床的には開始肢位は一定の位置に定め，健側との比較が重要である．

開始肢位より，自動運動による筋の最大短縮位を筋収縮距離，他動運動による筋の最大伸張位を筋伸張距離という．これら2つを合わせた距離を筋伸縮距離という．

Knowledge & Skill　筋の短縮へのアプローチと夜間装具の使い方

冨岡らは筋短縮の病態について[29]，サルコメアの減少であると報告しています．

つまり，短縮した筋を伸張するためには，筋線維内の筋節を構成するサルコメアの数を増やす必要があるようです．また Simpson らは，動物実験ではありますがウサギを用いて脚延長の適切な速度を調査し，0.4 mm/day 以下では筋の損傷なく延長を行うことができたと報告しています．

これらを臨床的にまとめると，運動療法を行っているとき以外は，痛みを伴わない程度で筋を伸張した位置にとどめておくことが大切であることがわかります．自主練習の工夫としては，獲得されている可動範囲で運動を行わせ，目的とする筋が疼痛自制内で伸張される位置に，可能な限り長い時間とどめておく練習を行わせています．

また夜間装具では一晩中装着できる角度を設定し固定することで，日中に獲得された可動域の維持とともにサルコメアの増加を期待しています． **relation** & **Warp!!** 簡易夜間装具の作成とその使用法〔体幹・下肢編（1版）p. 175〕

Skill　筋収縮練習とストレッチングのコツ1

今後，たびたび筋収縮練習という言葉が登場します．これは，何らかの注釈がない限り MMT2～3 レベルで等張性収縮後に，終末域で軽い抵抗に対し等尺性収縮を5秒程度行わせるものです．これらの練習は，筋収縮距離の再獲得を目的として行います．

その後，可能であれば筋伸張距離を再獲得するためにストレッチングを行います．これらにより，筋の柔軟性や伸張性，滑走性の再獲得を期待します．また，生理学的なシナプス抑制による筋弛緩 図31 図32 ，筋膜と皮下組織との滑走性維持，筋攣縮の改善，筋ポンプ作用による筋内発痛物質の排泄，収縮に伴う発熱作用による結合組織の粘性低下，筋腱移行部への伸張刺激による筋節の合成や再生など，多くの効果を同時に期待しています． **relation** & **Warp!!** 筋収縮練習とストレッチングのコツ2（p. 187）

[29] 冨岡　立, 他. 肩関節. 2008; 32（2）225-8.

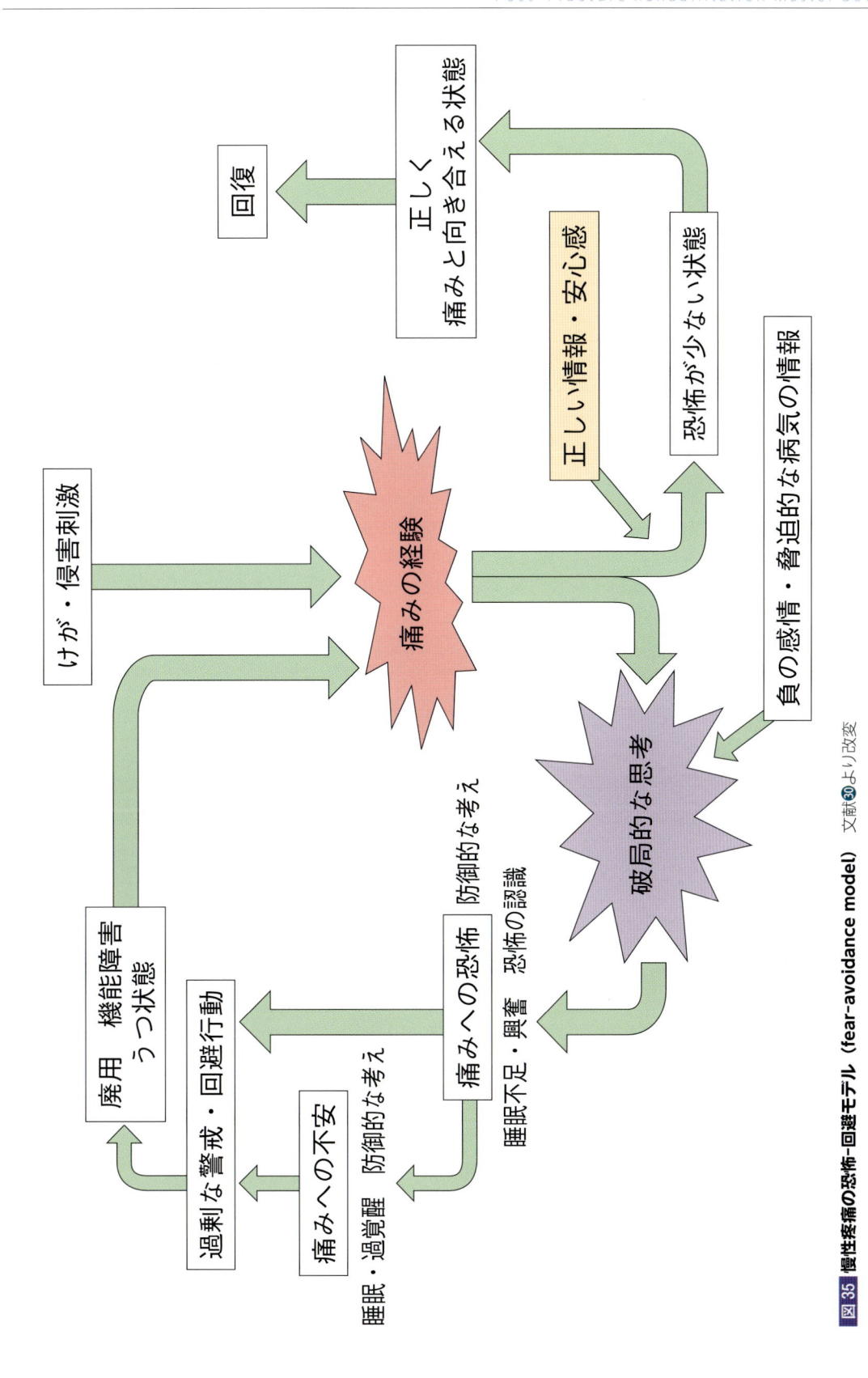

図35 **慢性疼痛の恐怖-回避モデル (fear-avoidance model)** 文献⓼より改変

Leeuw M, et al. J Behav Med. 2007; 30: 77-94.

Knowledge, Opinion & Skill　痛みの定義とfear-avoidance model（恐怖-回避モデル）

　急性期にせよ慢性期にせよ，私たちが拘縮に対してアプローチする際に，痛みに敏感で触られるのを嫌がる患者さんを経験したことないですか？　どうしよう…　触らせてもらえないし…　どのように治療すればいいんだろう…　と悩んだことはないですか？

　1979年の国際疼痛学会（IASP: International Association of the Study of Pain）で「"Pain is an unpleasant sensory and emotional experience associated with actual or potential tissue damage, or described in terms of such damage." 痛みは，組織の実質的または潜在的な障害あるいは，このような障害を表す言葉で表現される不快な感覚あるいは情動体験である」と定義されました．そうです，痛みは情動体験でもあるのです．言い換えれば，一度痛い経験をして恐怖や不安・抑うつを覚えると，痛くなくても痛いと感じる可能性があります．

　Leeuw[30]らは，レビュー論文の中で過去の報告を基に恐怖-回避モデルを提唱しました 図35．怪我などで痛みを経験した際に，2つの経路に分かれるとしています．

　一つは，痛みを経験した後に，落ち込んだり過度に病気を恐れてしまうと破局的な思考に陥り，恐怖や不安が生まれ，過度な警戒や回避行動（動かさないなどの行為）をとることで，廃用，機能障害，うつ状態へと陥り，再び痛みを経験し悪循環に陥る経路です．"痛み"と"恐怖・不安"は，切っても切れない関係にあるようで，特に，痛みそのものに対する恐怖，仕事での活動に対する恐怖，動くことに対する恐怖，損傷および再損傷に対する恐怖は，痛みに苦しむ患者さんによく起こると説明されています．この経路が慢性疼痛へと至る経路です．

　それに反し，痛みを経験した後に，正しい情報による安心感が得られた場合，恐怖が少ない状態へ導かれ，痛みに正しく向き合える可能性が高まります．そして，運動機能の改善と共に回復へと至る経路です．

　この図を発見したときに，とても感動しました．そして，触らせて頂けない患者さんに遭遇したときには，この図を見せ過去の経験を共有し，現状を説明することで安心感を得ていただくようにしています．そして，運動療法は，いつも通り浮腫除去と自動運動から開始です．

Ⅰ 鎖骨骨折
fracture of the clavicle

概要 • general remarks

　スポーツでの外傷や転倒など，肩を強打した際の介達外力による受傷がほとんどであるが，まれに直達外力で受傷することもある．全骨折の5〜10％を占め，その発生頻度は高い．本骨折に対しては，Allmanの分類 表4 [1] に転位の程度を付け加えたNordqvist-Peterson（ノルドクビスト-ピーターソン）の分類[2] Ⅰ-1 やRobinsonの分類[3]が用いられることが多い．特に，鎖骨遠位端骨折では，Neerの分類[4]を用いるのが一般的であるが，Craigの分類[5] Ⅰ-2 は，骨片と靱帯損傷との関連で分類されており，病態を考える上で有用である．

　骨折の多くは鎖骨中央1/3部で生じ，筋と靱帯との張力バランスの関係から，近位骨片は上方へ，遠位骨片は上肢の重さで下方へ転位し短縮を生じる Ⅰ-3A ．遠位端骨折は，高齢者に多いとされ，転倒時の外力や手をついたときに発生することが多い．近位端の骨折は，まれとされている．

整形外科的治療 • orthopedic procedure

　骨幹部骨折 Ⅰ-3A の整形外科的な治療は，保存療法が原則である．両肩を同時に後方へ牽引し整復する．その後，クラビクルバンド（鎖骨バンド）などを用いて外固定を行う Ⅰ-3BCD ．骨癒合の程度に左右されるものの，小児では2〜3週，成人では4〜8週程

表4 Allmanの分類
文献[1]より

Group Ⅰ：	**鎖骨中央1/3の骨折** 備考：最も頻度が高い骨折である． 転位のある場合は，近位の骨片は上方へ，遠位の骨片は内下方に転位する．
Group Ⅱ：	**烏口鎖骨靱帯より遠位の骨折** 備考：しばしば偽関節となる．
Group Ⅲ：	**鎖骨内側1/3の骨折** 備考：骨片の転位や偽関節はまれであり，肋鎖靱帯に損傷がなければ骨片の転位はない．

[1] Allman FL. J Bone Joint Surg. 1967; 49-A: 774-84.
[2] Nordqvist A, et al. Clin Orthop. 1994; 300: 127-32.
[3] Robinson CM, et al. J Bone Joint Surg. 1998; 80-B: 476-84.
[4] Neer Ⅱ CS. J Trauma. 1963; 3: 99-110.
[5] Craig EV. Fracture of the clavicle. Fracture in adults. 4th ed. Lippincott-Raven; 1996. p. 1109-61.

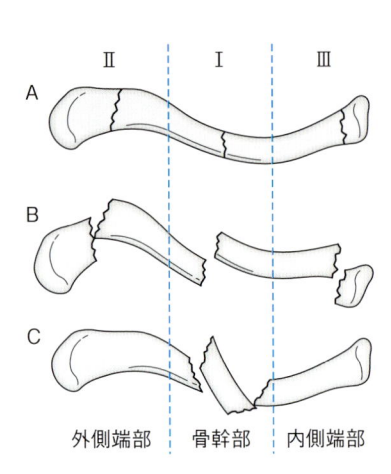

I-1 Nordqvist-Peterson の分類 文献❻より

Group Ⅰ：鎖骨中央 1/3 の骨折
Group Ⅱ：鎖骨外側 1/3 の骨折
Group Ⅲ：鎖骨内側 1/3 の骨折
A：転位のない骨折
B：転位した骨折
C：粉砕骨折，あるいは 1 個以上の転位した中間骨片がある．

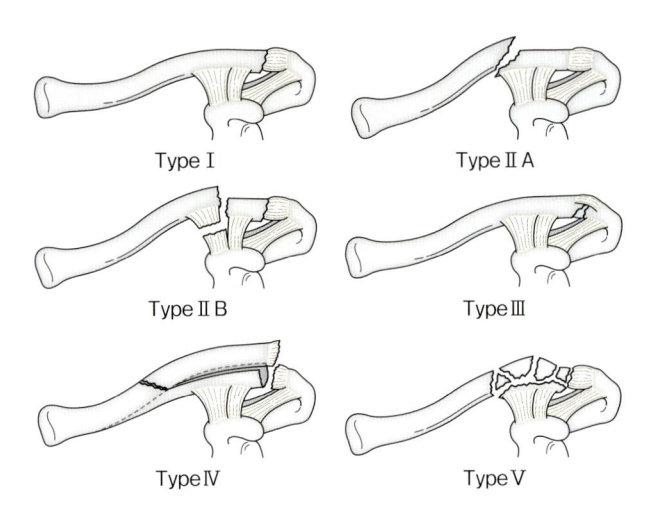

I-2 Craig の分類 文献❼より改変

Craig の分類は，Allman の分類 Group Ⅱを 5 つのタイプに分類している．
Type Ⅰ：最小限の転位
Type ⅡA：円錐・菱形靱帯とも遠位骨片に付着したもの
Type ⅡB：円錐靱帯が断裂したもの
Type Ⅲ：関節面での骨折
Type Ⅳ：烏口鎖骨靱帯の骨膜付着部は無傷で，近位骨片が骨膜からはがれ上方へ転位したもの
Type Ⅴ：粉砕骨折．菱形靱帯と円錐靱帯は遠位や近位の骨片に付着せず下方の第 3 骨片に付着する．

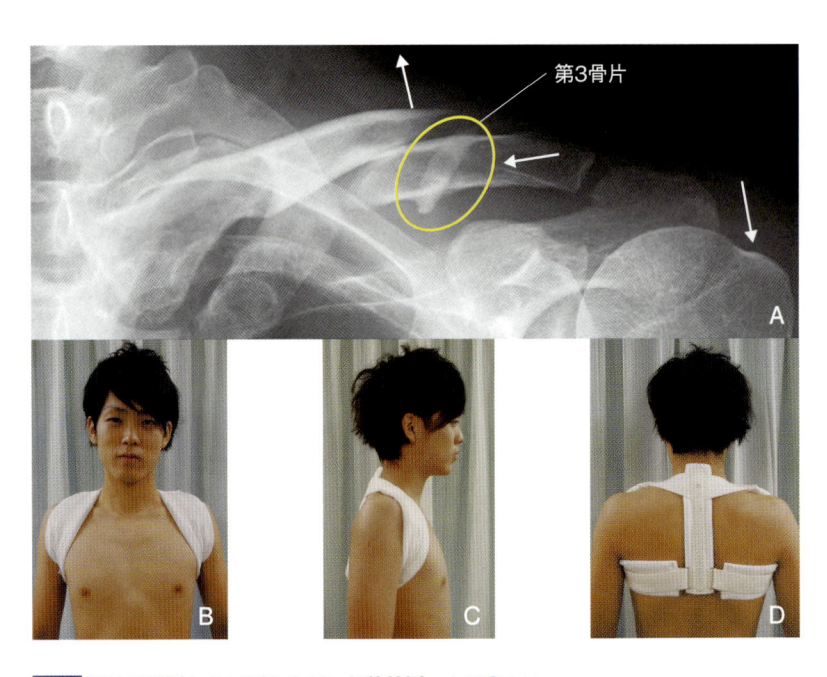

I-3 鎖骨骨折例とクラビクルバンド装着例 文献❽より

A：第 3 骨片を認め，近位骨片は上方へ遠位骨片は下方へ転位し，短縮を生じている．
BCD：クラビクルバンドの装着例
肩甲骨を内転させることで遠位と近位の骨片を整復し，鎖骨の短縮を防止する．

❻整形外科リハビリテーション学会．整形外科運動療法ナビゲーション　上肢．メジカルビュー社；2008．
❼上原大志，他．関節外科．2012；31（10）：44-52．
❽松本正知．骨関節理学療法学．奈良　勲，監修．医学書院；2013．p. 19-50．

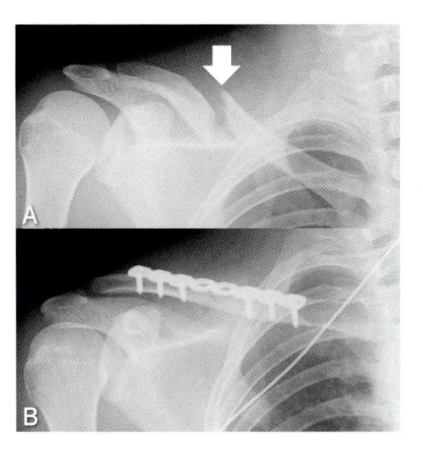

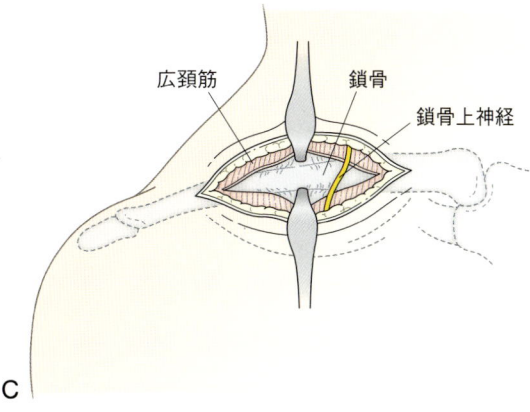

I-4 鎖骨骨幹部骨折の手術例
A：近位骨片が鋭利（矢印）で皮膚を刺激している．　B：プレートを用いた内固定が行われた．
C：鎖骨への前方アプローチ．鎖骨に沿って皮膚を切開する．広頚筋を切開し鎖骨の表面に達する．
（文献❾より）

度の固定期間が一般的である．

　手術療法は，15〜20 mm 以上の短縮がある場合，粉砕骨折，骨片の先端が皮膚を刺激している場合 I-4A，早期の社会復帰が必要とされる場合などでは，治療期間の短縮を目的にプレート I-4B や髄内釘を用いた内固定が行われる．

　プレートを用いた固定法には，上方からと前方からの固定法があり，2つの方法を同時に組み合わせた方法もある．概ね，2つの固定法を同時に用いる方法が，単一プレートによる固定法に比べ再手術率，骨癒合率，合併症率の低下に寄与すると報告されている[10,11,12]．

　Craigの分類 I-2 の Type Ⅰ や Ⅲ の遠位端骨折では，保存療法が選択されることがほとんどである．それ以外のTypeには手術療法が用いられることが多い．K-wireを用いた鋼線締結法 I-5A，clavicle hook plate I-5B や Wolter plate，ロッキングプレート I-5CD など数多くの固定法が報告されている．

　近位端骨折では，保存療法が選択されることが多い．

　合併症として，偽関節，変形治癒，肩鎖関節の二次的な変形性関節症，肩関節拘縮などがある．

---

[9] Hoppenfeld S, et al. 整形外科医のための手術解剖学図説. 原著第4版. 寺山和雄, 他監訳. 南山堂; 2011.
[10] Allis JB, et al. JBJS Open Access. 2020; 5: e0043.
[11] Boyce GN, et al. J Orthop Surg Res. 2020; 15: 248.
[12] Chen VX, et al. Arch Orthop Trauma Surg. 2017; 137: 749-54.

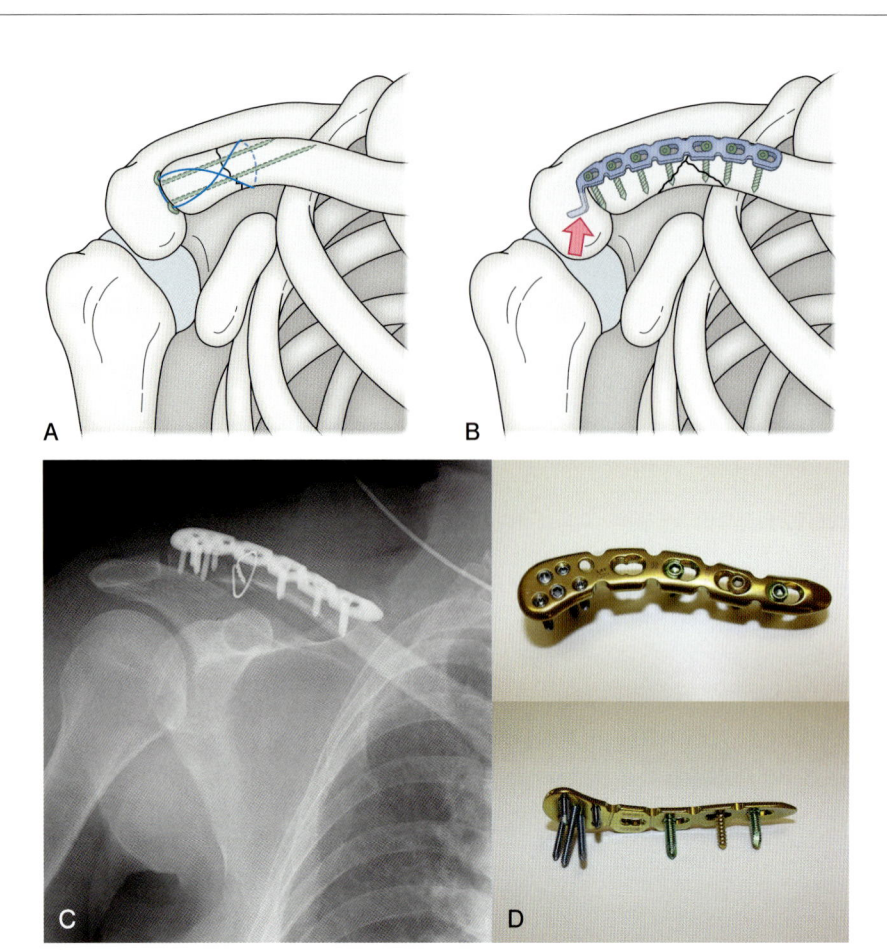

I-5 鎖骨遠位端骨折の手術例

A: K-wire を用いた鋼線締結法
  肩鎖関節を固定することなく骨折部を固定することができるが，粉砕骨折では強固な固定が得られにくい．

B: clavicle hook plate を用いたプレート固定
  骨折部の固定性には優れるが，肩鎖関節を固定するため肩関節の動きを制限する必要がある．また，プレートによる（矢印）肩峰部の摩耗（骨浸食），肩峰下のインピンジメント，腱板の損傷などの問題も指摘されている．

CD: ロッキングプレートを用いた固定
  C．Craig の分類 Type Vに対し，ワイヤーとロッキングプレートによる固定が行われた．
  D．実際に使用されたロッキングプレート

評価 evaluation of the fracture

1 評価の基本項目

①問診
②画像評価
③手術法の理解と主治医への確認
④関節可動域検査
⑤感覚検査
⑥筋力検査
⑦疼痛検査（安静時痛，動作時痛，伸張痛，圧痛，叩打痛など，部位と程度の評価）
⑧骨折部周囲と術創部周囲の組織の柔軟性，伸張性，滑走性
⑨皮膚の状態
⑩腫脹・浮腫
⑪動作分析・ADL 検査
⑫各種　治療成績判定基準
⑬エコー検査　　　　　　　等

　肩関節に対し，①～⑬の評価を適宜行う．**Warp!!** 評価の基本項目（p. 43）
　肩関節の拘縮予防には，骨折部が動かないように鎖骨と肩甲骨を固定し，肩甲上腕関節の可動域を評価することが重要である．常に健側との対比に努め，制限因子を推定するとよい Ⅰ-6 ～ Ⅰ-14 表5 ．
　腕神経叢は鎖骨中央の深部を走行しており，骨折時に損傷の可能性がある．神経損傷がある場合は手術の適応となることがあり，局所の圧痛や各神経支配領域の感覚検査，筋力検査を行う必要がある．また，神経叢の周囲を直接観察することができるためエコー検査も有効である．筋力検査は，異常な筋力低下がないかを評価する程度でよい．

Check 評価の基本項目

　各関節に対する評価の基本項目を，①～⑬に示しました．
　問診は非常に重要で，骨折後の運動療法を実施する上で必要な情報が数多く含まれています．現病歴や既往歴を聴取しつつ，愚痴なども聞いてあげると信頼関係が得られやすいでしょう．訴えられることすべてに耳を傾ける姿勢が重要です．
　画像評価では，受傷時の画像とその分類から，骨癒合の可能性や軟部組織の損傷を推察します．前にも述べましたが，骨折治療における運動療法は，骨癒合が最優先です．手術療法が行われた場合は，術中所見と術後画像より骨折部の安定性を推察します．また，内固定材料を挿入する際の皮膚切開とその進入方法を理解した上で，固定性や侵襲組織を主治医に確認しておくことが必要です．進入路は，その後の修復過程で癒着や瘢痕組織の形成を伴いやすく，可動域制限の原因の１つとなります．**Warp!!** 骨折後の運動療法の立案（p. 31）

通常，④〜⑩⑬は健側より評価します．健側を評価した上で，患側を評価しその違いを比較することが損傷組織の推測に役立ちます．肩関節は肩甲骨による代償が大きく，股関節は骨盤と腰椎による代償が大きいため，通常行われている可動域測定の他に工夫が必要です．**Warp!!** 肩甲上腕関節の可動域測定（p. 45, 46），股関節の可動域測定〔体幹・下肢編（1版）p. 54〜56〕

筋力検査は単に筋力を測定するだけでなく，感覚検査と共に損傷された神経を同定するためにも用いられます．

疼痛検査として動作時痛は，"寝返りをしたとき"や"荷重をしたとき"などに加わる機械的な刺激によるものが多く，安静時痛は局所炎症に起因することが多いので，"どこが""どのような条件"で"どの程度"痛いのかを評価することが重要です．VAS（visual analog scale）やNRS（numeric rating scale）などは，疼痛の時間的推移を把握する上で有用な評価基準です．また，圧痛と組織の柔軟性・伸張性・滑走性の評価は同時に行われます．部位，条件，程度の評価に加え，修復過程を考慮しながら組織の状態を推察します．特に，筋の圧痛所見は，攣縮か短縮の判別を行う上で簡単な所見の1つです．

術後の皮膚の観察も，評価すべき所見です．特に，皮膚切開と進入路の癒着が，可動域に影響を与えることは意外に多いようです．

浮腫は，骨折部より遠位で発生することが多く，その管理は運動療法を行う上で非常に重要です．よって，周径の測定などを含めて継時的な観察が必要です．

骨折症例に対する運動療法は，関節の可動域や機能に目を奪われやすくなります．動作分析やADL検査を行うことで，症例の全体像を把握することも重要です．

治療成績判定基準は，治療成績を客観的に判定でき，論文作成や学会発表の際に有用な資料となります．骨折部により使用される頻度の高い分類がありますので，それを使用し記録しておいた方が良いでしょう．

近年，エコーを使用する施設が増えています．詳細な使用方法は，専門書に譲るとしますが，数点だけコツをお伝えします．エコーによる評価は，使用者の技術と使用するエコーに依存する可能性があります⑬⑭．3次元的な解剖学の知識が必要となり，セラピストであれば触診の延長線上での使用が比較的容易と思います．骨や筋など評価したい部分の触診を行い，頭の中でその部位の解剖を想像してください．そして，短軸走査より開始します．得られたB-mode像を，健側と比較すること，そして解剖学書と比較することが重要です．特に断層解剖図がお勧めです．その後に，長軸走査へ進めると3次元的な解剖の理解につながります．また，Doppler機能やElastgraphy機能を使用の際は，まず対象とする部位のB-mode像をしっかりと作成した上で使用してください．修復過程 図24 と共に映し出された画像を観察すると，対象とする部位の状態の把握に役立ちます．これらの注意点に加えて，骨癒合の状態と，骨折後の局所的なアライメントを観察します．前者では，骨癒合との関連がある小さな血管を観察するためにPower Doppler機能を用います．後者は，骨折部のレントゲン像とエコー像のマッチングを行った上で，運動に伴う骨折部の異常可動性の有無と，骨折後の変形やインプラントの挿入に起因する影響を動的に評価します．**Warp!!** プレート固定による回内制限（p. 163）

最後になりますが，①〜③で得られた情報と④〜⑬の評価結果に加え，損傷した組織の修復過程と機能障害の原因とを関連づけながら，具体的な治療プログラムの立案を行います．この考え方は，骨折に限らず全ての整形外科疾患に対する運動療法の基礎になります．

---

⑬ Scheel AK, et al. Ann Rheum Dis. 2005; 64: 1043-9.
⑭ Naredo E, et al. Multicenter Study Ann Rheum Dis. 2006; 65: 14-9.

Skill 肩甲上腕関節の可動域測定① 概要

　肩関節疾患を理解する上で，可動域評価は重要な情報です．肩関節複合体としての可動域に加え，肩甲上腕関節固有の可動域を評価することが非常に重要で，拘縮の制限因子を知るために必要な情報源となります．

　日本整形外科学会，日本リハビリテーション学会によって制定された可動域測定は，肩関節複合体としての可動域を評価しています．肩甲骨を固定すれば，肩甲上腕関節の可動域を評価することができます．しかし，肩甲骨を固定する場合はどの位置で固定すれば良いのでしょう？　臨床的には，可能な限り一定の条件で測定することが重要と考えます．そのためには，背臥位で肩甲骨を下制させ肩峰角の高さを揃え，左右対称の位置で測定することが適当と考えます．

　坐位での肩甲骨の傾きを見てみましょう．その傾きは個人により異なり I-6，おそらく背臥位でも異なります．日本整形外科学会などが制定する参考可動域はあくまで参考であり，治療のためには健側との比較を通して制限因子を導き出すことが重要です．

　非常に手間のかかる作業ですが，より良い結果を導くためには，この手間を省いてはならないと思います．また，ここで紹介する評価法は，鎖骨骨折のみに用いられるだけでなく，肩関節の疾患全般に用いられるものです．

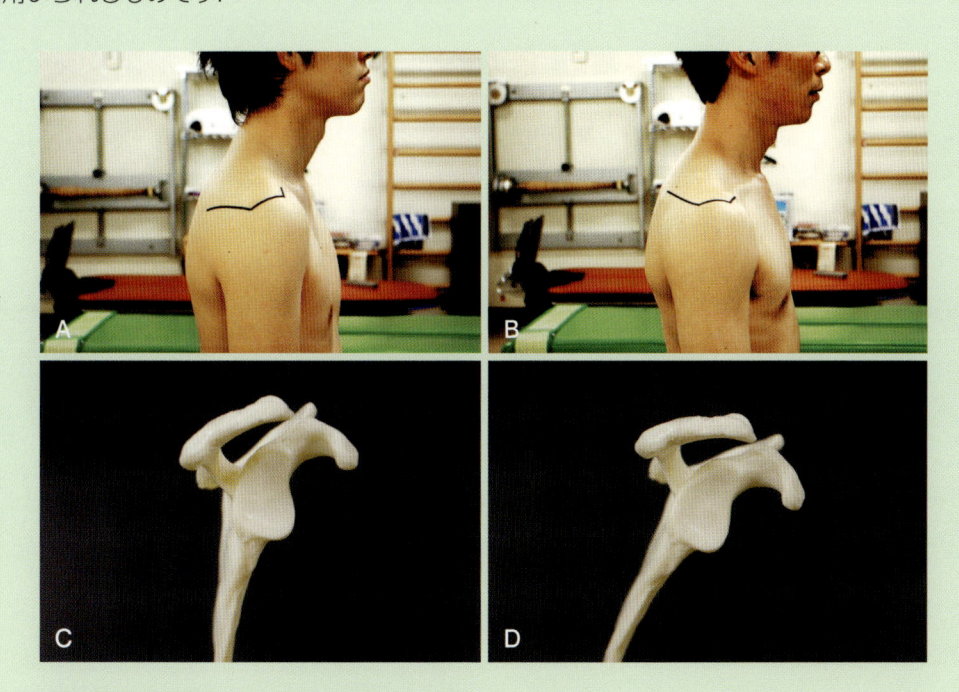

I-6 肩甲骨の位置の違いによる制限因子の違い
AB：肩峰の傾きが異なる2例を示す．
CD：AとB，2例の肩峰の傾きの違いは，関節窩の向きの違いを表す．例えば，肩甲上腕関節の内旋可動域を測定する場合，見かけ上は同じ内旋運動であっても伸張される組織に違いが生じることを意味している．したがって，肩甲上腕関節の可動域測定には肩甲骨の傾きを何らかの方法で把握し，その制限因子を推察する必要がある．

Skill 肩甲上腕関節の可動域測定② 測定準備

　測定の準備として，対象を背臥位とし恥骨結合の上縁と左右の上前腸骨棘を触診します．恥骨結合の上縁を頂点とした二等辺三角形の解剖学的骨盤平面（Anatomic Pelvic Plane：APP）を確認し，頂点から底辺に対する垂線を引き，剣状突起，胸骨柄，鼻部がその線上に位置させることで頭部・頚部・体幹を左右対称とします I-7 ．ベッド面に水平なこの軸を可動域測定の基本軸とします．移動軸は，上腕骨と前腕になります．

　次に，肩甲骨を左右同時に下制させ，下がりきった位置で肩峰角-ベッド間の距離（Table-Acromial angle distance：T-A distance）を左右同じ高さにし，この位置で肩甲骨を固定します I-8 ．また，T-A distance を記録しておくことで，次回の測定の際に，肩甲骨を同じ位置で固定し，肩甲上腕関節の可動域を測定できる可能性が高まります．ここまでが，肩甲上腕関節の可動域を測定するための準備です．

　この肩甲骨固定法が，本当に肩甲骨の左右対称化に寄与しているのかを検証するために，透視装置を用いた調査を行い，5th International Congress of Shoulder and Elbow Therapists（ICSET 2016）にて，ある程度の左右対称性があることを報告しました I-9 [15]．

　しかし，肩関節に障害がある症例は，肩が前方へ突出していることが多く，T-A distance I-10A に左右差を認めることも珍しくありません．そのような場合には，肩甲胸郭関節への操作を通して肩甲骨の位置が左右対称 I-10B となるようにします．この際に注意すべき筋は，小胸筋・鎖骨下筋・烏口腕筋・大胸筋・前鋸筋などであり，胸鎖関節や肩鎖関節の拘縮にも注意が必要です．

　鎖骨骨折の場合では，これらの操作を無理に行う必要はなく，健側を患側の肩甲骨の位置に合わせて測定します．

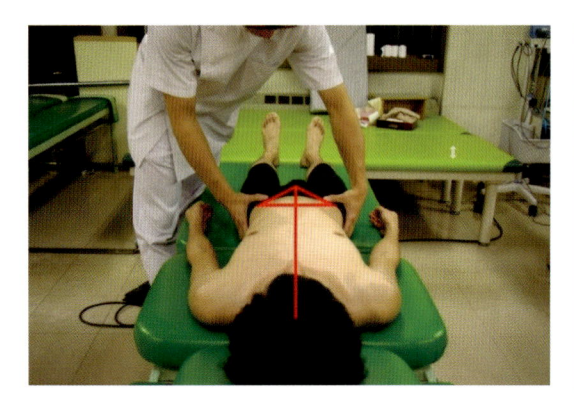

I-7 Anatomic Pelvic Plane を利用した体幹・頚部・頭部の左右対称化

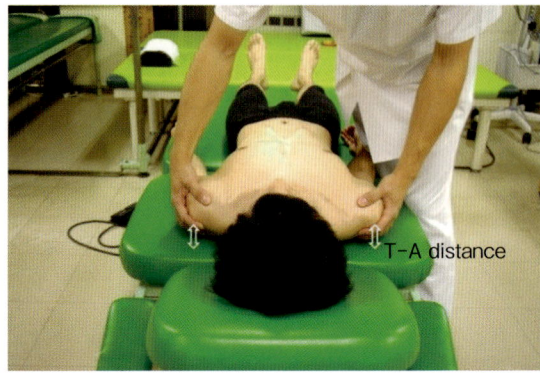

I-8 肩甲骨の固定位置

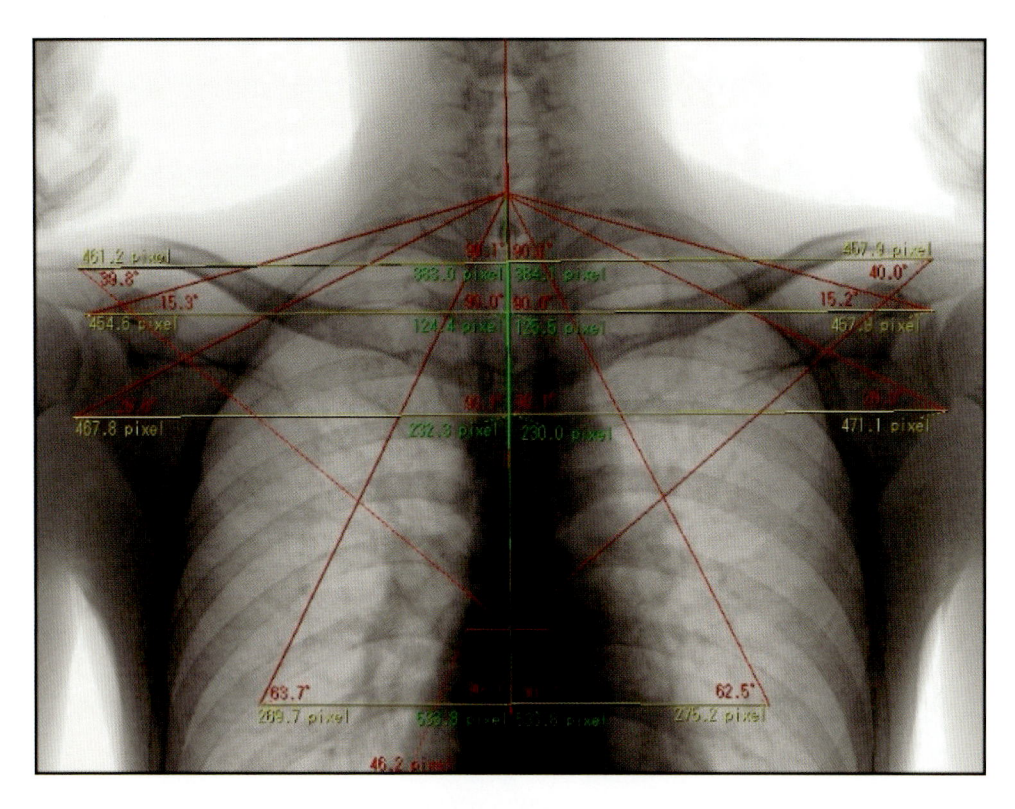

I-9 我々の肩甲骨固定法による肩甲骨の左右対称性の検討　文献⓯より

前述した肩甲骨固定法にて検者3名が肩甲骨を固定し，透視装置を使用して3枚の透視像を得た．画像上にC7棘突起中央とTh7椎体下縁中央を結ぶ基準線を作成した．基準線を底辺とし基準線上のC7棘突起下縁を基準点に定め，関節上結節，関節下結節，下角を頂点とした3つの直角三角形と，Th7椎体下縁中央を基準点とし肩峰を頂点とした直角三角形を作成した．

4つの直角三角形の底辺，高さ，頂点の角度，面積の同等性を求めることで，肩甲骨の左右対称性を評価した．同等性を求めるための許容誤差をC7-Th7椎体間距離の1/7の半分=1.18 cmとし，角度を5°とした．また，肩甲骨固定位置の検者間信頼性としてTwo-way random effects, absolute agreement, single measurement（ICC（2.1））を算出した．左右対称性は，全ての項目において左右差の95%信頼区間が許容誤差内に収まり，左右対称性が認められた．また，固定位置の検者間信頼性に関しては，全ての項目で≧0.889であった．

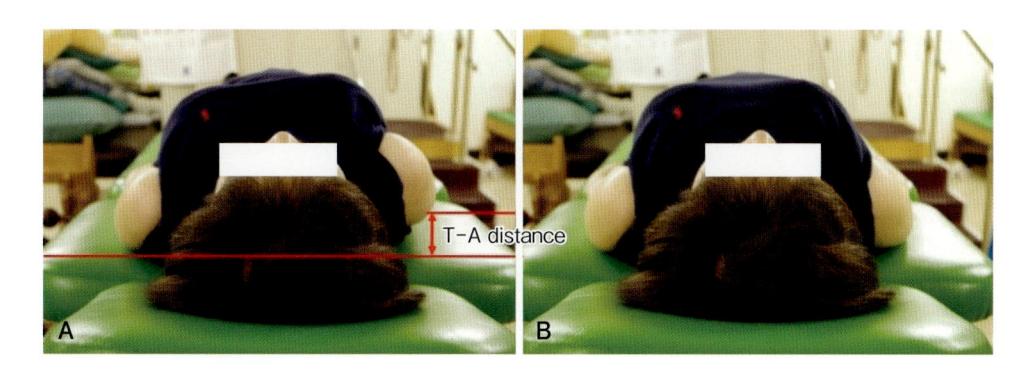

I-10 肩甲骨の左右対称化

⓯ Matsumoto M, et al. The Examination of The Scapular Position Fixed for Accurate Measuring The Range of Motion of Glenohumeral Joint（FP-TS-1-0004）. The 5th International Congress of Shoulder and Elbow Therapists. 2016. Korea.

Skill 肩甲上腕関節の可動域測定③ A-I line による肩甲骨の位置と傾きの把握

　T-A distance を，左右対称にすることができたら，肩甲骨の位置と傾き，大きさを知るために肩峰の前縁外側と下角を結ぶ線を確認します．著者はこの線を Anterolateral tip of acromion-Inferior angle line：A-I line と名付けて使用しています I-11 ．A-I line をレントゲン撮影で使われる Scapula-Y 撮影の方向 I-11C より確認することで，おおよその肩甲骨の位置と傾き，大きさを知ることができます．Scapula-Y 撮影の方向は，肩甲骨の棘三角（肩甲棘の内側の広がっている部分）と下角を触診しこの2点を結びます．そして，烏口突起の前方と肩峰角を触診しこれら2点を結んだ線の中間点が，先の2点を結んだ線と重なるように見える方向が，Scapula-Y 撮影の方向と考えると良いでしょう I-11D ．Matsen ら[16,17]は，この3点で形成される面を「Plane of the Scapula」と呼んでいます．

　また，後ほど説明しますが，背側から A-I line を確認することで，求心位を推測することにも役立ちます． relation & Warp!! 肩甲上腕関節の可動域練習のコツ② 臨床での求心位の定め方（p. 61）

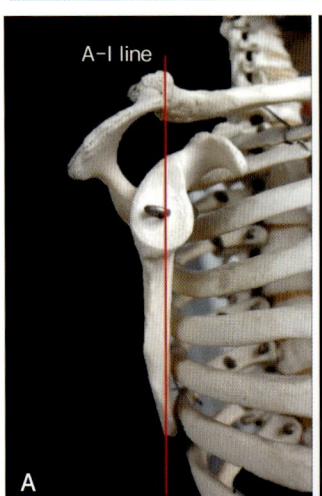

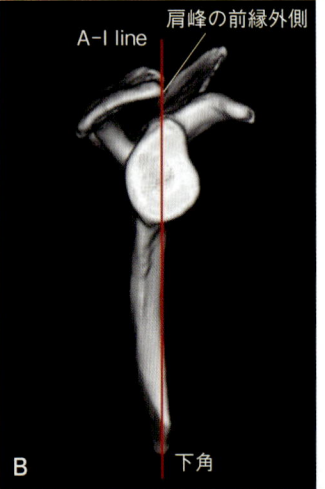

I-11 A-I line による背臥位と坐位での肩甲骨の位置と傾きの把握

A：骨標本にて，A-I line を確認した．A-I line は関節窩の中心付近を通るように見えた．
B：3DCT 像においても，同様であった．
C：Scapula-Y 撮影
　　A-I line を確認する際は，カセッテの置いてある方向より確認する．
D：臨床での Scapula-Y 撮影の方向の確認
　　臨床では，肩甲骨の棘三角と下角を触診しこの2点を結ぶ．そして，烏口突起の前方と肩峰角を触診しこれら2点を結んだ線の中間点が，先の2点を結んだ線と重なるように見える方向が，Scapula-Y 撮影の方向と考える．
EFG：背臥位と坐位での A-I line を使用した肩甲骨の位置と傾き，大きさの確認の実際．

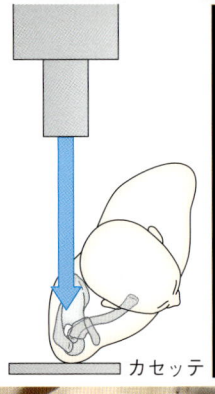

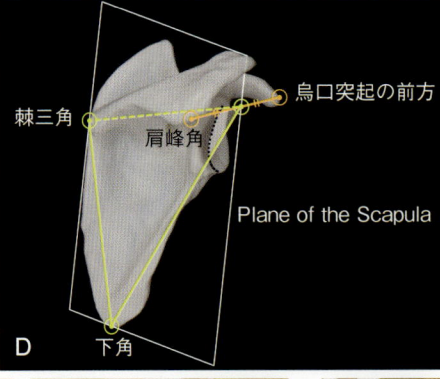

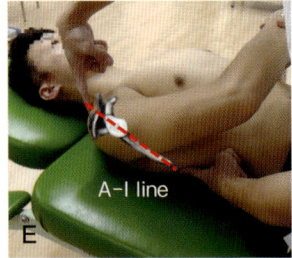

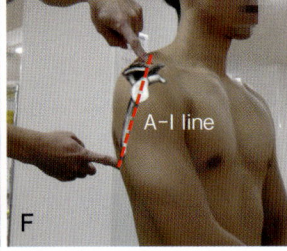

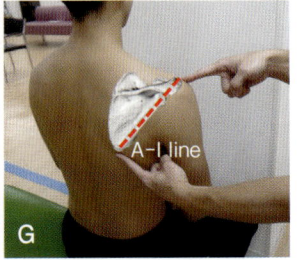

Skill 肩甲上腕関節の可動域測定④

　肩甲骨の左右対称化とA-I lineによる位置と傾き，大きさを確認できたら，肩甲上腕関節の可動域の測定です．その際，肩甲骨の固定は重要であり，わずかばかりのコツが必要です．屈曲角度の測定では，肩甲骨は上方回旋，挙上，後傾，内転しながら代償することがあるため，それらを予測した上で肩甲骨を固定する必要があります I-12 ．外転，伸展，水平屈曲，水平伸展，下垂位の内外旋，90°外転位の内外旋，90°屈曲位の内外旋の測定も，同様に代償を予測し肩甲骨の固定を行います．

　下垂位内旋の測定は，体幹が可動域測定の妨げとなるため，肩甲上腕関節を30°屈曲位として評価を行います I-13A ．個人によって，肩甲骨の傾きは異なります．同じ内旋可動域を測定しても，傾きが異なれば伸張性と柔軟性が必要な部位が異なることを理解してください I-13CD ．

　また，内転可動域の測定は，下垂位に加え肩甲骨を最大に上方回旋させた位置でも測定しています I-14 ．もちろん，鎖骨骨折の場合は，骨癒合が確認されるまでは行いません．

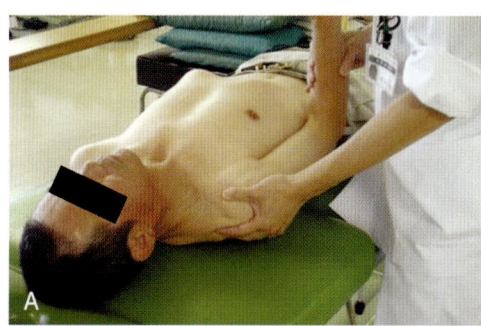

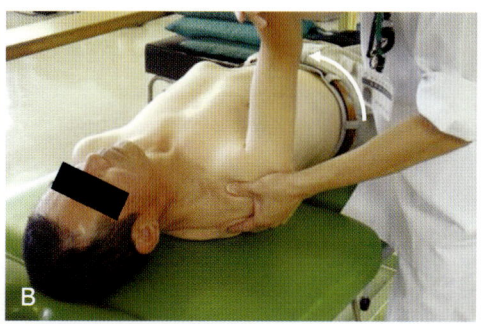

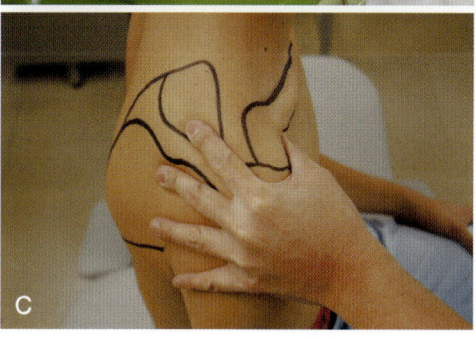

I-12 屈曲可動域の測定

A B：セラピストは肩甲骨が動かないように固定し，肩甲上腕関節の可動域を測定する．
（文献❽より）

C：母指にて鎖骨前縁，示指にて肩甲棘の上縁，中指にて肩甲棘の下縁を触れながら棘鎖角に変化がないことを確認する．加えて，母指球付近で肩峰を下制させ肩甲骨を固定する．

---

[16] Matsen Ⅲ FA, et al. Practical Evaluation and Management of the shoulder. WB Saunders company; 1994. p. 29-30.
[17] Matsen Ⅲ FA, et al. Glenohumeral instability the shoulder. Rockwood CA, et al. The shoulder. 4th ed. WB Saunders; 2009, p. 635.

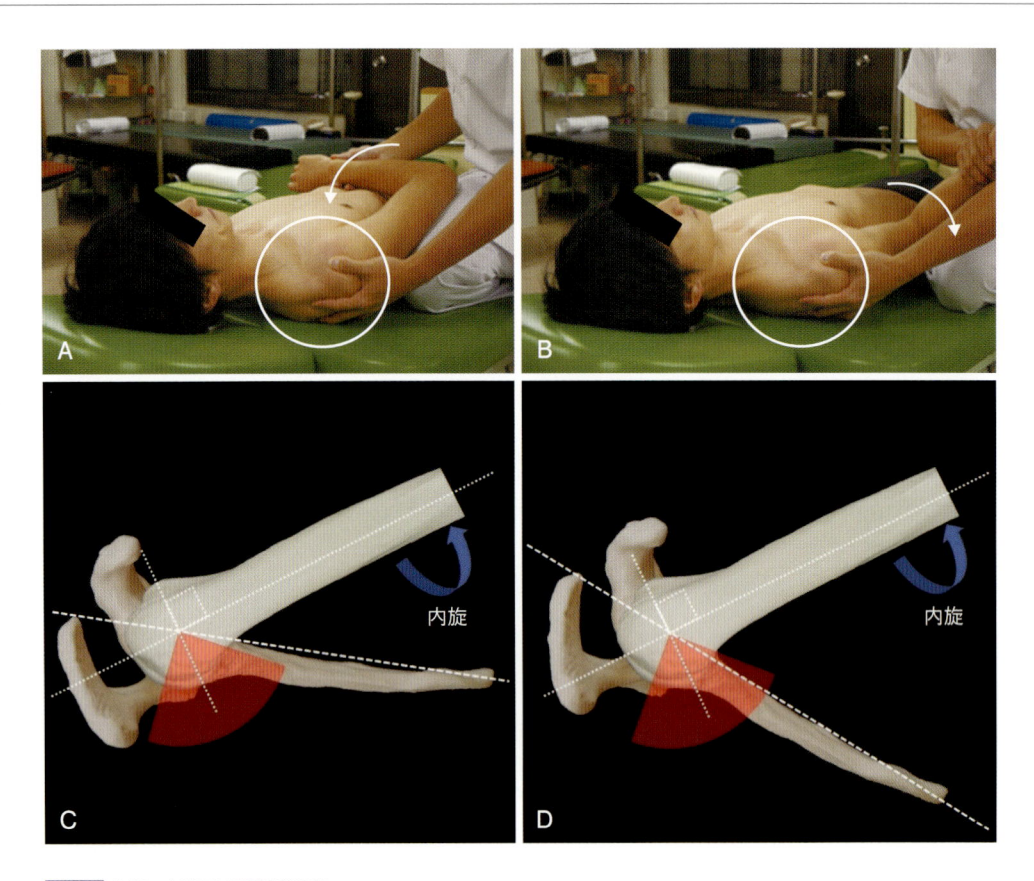

Ⅰ-13 内旋，外旋の可動域測定
AB：白丸；内旋と外旋可動域の測定に際し肩甲骨はほとんど動いていない．
CD：肩甲骨の傾きが異なると，内旋運動に伴い伸張される棘下筋，小円筋，肩甲下筋などの部位は変化する．

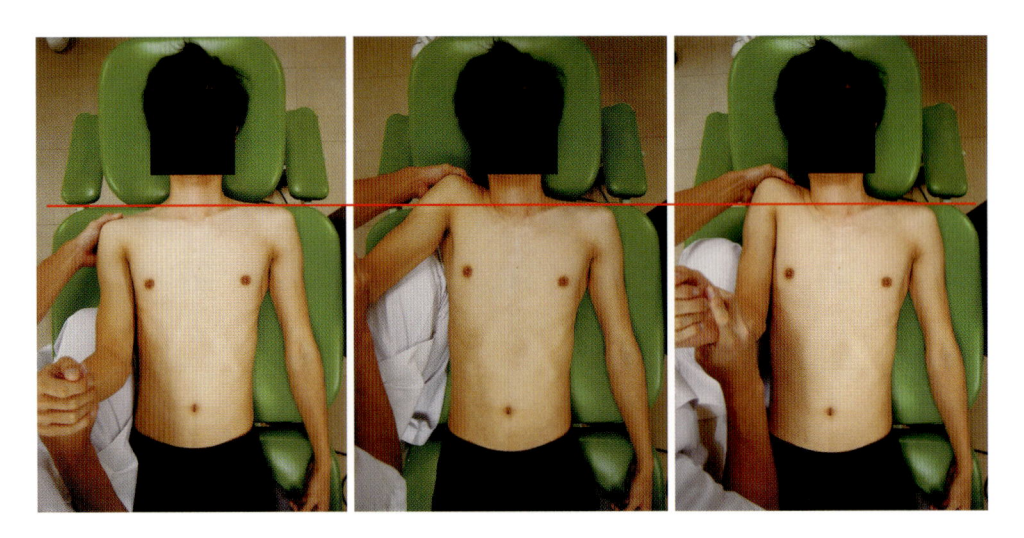

Ⅰ-14 内転可動域の測定

Skill 肩甲上腕関節の可動域測定⑤　信頼性と参考可動域

最後に，測定の信頼性と参考可動域を述べます[18]．
　対象は，健常成人30名（男性17名，女性13名）60肩でした．測定は本法の測定経験が5年以上あるセラピスト3名によって行われました．これまでに述べた方法により各方向への肩甲上腕関節の可動域を1回ずつ測定し，6日後に2回目を，そして再度6日後に3回目の測定を行いました．
　検者内と検者間の信頼性として，One-way random effects, absolute agreement, single measurement〔ICC (1.1)〕と Two-way random effects, absolute agreement, single measurement〔ICC (2.1)〕を求め，
　検者内信頼性は，0.44（右側　外転）〜0.944（左側　下垂位外旋）
　検者間信頼性は，0.429（左側　水平屈曲）〜0.937（右側 90°外転位内旋）でした．
　Fleiss の ICC 分類[19]を用いれば，poor: 0.00〜0.40, fair to good: 0.40〜0.75, excellent＞0.75 となり，我々の測定の信頼性は，fair〜excellent に相当します．Wilk[20]らは，背臥位で徒手的に肩甲骨を固定し，肩関節90°外転位での内旋測定時の検者内と検者間の信頼性を，それぞれ0.62，0.43と報告しており，彼らの肩甲骨固定技術を臨床の場で使用していると報告しています．我々の方法での同肢位の信頼性は，検者内信頼性が≧0.873，検者間信頼性は≧0.918であり excellent に分類されます．これらの結果から，臨床での使用に問題ないと考えています．参考までに，各方向の可動域を 表5 に示します．

表5 肩甲上腕関節の可動域　—平均値（標準偏差）—

単位：°

n＝30	左	右
屈曲	105.7 (5)	106.9 (4.6)
伸展	35.2 (4.7)	34.6 (5)
外転	107.5 (4.5)	108.2 (4.6)
内転	4.9 (2.6)	4.9 (2.6)
水平屈曲	106.1 (5.5)	104.8 (5.3)
水平伸展	12.1 (8.3)	12.3 (8.7)
下垂位　外旋	57.8 (11.3)	60.6 (11)
下垂位　内旋	80.4 (9.2)	76.6 (8.4)
90°外転位　外旋	98 (8.3)	100.7 (8.1)
90°外転位　内旋	19.4 (13.7)	19.8 (14.2)
90°屈曲位　外旋	105.8 (9.8)	106.7 (12.3)
90°屈曲位　内旋	−21.1 (9.5)	−24.9 (10.3)

---

[18] 松本正知，他．肩甲上腕関節の可動域測定における私の工夫とその信頼性．第45回 日本肩関節学会 抄録集；2018. p. 301.
[19] Fleiss JL. The design and analysis of clinical experiments. John Wiley and Sons；1986.
[20] Wilk KE. Sports Health. 2009；1（2）：131-6.

運動療法 therapeutic exercise

1 鎖骨骨幹部骨折

　　保存療法が選択された場合には，クラビクルバンドの装着期間中に骨癒合を妨げることなく肩甲上腕関節の可動域を維持することが，初期の運動療法の目的となる．下垂位，90°屈曲位，90°外転位それぞれの肢位における外旋と内旋の可動域を維持することが重要である．可動域練習自体は，可動域評価と同様に肩甲骨をしっかりと固定し，鎖骨の運動を抑止すれば骨折部での micro movement を生じることなく骨癒合とともに肩甲上腕関節の拘縮も予防することができる．

　　具体的な方法については，肩甲骨骨折や上腕骨近位部骨折の項において詳述する．

　　疼痛の軽減に伴い下垂位での腱板筋群の筋収縮練習 Ⅲ-22CD を肩甲骨固定下に開始し，肘関節より以遠の関節拘縮は早期に対応しておく．本骨折の症例は外来でのフォローが主体となることが多く，骨折部に負担の少ない自主練習も併せて指導する Ⅰ-15 ．

　Warp!! 筋収縮練習とストレッチングのコツ 1（p. 36），2（p. 187）

　　骨癒合進行に伴い，その状態を整形外科医に確認し，全可動域にわたる可動域練習を開始する．併せて肩甲骨周囲筋の筋力強化練習も開始する．

　　手術療法が選択された際は，その固定性に応じて運動療法を展開する．プレート固定の場合は，良好な固定性が得られていれば制限なく可動域練習を行うことができるが，K-wire を用いた髄内釘固定が行われた場合は，上肢挙上に伴う鎖骨の回旋を制動することができないため，ある程度の骨癒合が得られる数週間は挙上角度が，90°までに制限されることが多い．

2 鎖骨遠位端骨折

　　Craig の分類の Type Ⅰ やⅢは保存療法が選択されることが多い．これらの骨折型に対しても骨幹部骨折と同様に肩甲上腕関節の可動域を維持しながら，骨癒合とともに損傷靱帯の修復を期待する．全可動域にわたる可動域練習は，靱帯の修復時期や骨癒合の状態に左右されるため，整形外科医と協議しながら実施する．

　　手術療法が選択された場合は，その方法により運動療法も異なる．K-wire 等を用いた鋼線締結法 Ⅰ-5A では，肩鎖関節が固定されていないため，骨折部の固定性が良好であれば早期より積極的な可動域練習が可能である．

　　しかし，clavicle hook plate Ⅰ-5B や Wolter plate 等を用いた骨接合術の場合では，肩鎖関節も同時に固定されるため，プレートが除去されるまで肩関節の挙上が 90°までに制限される．もちろん，過度な鎖骨と肩甲骨の運動もプレートと肩峰との干渉により疼痛や，破損の可能性があり，肩甲胸郭関節を含めた肩関節複合体としての可動域練習や筋力練習は，プレートの除去後に行うべきである．

　　ロッキングプレートによる骨接合術の場合も，挙上は 90°までに制限されることが多いようである[21]．

　　鎖骨遠位端骨折も，外来での運動療法となることが多く，鎖骨遠位部に対し負担の少ない自主練習を指導する必要がある Ⅰ-15 ．

[21] 塚本伸章, 他. MB Orthop. 2013; 26（2）: 39-45.

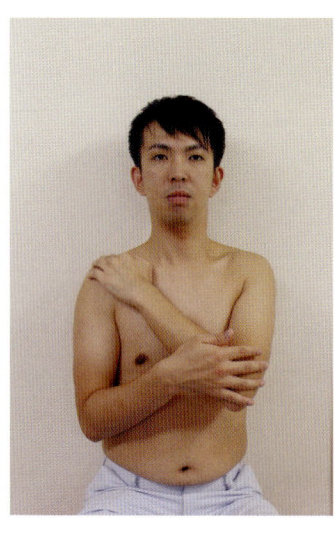

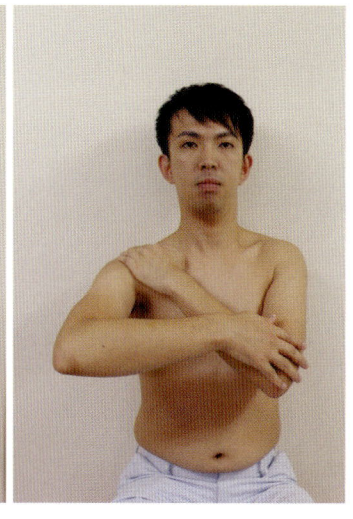

I-15 鎖骨骨折に対する自主練習

右肩を患側と仮定する．反対側の手で肩峰を下方へ押し下げることで肩鎖関節を固定する．肩甲骨を動かさず肩甲上腕関節にて scapular plane 上で屈曲・外転運動を行わせる．対象側の手を，反対側の肘付近に置いたまま反復練習をさせるとよい．

Knowledge 鎖骨骨折で肩関節の挙上や外転運動が 90°までに制限される理由

挙上に伴う鎖骨の回旋運動について，Calliet[22]は，外転 90°以上で回旋が起こると述べ，Inman[23]は，外転 90°までは緩やかに回旋が起こり，その後は急激に 40°の回旋が起こると報告しています．また，信原[24]も，外転 90°以上で 45°の回旋運動が起こると述べています．

これらの報告が基となり，骨幹部骨折後の後療法は，挙上が 90°までに制限されていると思われます．また，鎖骨遠位端骨折では，骨折部への過度な負担を避けつつ，肩甲上腕関節での運動を行わせる意味があるのかもしれません．

しかし，90°までの挙上や外転が許可されていたとして，肩甲上腕関節に拘縮が存在する場合には，挙上運動自体が肩甲骨の大きな運動を伴ったものとなるため，結果として鎖骨に大きな負担がかかることに留意する必要があります．このような場合には，鎖骨の回旋運動が少ない範囲で肩甲上腕関節を動かす配慮が必要でしょう．

[22] Calliet R. 萩島秀男, 訳. 肩の痛み 原著第 3 版. 医歯薬出版; 2001. p. 49-50.
[23] Inman VC, et al. J Bone Joint Surg. 1944; 26: 1-30.
[24] 信原克哉. 肩その機能と臨床. 第 3 版. 医学書院; 2004. p. 44-5.

II 肩甲骨骨折
fracture of the scapula

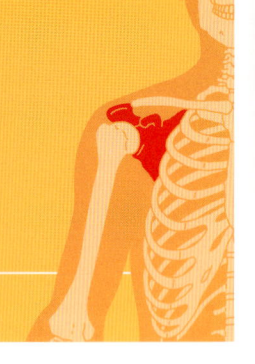

概要 general remarks

　肩甲骨は多くの筋群に囲まれ，その張力バランスの中で胸郭の背面に位置している．肩甲胸郭関節は機能的な関節であり，その骨性の支持は鎖骨を介し胸郭と連結している[1]．

　肩甲骨骨折は全骨折の1％以下とされ，比較的まれな骨折の1つである．その約1/2は体部の骨折，約1/3が頚部骨折とされている．

　本骨折に対しては，Hardegger（ハーデガー）らの分類 II-1 を用いることが多い．体部骨折の受傷機転は強大な直達外力によるものが多く，多発肋骨骨折や血気胸を合併することがある．また，肩峰骨折や肩甲棘骨折も直達外力によるものが多い II-2．

　頚部骨折のほとんどは，転倒などで肩を強打した際の介達外力によるもので，遠位骨片が近位骨片へ嵌入することが多い．骨折型は，安定型と不安定型に分類される II-3．関節窩辺縁骨折や関節窩骨折も，介達外力による骨折が多いとされており，関節窩骨折には，Ideberg（アイディバーグ）の分類 II-4 やGossの分類が用いられることが多い．

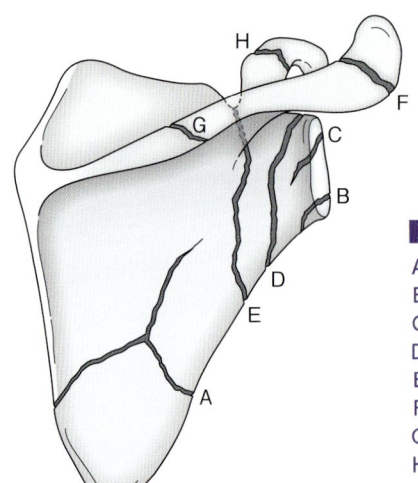

II-1 Hardeggerらの分類　文献[2]より
- A：体部骨折
- B：関節窩辺縁骨折
- C：関節窩骨折
- D：解剖学的頚部骨折
- E：外科的頚部骨折
- F：肩峰骨折
- G：肩甲棘骨折
- H：烏口突起骨折

---

[1] 玉井和哉. 肩甲骨骨折, 骨折脱臼, 改訂第2版. 冨士川恭輔, 他編. 南山堂；2005. p. 519-27.
[2] Hardegger FH, et al. J Bone Joint Surg. 1984; 66-B（5）: 725-31.

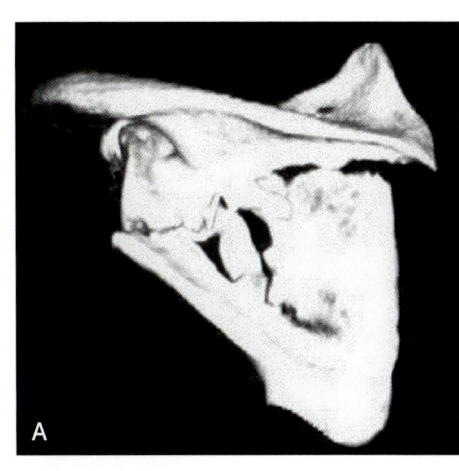

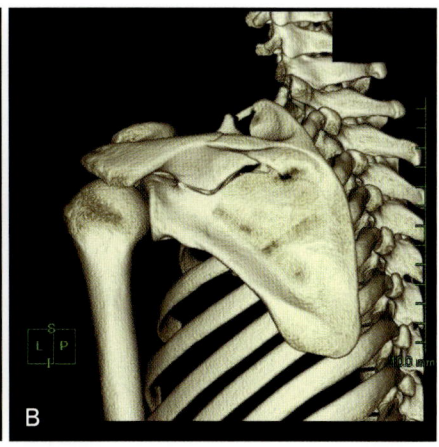

II-2 肩甲骨骨折例
A：肩甲骨の体部が広範囲に粉砕している．この画像から，肩甲下筋，棘下筋，小円筋の損傷程度を推察しなければならない．
B：棘上窩，肩甲棘，棘下窩が骨折している．棘上筋ならびに，棘下筋と肩甲下筋の上部線維の損傷を推察し治療にあたる必要がある．

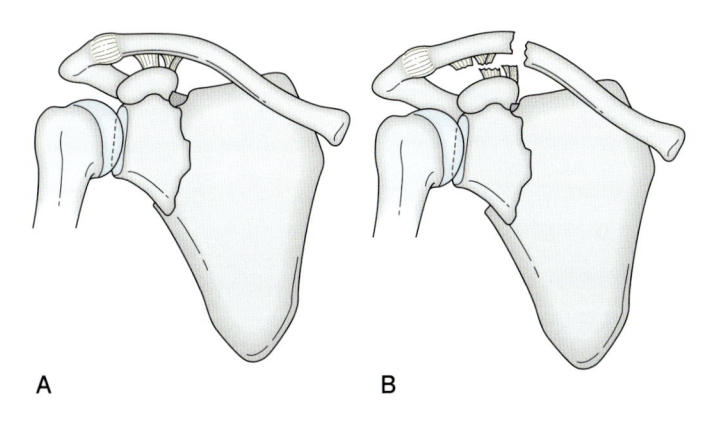

II-3 肩甲骨頚部骨折の安定型と不安定型　文献❷より
A：**安定型**　肩鎖靱帯が保たれているため，鎖骨と肩甲骨は連結されている．また，烏口鎖骨靱帯により遠位骨片が嵌入するのを制動しているため，安定型の骨折となる．
B：**不安定型**　鎖骨骨折と烏口鎖骨靱帯に断裂が生じていると靱帯性の制動が働かず，筋力や上肢の重みにより嵌入や前内側への転位を起こしやすい．

整形外科的治療・orthopedic procedure

　肩甲骨は，棘上筋，棘下筋，小円筋，肩甲下筋に挟まれ胸郭の背部に位置する．この構造自体が副子の役割を果たすため，体部骨折や頚部骨折の安定型では，原則的に保存療法が選択される．

　手術療法の適応となるのは，頚部骨折の不安定型，肩上方懸垂複合体（SSSC）損傷 II-5 II-7 ，関節面の不整，肩関節の不安定性を伴う関節窩骨折，転位の大きな肩峰骨折，烏口突起の基部骨折などとされている．手術法としては，スクリューやプレート II-6

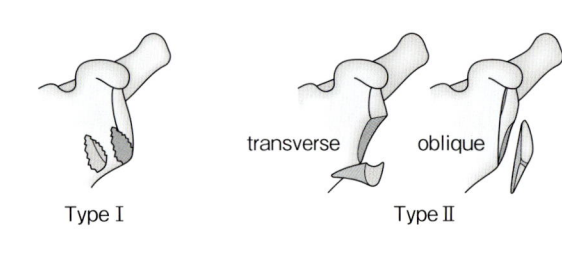

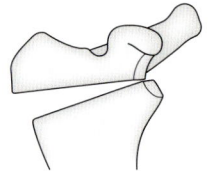

Ⅱ-4 Ideberg の分類[3]

Type Ⅰ： 介達外力による骨折型で，最も頻度の高い前縁の裂離骨折．時に肩関節の脱臼骨折とともに生じる．
Type Ⅱ： 関節窩を貫く横骨折あるいは斜骨折で，骨片は上腕骨頭とともに転位する．
Type Ⅲ： 骨折線が関節窩から頚部を抜けて肩甲骨上縁の中央部付近へ至る骨折．骨片は烏口突起を含み，回旋転位すると関節面の適合性は不良となる．
Type Ⅳ： 関節窩から体部へ至る横骨折．
Type Ⅴ： Type Ⅳ骨折に，頚部または，頚部の下半分の骨折を伴うもの．

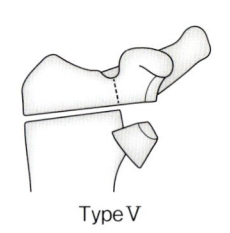

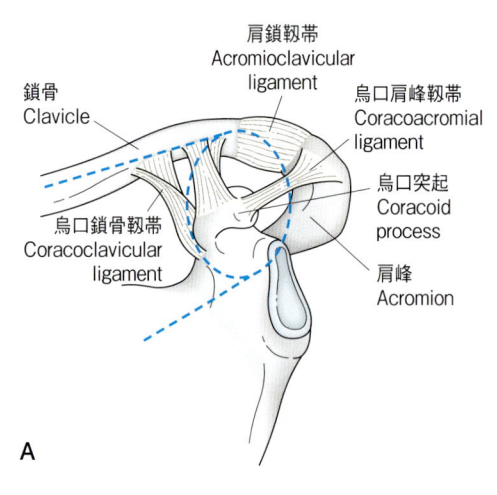

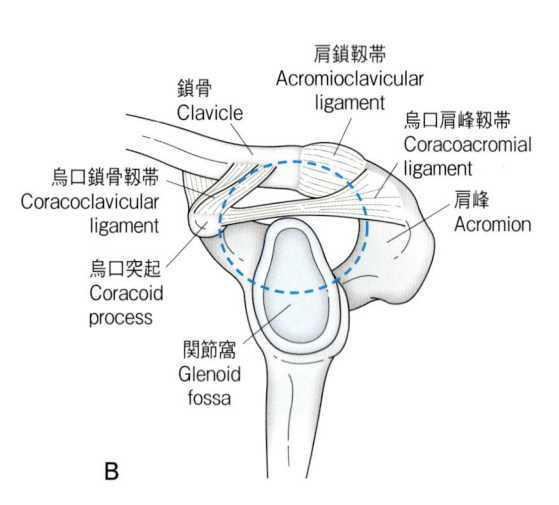

Ⅱ-5 肩上方懸垂複合体：superior shoulder suspensory complex 文献[4]より
A：正面像　B：側面像

Ⅱ-6 肩甲骨骨折用のプレート 文献[5]より
ACUMED 社製 Locking Scapula Plate System. 国内では，肩甲骨用のプレートは使われておらず鎖骨用のプレートなどで代用されている．

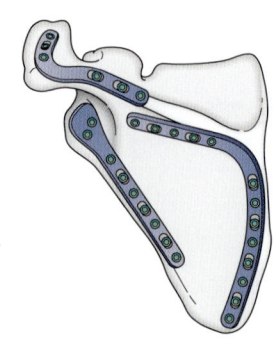

[3] Ideberg R. Surgery of the shoulder. Bateman JE, editors. Mosby；1984. p. 63-6.
[4] Goss TP. J Orthop Trauma. 1993; 7: 99-106.
[5] http://www.medopt.com.au/

Knowledge 肩上方懸垂複合体（SSSC）損傷

　Goss[4]は，鎖骨遠位部，肩鎖関節，肩峰，関節窩，烏口突起，烏口鎖骨靱帯を1つの輪：ring と考えることを提唱しました．この ring の上方（前方）は鎖骨中央部に，下方（後方）では肩甲棘から肩甲骨体部に連なっているとし，これらの複合体を肩上方懸垂複合体（superior shoulder suspensory complex）Ⅱ-5 と名付けました．さらに，この複合体は上肢から脊柱へ至る連鎖の中で，安定した肩甲骨の位置関係を維持する役割があるとしています．この複合体の中で1カ所が破綻してもその機能は保たれますが，2カ所が破綻すると転位を起こし，正常な上肢の機能は期待できなくなります．2カ所が破綻した状態で，保存療法を行うとその治療中に転位が進行する可能性があり，10 mm を超える転位がある場合は，手術による再建が必要とされています Ⅱ-7．

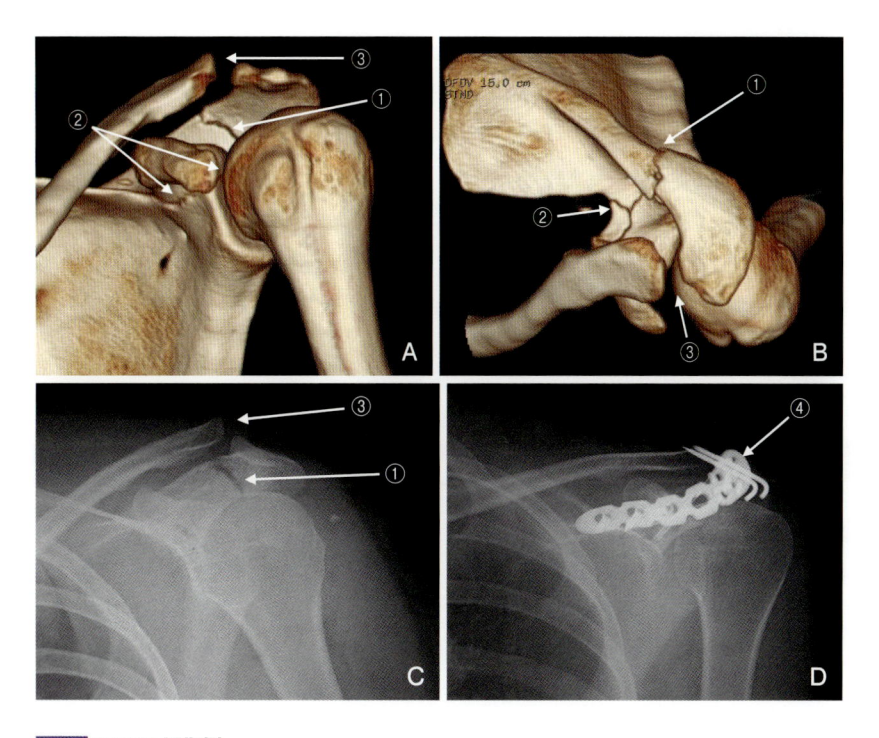

Ⅱ-7 SSSC 損傷例
A B：3DCT像　C：術前レントゲン像　D：術後レントゲン像
①肩甲棘骨折，②関節窩骨折：Ideberg の分類 Type Ⅲ，③肩鎖関節脱臼：Tossy の分類 Grade Ⅱ が認められた．Goss の SSSC 損傷の分類では，2カ所の断裂（double disruption）4型となる．
D．肩甲棘骨折に対して④SYNTHES 社製の鎖骨用ロッキングプレート Ⅰ-5D を用いて固定された．肩鎖関節は Phemister 法にて固定し，関節窩骨折は安定していたため保存的治療となった．

による固定が行われる．
　特に，不安定型の頸部骨折や肩上方懸垂複合体（SSSC）損傷では，遷延治癒，偽関節，変形治癒，神経や血管障害，アライメント不良による筋出力不全，二次性の変形性関節症を引き起こす可能性がある．鎖骨骨折や靱帯損傷の修復が重要とされており，その修復により骨折部の安定化が図られる Ⅱ-7．

評価 evaluation of the fracture

1 保存療法（体部骨折，安定型の頚部骨折）

肩関節に対し，基本項目を評価する．**Warp!!** 評価の基本項目（p.43）

骨折部への安静を考慮し肩鎖関節を固定 Ⅰ-12 し，肩甲上腕関節の可動域を評価する．しかし，骨折部の痛みのために背臥位が不可能な場合もあるため，坐位で行う評価方法にも習熟する必要がある Ⅲ-8．

頚部骨折の安定型であっても，完全骨折の場合は体部骨折に比べて骨折部は不安定である．可動域の測定に際しては，骨折部に離開力が作用しないように注意しなければならない．

肩甲上神経は，肩甲切痕を通過し棘上筋を支配する．その後，肩甲棘基部で下肩甲横靱帯を通り棘下筋に至る Ⅱ-8．頚部骨折の中でも骨折線が肩甲切痕や肩甲棘基部を通過する場合には神経損傷の可能性があり，棘上筋と棘下筋の筋力検査を通して肩甲上神経麻痺の有無を評価する．同様に，肩甲下神経に支配される肩甲下筋や，腋窩神経支配である三角筋，小円筋の筋収縮と支配領域の皮膚知覚も評価する．受傷後早期の筋力検査は，支点形成に必要な筋収縮を確認する程度でよいが，筋収縮を触知することが困難な場合もあり，継時的に筋力を評価する必要がある．

また，頚部骨折時には，外傷性の腱板断裂を合併することが報告されており，症状の程度によっては整形外科医への報告を忘れてはならない．

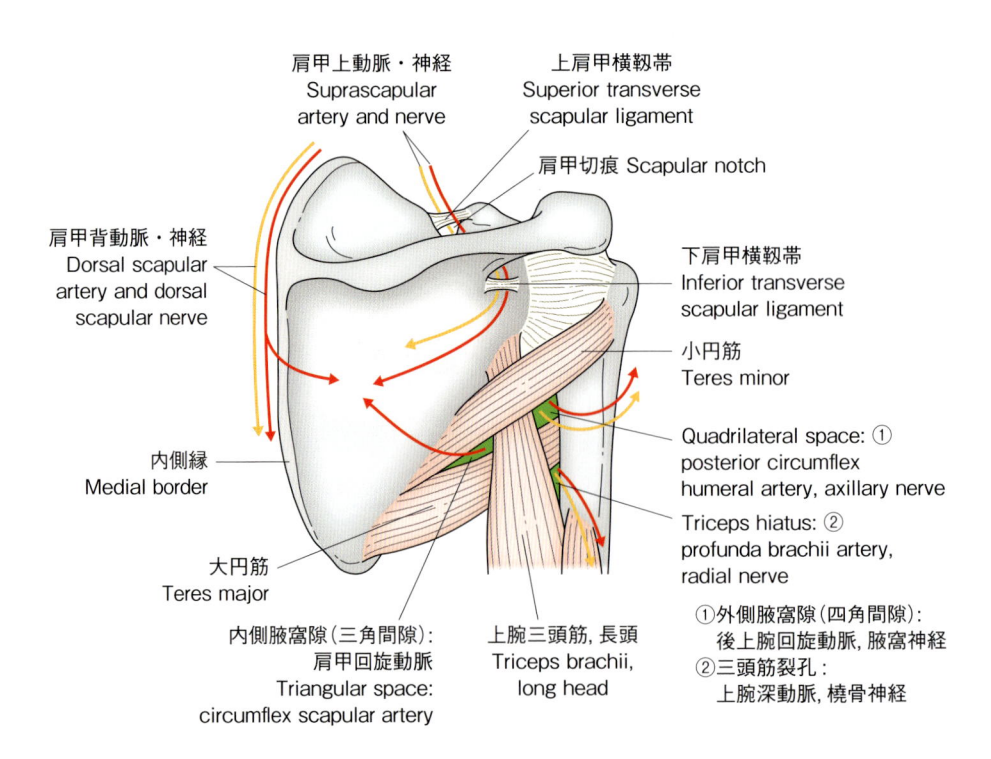

Ⅱ-8 肩甲骨背部の神経と血管の走行　文献❻より

❻坂井建雄，監訳．プロメテウス解剖学アトラス．医学書院；2007．

2 手術療法

機能の再建方法を画像所見より確認し，その固定性について整形外科医に確認する．

手術による安定性が得られた場合には，体部骨折，安定型の頚部骨折の保存療法の評価に準じる．

運動療法 therapeutic exercise

1 保存療法

a. 肩甲骨体部骨折

本骨折の骨癒合は，おおむね良好とされている．しかし，強大な外力に伴い棘下筋や小円筋，肩甲下筋の損傷が予測されるため，骨癒合を優先する原則に変わりはないが，筋と骨の癒着や滑走障害を予防する意味で，固定期間は極力短くし早期に肩関節の可動域練習を開始する．

早期の可動域練習の目的は，肩甲上腕関節の可動域を維持することにあり，骨折型を確認し可能であれば肩甲骨と鎖骨を固定した肩甲上腕関節の可動域練習や，肩甲骨を固定した stooping exercise Ⅲ-9 Ⅲ-20 など，種々選択し開始する．多発肋骨骨折や血気胸を合併している場合には，特に注意が必要である．骨癒合の状況に合わせて，等尺性の筋収縮練習，自動介助運動による内・外旋運動，腱板筋群の収縮練習，骨折部より遠位部を対象としたストレッチングなどを適宜選択し実施する．自動運動を利用した回旋可動域の改善は，棘下筋や肩甲下筋と骨折部との癒着予防や各々の筋の伸張性改善に有用

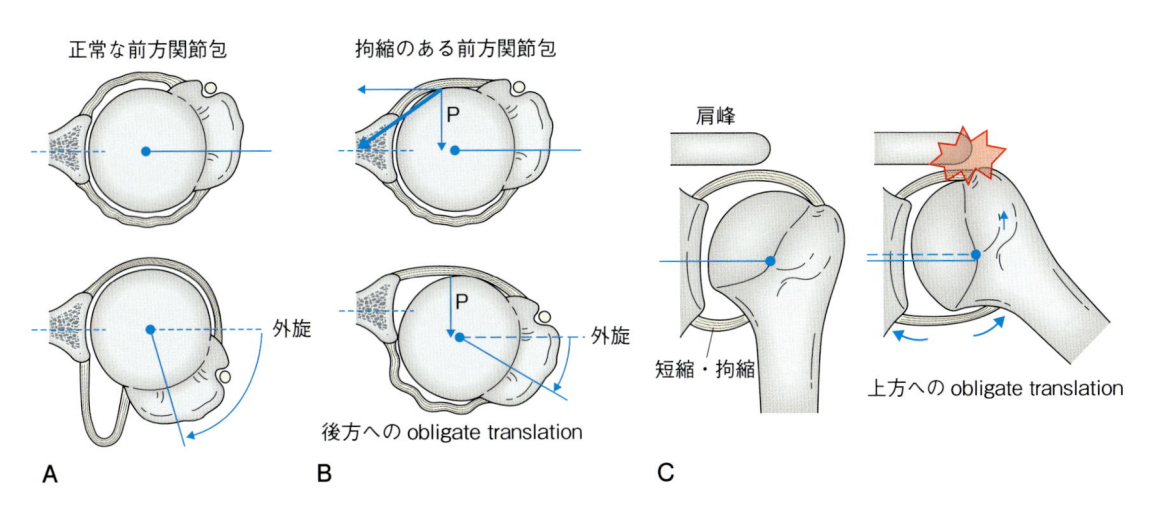

Ⅱ-9 obligate translation
直訳で，"束縛された平行移動"を意味する．
A：正常な前方関節包であれば，骨頭は関節窩上で求心位が保たれる．
B：肩甲下筋や関節包，靱帯の拘縮が存在すると，可動域制限の他に骨頭は求心位を保つことができず平行移動してしまう．図は外旋に伴う骨頭の後方移動を示している．（文献❼より）
C：肩甲上腕関節の下方に拘縮が存在する場合，挙上に伴い骨頭を上方へ偏位させ肩峰と大結節のインピンジメントの原因の1つとなる．

❼Rockwood CA, et al. The Shoulder. 4th ed. Saunders Elsever; 2012. p. 646.

である Ⅱ-12．Warp!! 筋収縮練習とストレッチングのコツ 1（p.36），2（p.187）

可動域練習を施行する際は，運動に伴う骨頭の偏位：obligate translation Ⅱ-9 には十分に注意して実施する．

骨癒合の状態を主治医と共に確認し，肩甲胸郭関節での肩甲骨の運動の許可に合わせて，全可動域にわたる可動域練習と肩甲骨周囲筋の筋力強化練習とを随時開始する．

b. 肩甲骨頚部骨折の安定型

運動療法は体部骨折に準じるが，頚部と体部の骨癒合を妨げないよう骨折型と修復過程を理解した上で，その開始時期を主治医と協議し注意深く開始する．肩甲骨の頚部周囲には筋の付着はなく，粗な結合組織と脂肪組織が介在している Ⅱ-10A ①②．肩甲上腕関節での可動域練習や筋収縮練習は，これらの組織と肩甲下筋や棘下筋との癒着を予防する上で重要である．

2 手術療法

運動療法は，手術の固定方法とその固定性に依存する．固定性がよい場合は安定型骨折の運動療法に準じて行う．特に皮膚切開部と皮下組織との癒着，進入部周囲の筋と脂肪組織との癒着を予防することが大切であり，筋収縮練習を通して伸張性や滑走性の維持・改善を行うことが重要である．

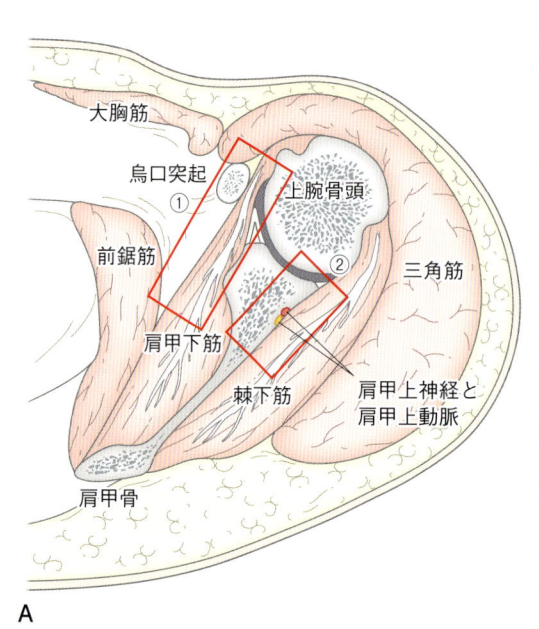

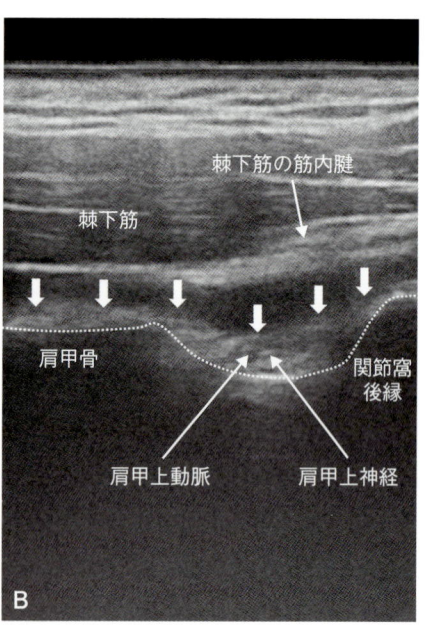

Ⅱ-10 肩甲骨頚部周囲の脂肪組織と結合組織の解剖

A：頚部周囲の解剖学的な特徴
　①頚部の腹側には烏口突起があり，その周囲には烏口上腕靱帯をはじめとする疎性結合組織や脂肪組織が存在し，肩甲骨と肩甲下筋との間にも脂肪組織と結合組織が存在する．
　②背部では，肩甲骨頚部を肩甲上神経と肩甲上動脈とが通過するため，その周囲にも脂肪組織と結合組織が存在する．
　骨折後の組織修復に伴う癒着や瘢痕が形成されると可動域制限の原因となる．

B：頚部背側（②）のエコー像
　矢印部には，粗な結合組織と脂肪組織が存在している．これが回旋運動に伴い形を変えながら，棘下筋の滑走性を高めている．

Knowledge & Skill　肩甲上腕関節の可動域練習のコツ①　求心位について

　肩関節の可動域の改善には，「各組織の柔軟性と伸張性，滑走性の改善，そして筋力の改善に加え，可動域練習の際に目的とする肢位へ骨頭の求心位を保ち誘導すること」が，臨床上のコツと考えています．

　さて求心位についてですが西中ら[8]は，健常者の 10 肩について 3D-to-2D dimentional translation 法を用いて，外転挙上における上腕骨頭と関節窩との接点を測定しました．この接点を理解するために，3 次元的な座標を確認しましょう．関節窩上縁と下縁を結ぶ線を「仮の長軸」とし，その中間点に直行する線を「仮の短軸」とします Ⅱ-11B左．この「仮の短軸」が関節窩の前後縁を通過するように水平移動させ「短軸」と「長軸」を定めます Ⅱ-11B右．

　骨頭と関節窩の接点は，上肢下垂位で無負荷の場合は，「長軸」の中間点より 1.7 mm 下方にあり，外転運動にともない関節窩の長軸の中間点に推移します Ⅱ-11AB．また，上肢下垂位で 3 kg が負荷されている場合は，「長軸」の中間点より 1.2 mm 下方にあり，外転運動にともない，その中間点に移動します Ⅱ-11A．負荷のある方が，骨頭の接する位置は動かなくなるということです．西中らはこの長軸の中間点を「関節窩の中心点」としました．一度，骨模型を用いて再現してみてください．とても美しい骨頭の動きが再現されます Ⅱ-11C．本書では，運動時にこの点で，関節窩と上腕骨頭が接している状態を求心位が保たれた状態と考えます．

　この報告を臨床へ応用すると，回旋運動を含めた全ての運動において，常にこの求心位を保つことができれば，obligate translation Ⅱ-9 を起こすことなく可動域練習ができると考えます．

Knowledge & Skill　肩甲上腕関節の可動域練習のコツ②　臨床での求心位の定め方

　では，この求心位をどのように臨床の場で推測すれば良いのでしょう？

　あるとき骨模型を眺めていたら，肩峰の前縁外側と下角を結んだ線は，関節窩の中心点付近を通ることに気づきました Ⅱ-12A．また，当院には骨標本がありますので，そちらを観察しても同じです Ⅱ-12B．著者は，これを Anterolateral tip of acromion-Inferior angle line：A-I line と呼称することにしました．

　そこで，過去に肩関節疾患以外で胸郭・体幹の CT を撮られた方（20〜80 歳代，70 例 140 肩）の 3DCT を再構築し確認しました．もちろん，全てが関節窩の中心点を通るわけではありませんが，ある程度近い位置を通過します．また，肩峰の前縁外側から関節窩の中心点までの距離は，肩峰の前縁外側から烏口突起の前方との距離に近似しました Ⅱ-12CD．臨床的には，肩峰の前縁外側，下角，烏口突起の 3 点を触診することで，ある程度の関節窩の中心点を推測することが可能となります Ⅱ-12EFGHI．そして，大結節と小結節を中心に骨頭を触診し，肩峰の前縁外側を触診することで，健患差にてわずかな求心位のズレを捉えることができるのではないかとも考えます Ⅱ-12J．さらに，肩甲上腕関節における拘縮の位置を表現するときに「関節窩の中心点を中心に何時の位置に拘縮が強い」など，肩甲上腕関節を時計の位置に見立てる指標ともなります Ⅱ-12K．

　可動域練習を行う際には，A-I line と 3 点のメルクマールを利用し，肩甲骨の位置と傾き，大きさを確認した上で関節窩の中心点を推測し，骨頭の触診と共に求心位が保たれた状態で操作することが臨床上のコツと考えています Ⅱ-13．

　最後に，初版では A-I line のことを glenoid center line[9][10]と誤って記載してしまいました．この場を借りて心よりお詫び申しあげます．正しくは「The "glenoid center line" is a line perpendicular to the surface of the glenoid fossa at its midpoint.」です．　**Warp!!**　肩甲上腕関節の可動域測定③　A-I line による肩甲骨の位置と傾きの把握（p. 48）

---

[8] 西中直也，他. 肩関節, 2008; 32（3）: 509-12.
[9] Matsen Ⅲ FA, et al. Practical Evaluation and Management of the shoulder. WB Saunders; 1994, p. 60.
[10] Matsen Ⅲ FA, et al. The shoulder 4th ed. 2009. p. 635.

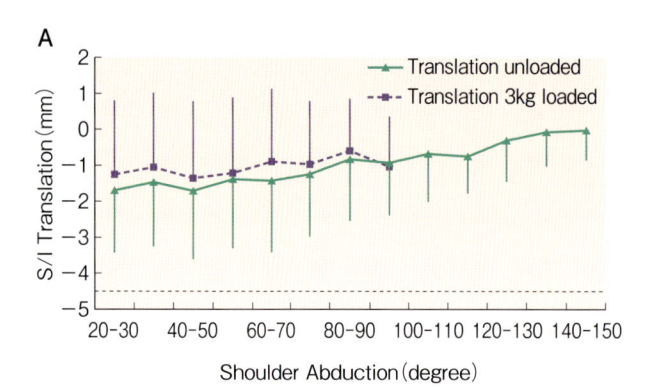

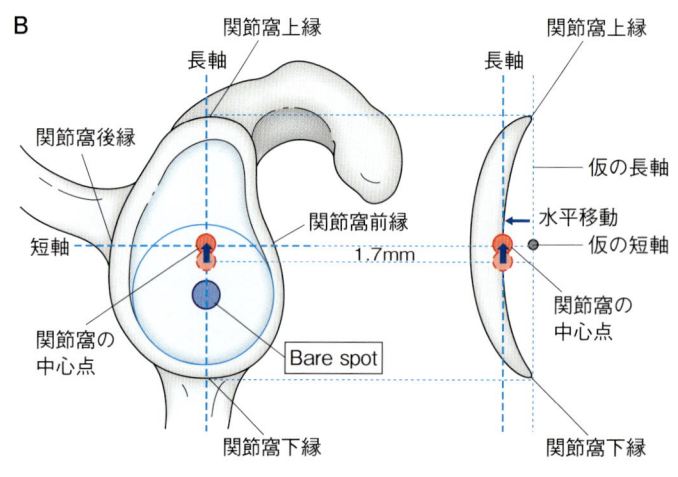

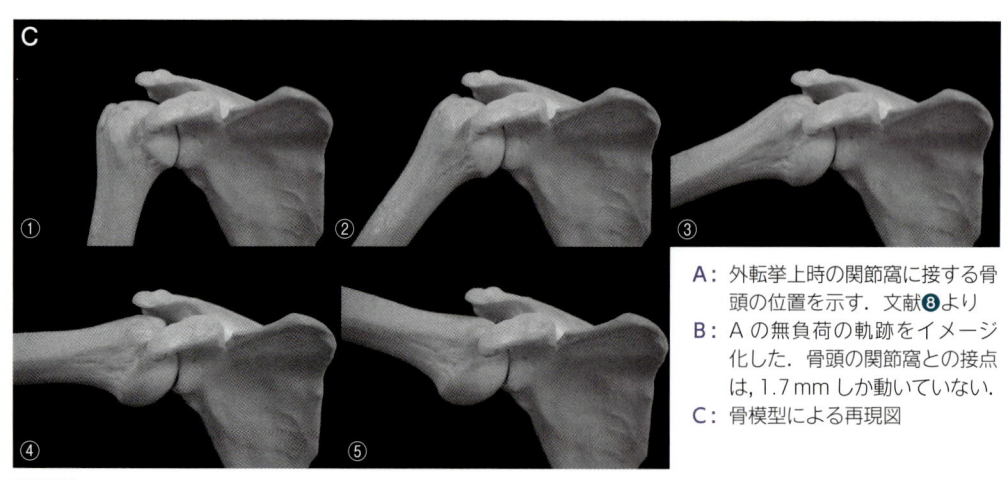

A：外転挙上時の関節窩に接する骨頭の位置を示す．文献❽より
B：Aの無負荷の軌跡をイメージ化した．骨頭の関節窩との接点は，1.7 mm しか動いていない．
C：骨模型による再現図

Ⅱ-11 外転挙上時の関節窩と骨頭の接触点について

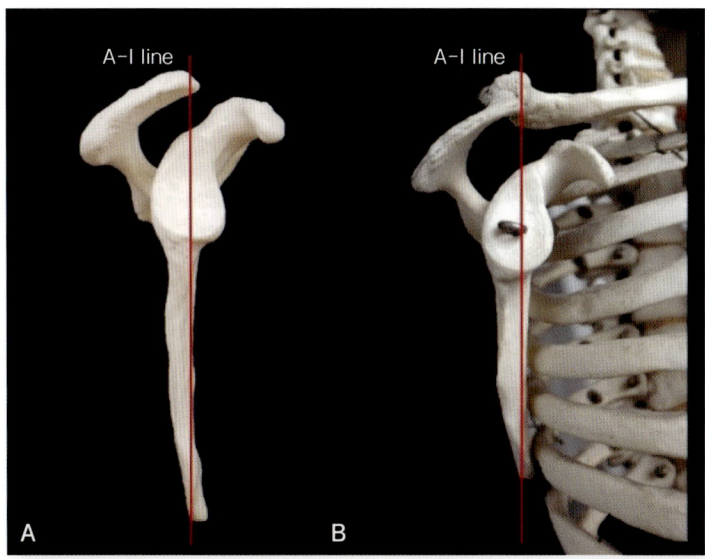

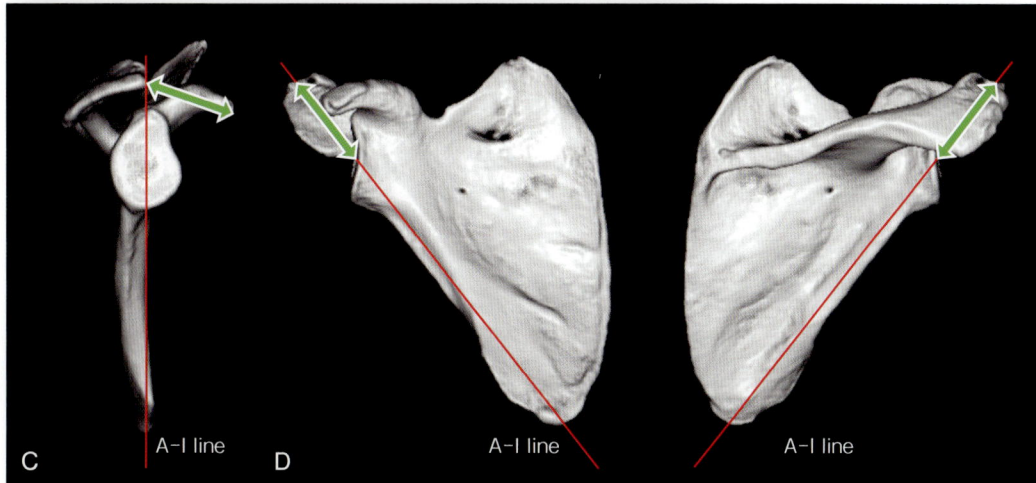

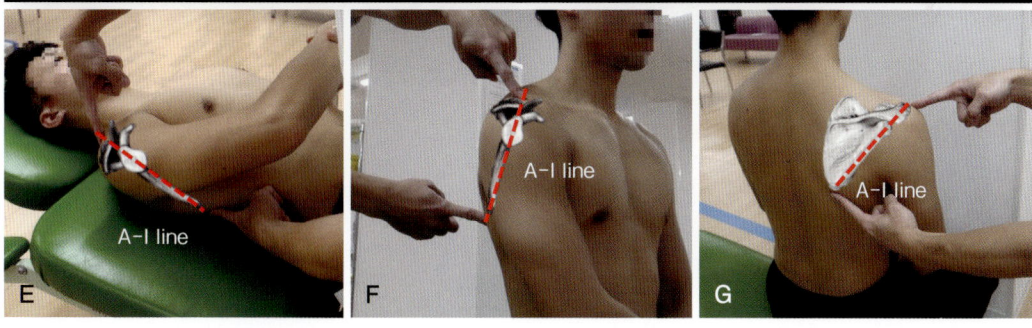

Post-Fracture Rehabilitation Master Book　63

肩甲骨骨折

Ⅱ-12 **A-l line による関節窩の中心点と求心位の推測**
A：骨模型を用いた A-l line の確認　　B：骨標本を用いた A-l line の確認
CD：3DCT による A-l line の確認
　　　肩峰の前縁外側から関節窩の中心点までの距離は，烏口突起の前方と肩峰の前縁外側との距離に近似していた．
E：背臥位での A-l line の確認
F：坐位での A-l line の確認
　　　A-l line は，必ず Scapula-Y 撮影の方向から確認する．臨床では，肩甲骨の棘三角と下角を触診しこの２点を結ぶ．そして，烏口突起の前方と肩峰角を触診し，これら２点を結んだ線の中間点が，先の２点を結んだ線と重なるように見える方向が，Scapula-Y 撮影の方向と考える．**relation** & **Warp!!** 肩甲上腕関節の可動域測定③　A-l line による肩甲骨の位置と傾きの把握（p. 48）
G：坐位での背側から見た A-l line の確認

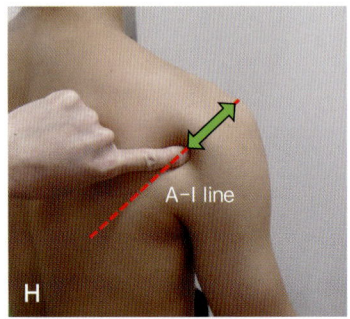

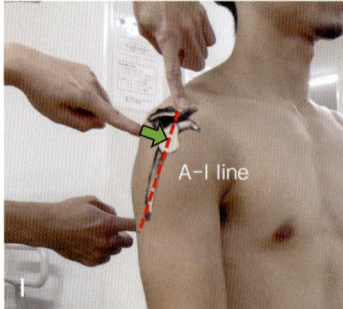

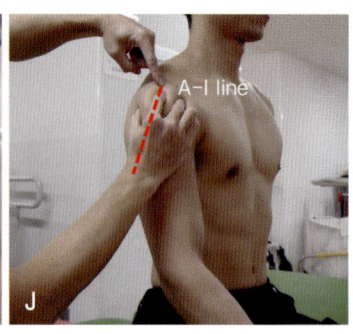

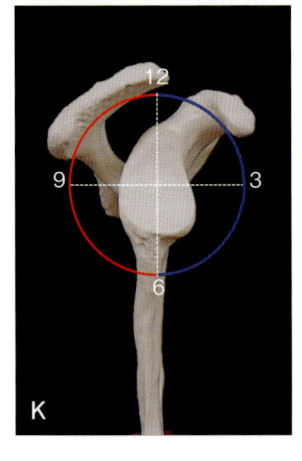

II-12 つづき

H: 背側から見た A-I line 上で，烏口突起の前方と肩峰の前縁外側との距離を A-I line 上へ投影する．
I: 背側より示した点を，Scapula-Y 撮影の方向から見た A-I line に直交させ関節窩の中心点を推定する．
J: 関節窩の中心点を推定した後に，母指にて大結節の下面，示指にて大結節の前方（結節間溝），中指にて小結節を触診し，他方の手で肩峰の前縁外側を触診することで，骨頭と関節窩の中心点の位置関係を確認し，健患差にて求心位の僅かなズレを捉える．
K: 関節窩の中心点を推測することで，肩甲上腕関節を時計の位置に見立てることができ，評価や可動域練習の指標となる可能性がある．

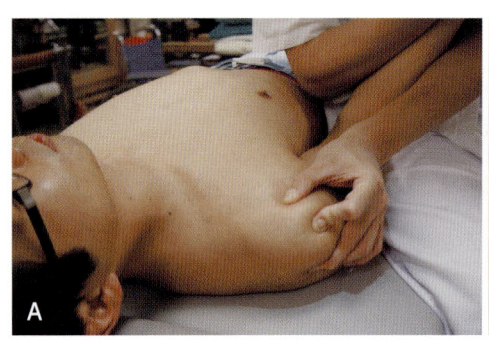

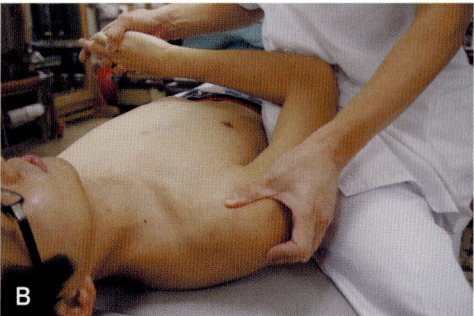

II-13 求心位を意識した内旋と外旋の可動域練習

A: 外旋方向への可動域練習
A-I line を用い，おおよその関節窩の中心点を確認した後に，対象の肘関節を治療者の右股関節付近で固定し，小結節の近位部に左母指を置く．示指にて結節間溝，中指にて大結節の下面を触診し骨頭を外旋方向に誘導する，求心位を保つように滑らかに自動介助運動や可動域練習を行う．
B: 同様に，大結節の後方を触診しながら内旋を誘導し，母指にて obligate translation を防止し内旋運動を実施する．

Knowledge 指標　ドイツ語と英語

メルクマールという言葉をご存じですか？　この言葉も医師との会話でたびたび出てきます．つづりは markmal と書きドイツ語で目印を意味します．英語では，landmark や mark という表現がなされます．

III 上腕骨近位部骨折
fracture of the proximal humerus

概要 general remarks

　上腕骨近位部骨折は，大腿骨頚部骨折，橈骨遠位端骨折，脊椎圧迫骨折とともに高齢者に起こりやすい骨折の一つであり，骨粗鬆症との関連が指摘されている．発生頻度は，全骨折の5%程度とされている．大部分が外科頚骨折で転倒に伴う直達外力での受傷である．転位が少ない骨折の8割で保存療法が行われており，比較的良好な成績が報告されている．

　分類は，改訂されたNeerの分類[1] III-1 や AO/OTA 分類が用いられる． **Warp!!** AO/OTA 分類と長管骨の骨幹部，近位部，遠位部の分類（p.4）

　Neer の分類は，診断ならびに治療方針の決定において有用である．上腕骨頭，大結節，

III-1 改訂 Neer の分類
文献[1]より改変
改訂された Neer の分類は，4-part 骨折に，外反型の骨折〔A．外反嵌入骨折：valgus impacted fracture III-11 〕が加えられ，A→B への進行の可能性を示している．

---

[1] Neer CS. J Shoulder Elbow Surg. 2002; 11: 389-400.

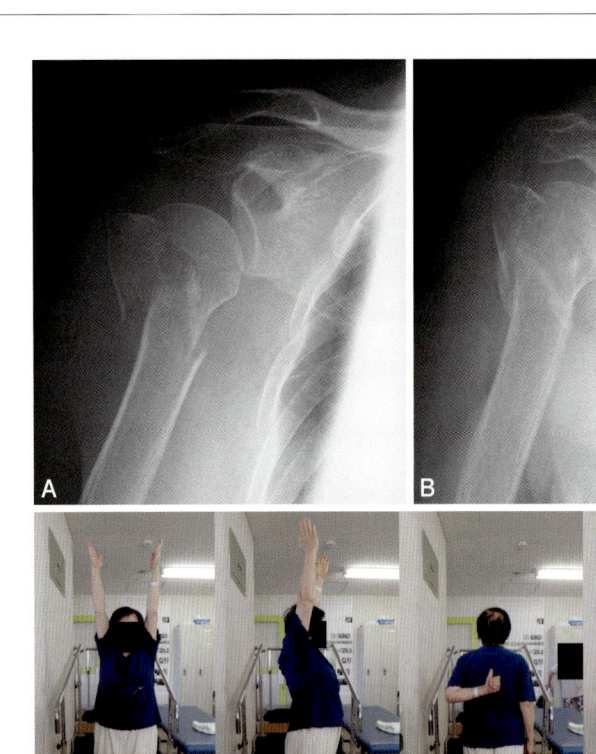

Ⅲ-2 右上腕骨近位端骨折　保存療法例
A：受傷時，Neer の分類 group Ⅲ 2-part 骨折（外科頚骨折）
B：受傷後 2 カ月にて良好な骨癒合が得られた．
C：受傷後 4 カ月の挙上と結帯動作　JOA score：98 点　Quick Dash：0 点

　小結節，骨幹部の転位の有無と，その程度を分類の基準としている．転位の定義は，骨片間に 1 cm 以上の転位があるもの，あるいは 45°以上の骨折線の角状変形があるものとされている．それ以下の骨折は全て最小限の転位（minimum displacement）であり，症例の 85％がこれに含まれるとされている．骨片が 1 つ転位していれば 2-part と表現し，骨片が 3 つ存在すれば 4-part となる．

　また，成長期のスポーツ障害として，上腕骨近位骨端線損傷（little leaguer's shoulder）が挙げられる．これは，投球による疲労骨折の一つで，Salter-Harris の分類が用いられることが多く，治療は保存療法が基本とされている．　**Warp!!** Salter-Harris の分類（p.11）

整形外科的治療 ● orthopedic procedure

　若年者と高齢者では，治療方針が異なることが多い．若年者では解剖学的な整復，強固な固定，早期運動療法により受傷前の可動域と機能の獲得を目的にすることが多く，高齢者では，個人の状況により異なるものの ADL の自立を目的とすることが多い．
　Neer の分類で最小限の転位や，転位が少ない 2-part 骨折では保存療法が選択される

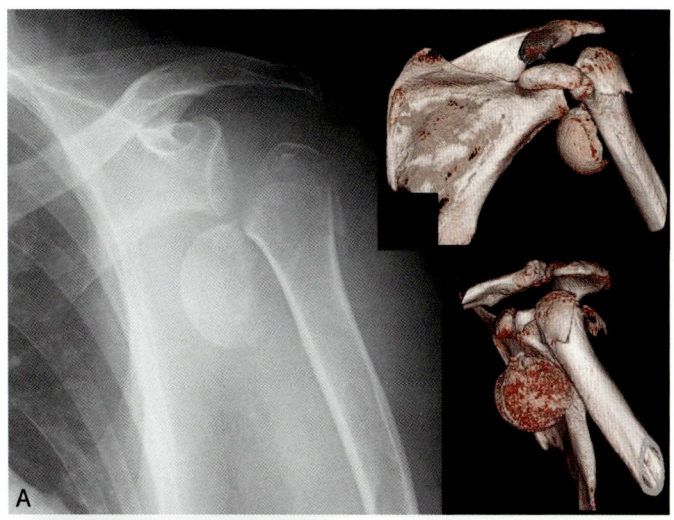

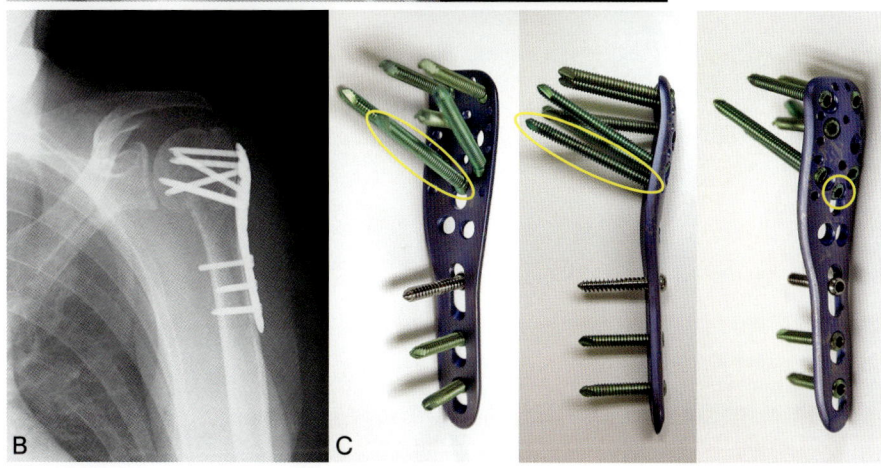

Ⅲ-3 ロッキングプレートによる手術例

- **A：左上腕骨近位部骨折** Neerの分類 group Ⅵ，3-part 前方脱臼骨折．受傷時のレントゲン像と3DCT像にて解剖頸での骨折が認められる．大結節の上面と中面が一塊となった骨折も認められるが転位量は少ない．転位の大きい大結節下面の骨折が認められる．
- **B：ロッキングプレートによる固定** 術中に骨頭部と小結節が一塊となっていることが確認され，group Ⅵ 3-part 前方脱臼骨折と確認された．
- **C：使用されたロッキングプレート** 円は，infero-medial screw[3]を示している．このスクリューは上腕骨頭の下方内側壁を支持し，骨頭の内反変形を防止する．画像評価時には，このスクリューの有無についても確認する．

ことが多い Ⅲ-2 ．3-part や 4-part 骨折でも，高齢者など症例によっては保存療法が選択される．通常，三角巾とバストバンドによる固定が行われ，痛みや骨の修復過程に応じて早期運動療法が行われる．特に大結節の単独骨折の場合には，棘下筋や小円筋の張力により骨片が後方へ転位する可能性があり，既製の装具などを用いて 30°程度内旋位での固定を推奨する報告もある[2]．

　転位が大きく不安定な場合や脱臼を伴う骨折では，手術療法が選択される．骨接合術が選択される場合は，ロッキングプレート Ⅲ-3 や髄内釘 Ⅲ-4 を用いた固定が多く行わ

---

[2] 小川清久. 骨折脱臼. 改訂第2版. 冨士川恭輔, 他編. 南山堂; 2005. p. 219-40.
[3] 塩田直史, 他. 関節外科. 2010; 29 (4): 10-8.

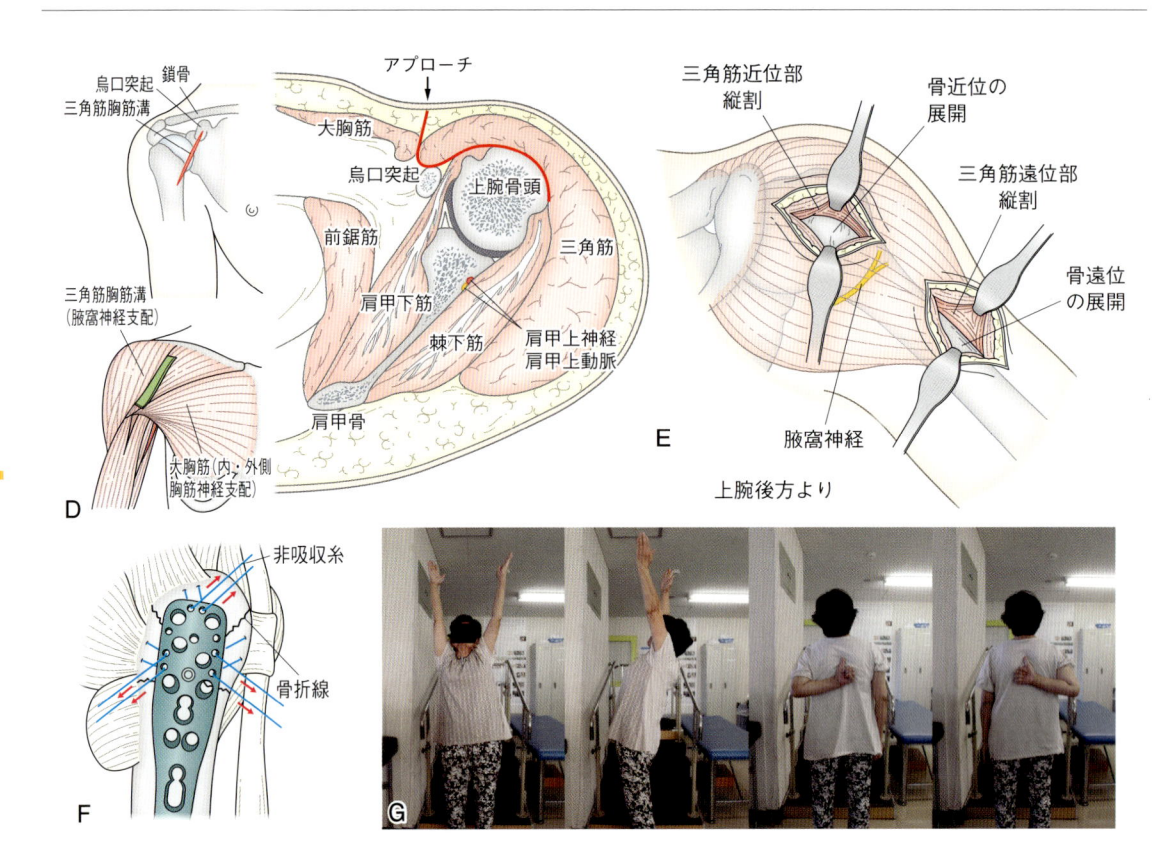

Ⅲ-3 つづき

D：ロッキングプレート挿入のためのアプローチ 文献❹より
上腕骨近位部への前方アプローチ（delto-pectoral approach）にて行われた．烏口突起をランドマークとし三角筋胸筋溝に沿って15 cm程度の直線切開を行い脂肪や結合組織をよけて筋膜へ達する．三角筋と大胸筋の間より三角筋の深部へ進入し骨頭へ達する．

E：上腕骨近位部への外側最小切開アプローチ
近年，行われることが多くなった最小侵襲プレート骨接合術（MIPO：minimally invasive plate osteosynthesis）のための皮膚切開および展開．近位よりプレートを骨膜上で挿入する．

F：stay-suture の使用 文献❸より
腱板付着部に非吸収糸をかけ，それを引き寄せて整復と固定を行うこともある．

G：受傷後4カ月の挙上と結帯動作
JOA score：94点　Quick Dash：25点

れている．骨頭壊死の可能性が高い4-part骨折，粉砕骨折，50％以上の骨欠損がある脱臼骨折，高齢者の3-part骨折などでは，人工骨頭置換術 Ⅲ-5A ，人工肩関節置換術 Ⅲ-5D が適応とされる．また，2014年4月より本邦にもリバース型人工肩関節が導入されており Ⅲ-5E ，新たな手術療法の選択肢の1つとなった．

従来行われていたハンギングキャスト法（hanging cast法）は，過度の牽引に伴う偽関節や遷延治癒の可能性が高くなるとする報告も散見され，近年ではほとんど行われていない．

❹Hoppenfeld S．整形外科医のための手術解剖学図説．原著第4版．寺山和雄，他監訳．南山堂；2011．

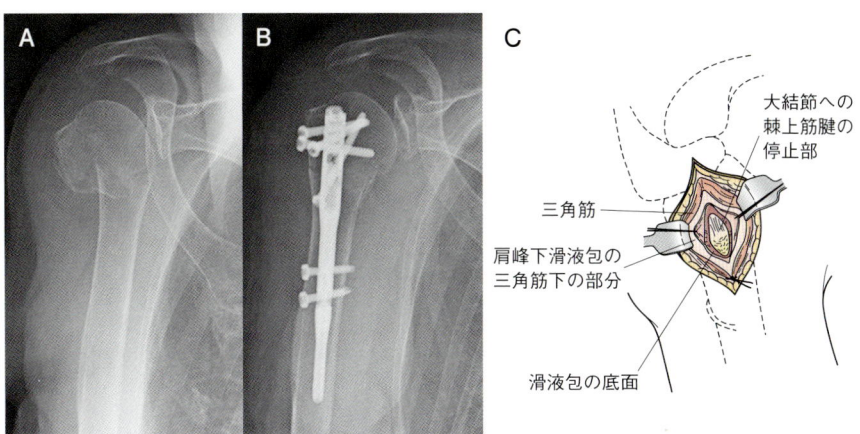

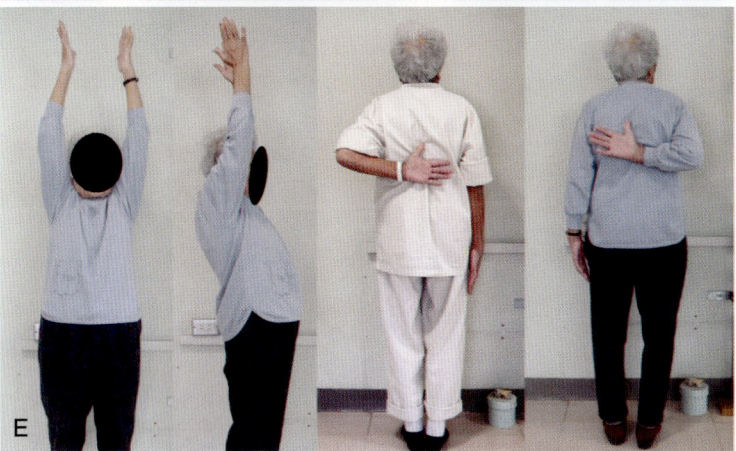

Ⅲ-4 髄内釘による手術例

A：右上腕骨近位部骨折 Neer の分類 group Ⅲ，2-part 骨折　受傷時のレントゲン像
外科頸での骨折が認められる．

B：ARISTO ネイルシステムにより固定された

C：順行性髄内釘のためのアプローチ
上腕近位部への外側アプローチ（deltoid-splitting approach）により挿入された．肩峰の先端から上腕の外側へ 5 cm ほど皮膚を縦切し，三角筋を鈍的に縦割する．その後，肩峰下滑液包と関節包を展開し，大結節と腱板の付着部に達する．腱板を縦切し髄内釘を挿入する．

D：使用された ARISTO ネイルシステム
骨頭側の横止めスクリューには，小結節を止めるためのスクリュー，大結節の上面・中面・下面を止めるためのスクリュー，外側下方から内側上方へ打ち上げ頸部の内側を支持するスクリューなど，それぞれの目的が異なる．また，髄内釘そのものが骨頭を制動化する Head anchering を期待し，髄内釘の挿入部は写真の最右側に示す位置付近が理想とされる．

E：受傷後 2 カ月の挙上と結帯動作
JOA score：87 点　Quick Dash：6.8 点

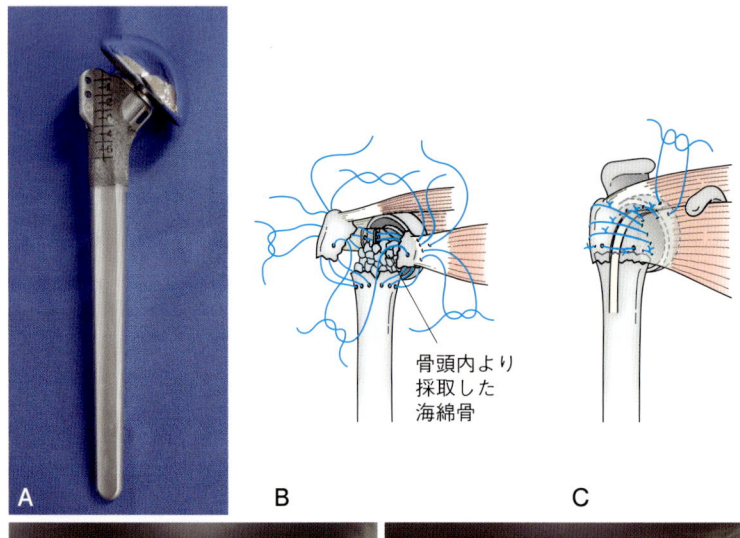

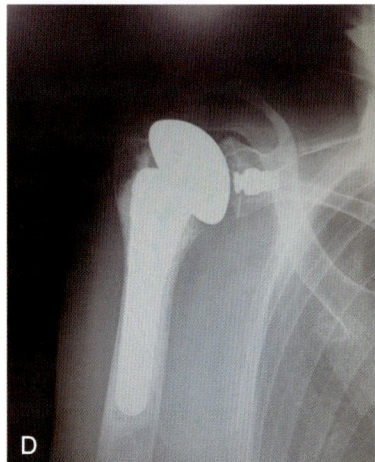

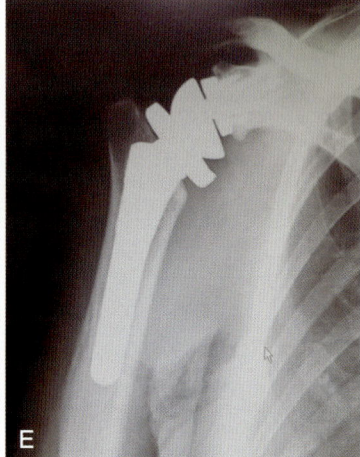

Ⅲ-5 アナトミカル型人工骨頭，アナトミカル型人工肩関節，リバース型人工肩関節　文献❺より

A: アナトミカル型人工骨頭．プレート固定と同様に前方アプローチ（delto-pectoral approach）にて挿入される．
B: ステムを上腕骨に挿入後，骨頭より採取した海綿骨を留置することで骨移植とする．
C: 縫合糸にて大結節と小結節をフィンに固定し，骨幹部とステムを覆うように結紮する．
D: アナトミカル型人工肩関節のレントゲン像．
E: リバース型人工肩関節のレントゲン像．

評価 evaluation of the fracture

1 保存療法

肩関節に対し基本項目を評価する．**Warp!!** 評価の基本項目（p. 43）

画像評価として，レントゲン像や CT 像より骨折型を確認すると共に，骨膜の連続性を推察する．骨形態より獲得可能な挙上角度など各方向の可動域，結帯動作のゴールを予測する **Ⅲ-6BC**．その予測において，3DCT は有用である **Ⅲ-7**．

運動療法評価としては，受傷前の患側肩関節の可動域を推察するために，健側の複合体としての肩関節と肩甲上腕関節の可動域を評価する **Ⅰ-6**〜**Ⅰ-14** **表5**．特に，坐位や立位にて行う Spino-Humeral Angle **Ⅲ-8** の測定は，stooping exercise **Ⅲ-9** **Ⅲ-20** を行う上で有用な情報となる．**Warp!!** 肩甲上腕関節の可動域測定①②③④⑤（p. 45〜51）．

腋窩神経障害には常に留意し，その支配領域の感覚検査や，三角筋と小円筋の筋収縮を評価する．また，肘関節より遠位の可動域や筋力も評価し，浮腫が観察される部位では周径も計っておくと良い．

❺DePuy（global fx）. Surgical Technique. ジョンソン・エンド・ジョンソン; 2007.

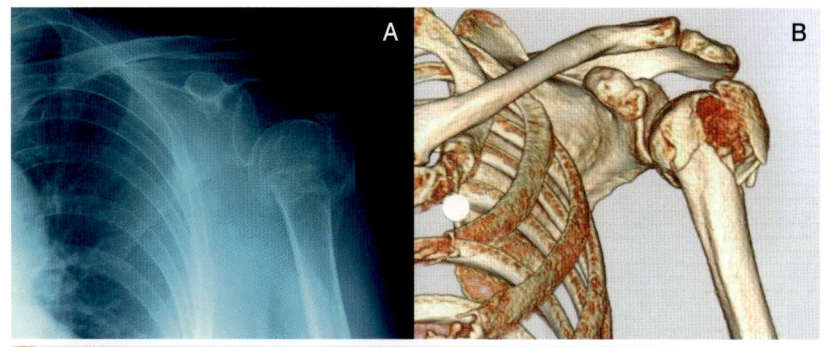

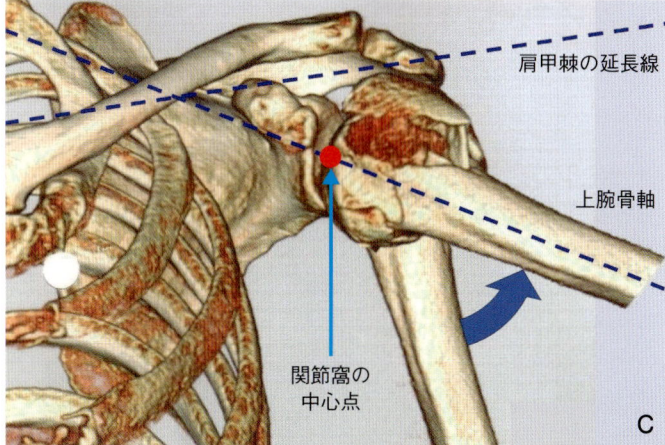

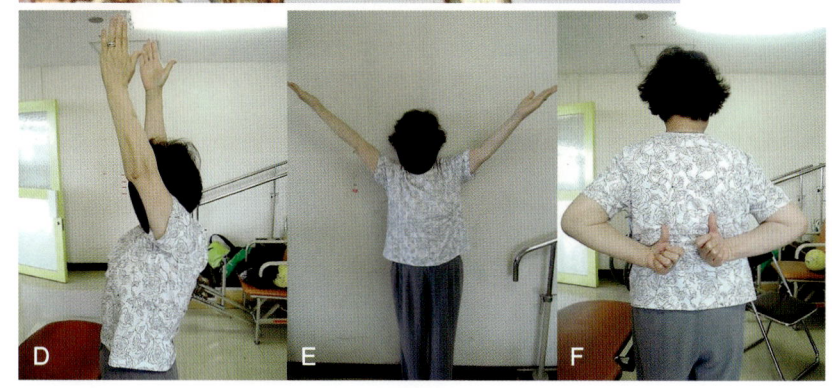

Ⅲ-6 画像所見からの骨形態によるゴール予測

ＡＢ：左上腕骨近位部骨折
　Neer の分類 group Ⅳ，2-part 骨折のレントゲン像と 3DCT を例として示す．大結節の転位と骨頭の外反嵌入型の骨折を認める．

Ｃ：3DCT を使用した骨形態によるゴール予測
　臼蓋に，関節窩の中心点を作成する．そして，骨折型からこの点で骨頭と関節窩とが求心位を保ち骨頭の可動できる範囲を推測する．本症例の場合は，健側の肩甲上腕関節でゼロポジション付近までの可動域があると仮定すると，骨折型による制限は挙上方向で-30°程度となり，外転方向は挙上より低下する可能性がある．また，結帯動作の制限は少ないと推測される．
　これらは，あくまで骨形態からの予測であり，実際には軟部組織の影響も受ける．

ＤＥＦ：骨折後4カ月を経過し，運動療法終了時の状態
　屈曲150°，外転110°，結帯動作 Th10 レベル，JOA score 90 点となり治療を終了とした．屈曲方向は，推測した挙上動作を獲得することができたが，結帯動作では若干の制限が残存した．

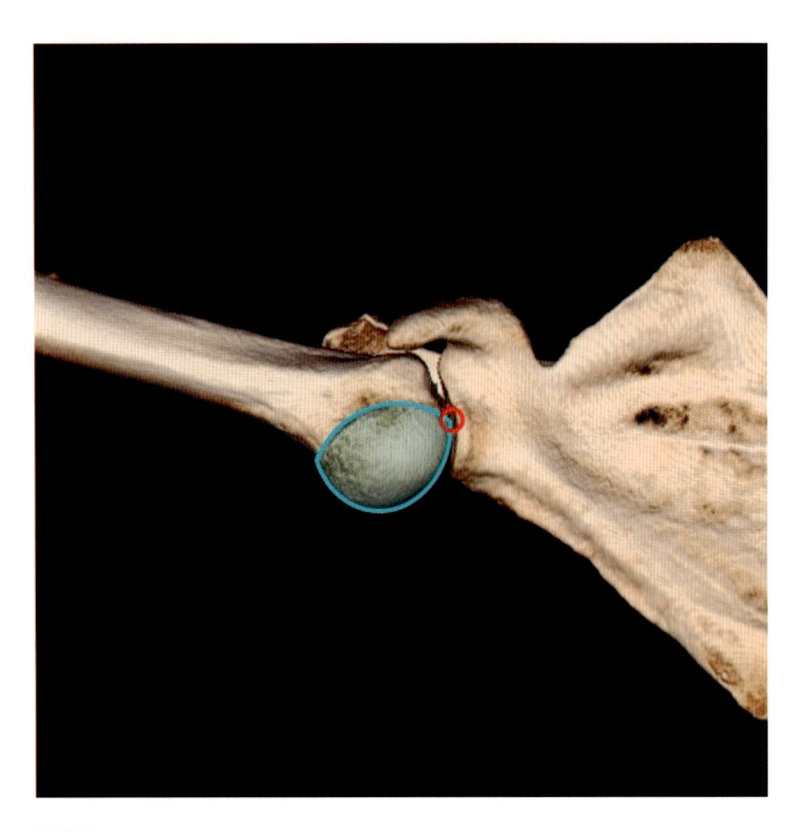

Ⅲ-7 関節窩の中心点と関節面からの可動域の予測

おおよそ，関節窩の中心点（赤円）と骨頭の関節面（水色で囲まれた部分）が接する範囲が肩甲上腕関節の可動域となる．3DCT像の肩関節の肢位は，最終挙上位である．

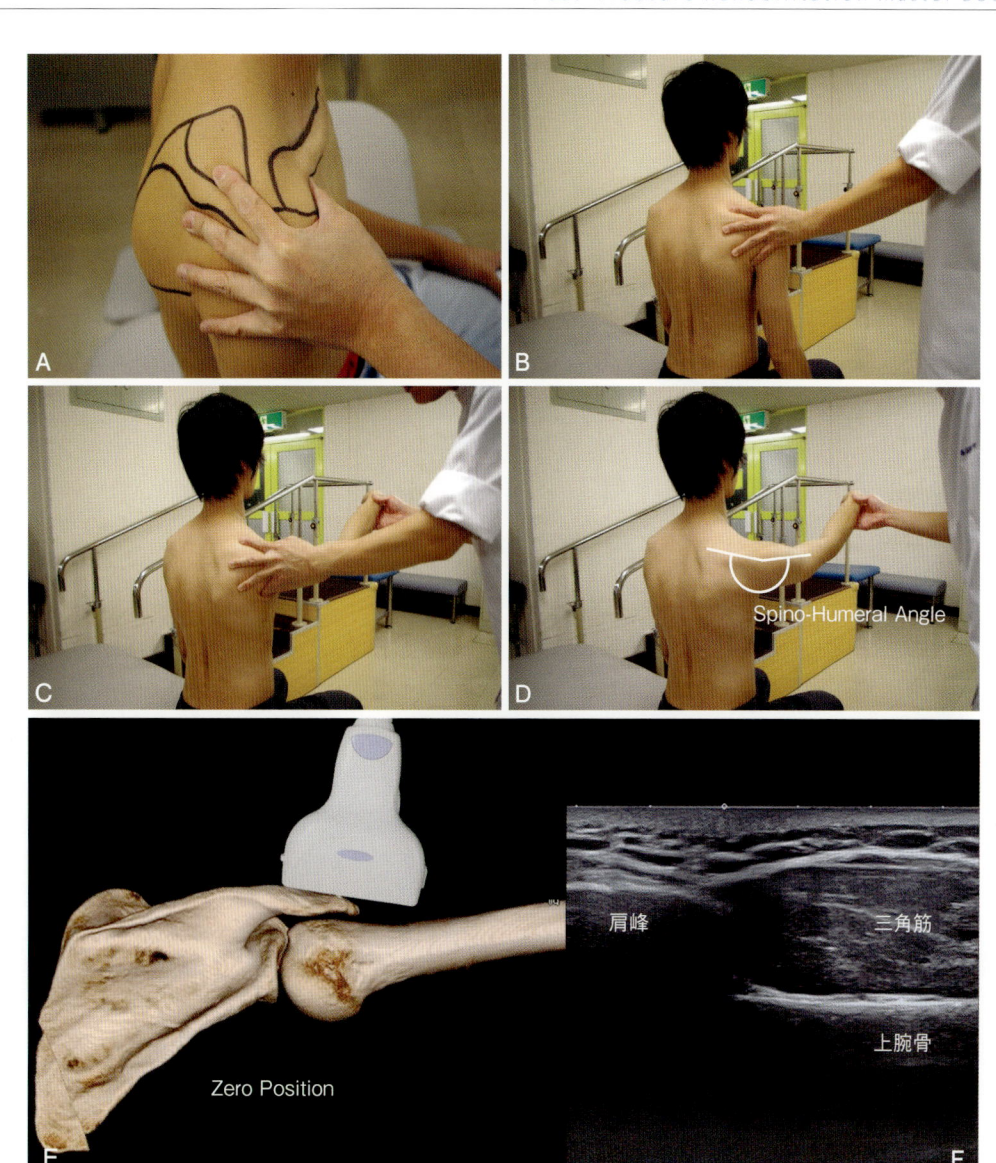

Ⅲ-8 Spino-Humeral Angle の測定

ＡＢ：母指にて鎖骨前縁，示指にて肩甲棘の上縁，中指にて肩甲棘の下縁を触知する．棘鎖角の変化がないことを確認し，母指球付近で肩峰を下制させ肩甲骨を固定する．
ＣＤ：肩甲骨を固定し，他動的に肩関節を屈曲させ肩甲棘と上腕骨のなす Spino-Humeral Angle を測定する．
ＥＦ：肩峰と上腕骨の骨幹部の中枢側は，ゼロポジションで水平な位置関係になることが多いため，エコーを用い評価することもできる．

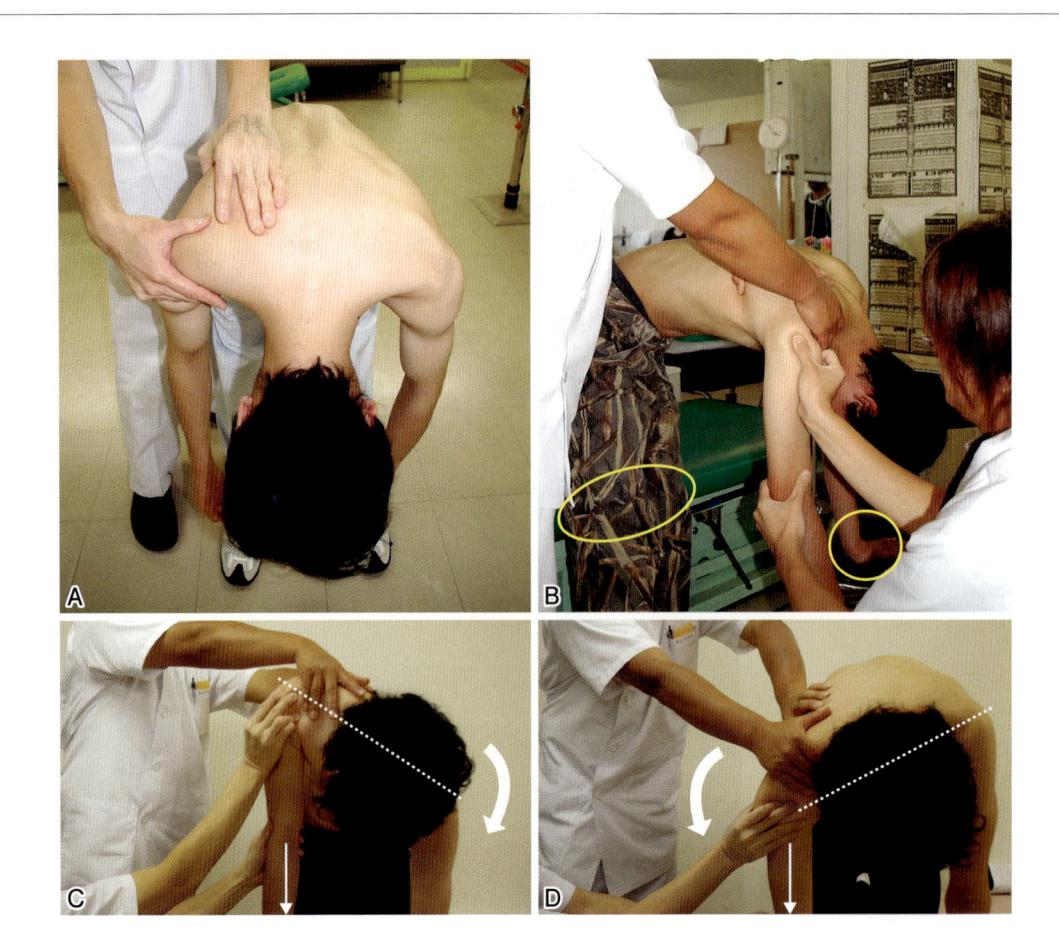

Ⅲ-9 肩甲骨を固定した stooping exercise
A B：stooping exercise（文献❻より）
　両膝を伸展させ，健側の手をイスや台等につかせると患側の肩の力が抜けやすい．
C：後方組織の選択的な伸張操作
D：前方組織の選択的な伸張操作

2　手術療法

　肩関節に対し基本項目を評価する． **Warp!!** 評価の基本項目（p. 43）

　画像評価としては，受傷時のレントゲン像や CT 像より骨折型を確認し，骨頭壊死の可能性を予測する．また，腱板断裂を合併していることもあるので，MRI が撮影されていれば腱板の状態を確認する．手術後の画像所見からは，獲得可能な挙上角度など各方向の可動域，結帯動作のゴールを予測する． **Warp!!** MRI 像を読み取るコツ〔体幹・下肢編（1 版）p. 6〕

　主治医への確認事項として，術中の可動域と共に，肩峰下への大結節の通過状態も確認すると良い．ロッキングプレートが用いられた場合は，進入法，損傷された組織と縫合方法，使用された機種，骨頭を固定するスクリューの固定性，stay-suture の使用の有無と固定性，内側皮質骨のコンタクトの状態，後捻角などのアライメントを確認することで全体的な固定性を確認する．また，髄内釘が使用された場合も，進入法と損傷され

❻松本正知. 骨関節理学療法. 奈良　勲, 監修. 医学書院; 2013. p. 19-50.

> **ナレッジ Knowledge** 骨頭壊死の可能性，人工骨頭が選択される理由
>
> 　上腕骨頭への栄養は，腋窩動脈から分岐した前上腕回旋動脈と後上腕回旋動脈，骨幹部の髄内からの血行，腱板筋群からの 4 つの血行によって行われています Ⅲ-10A．
> 　3-part までの骨折であれば，骨頭へはいずれかの血行が残ることになります．しかし，4-part の骨折になると全ての血行が断たれ骨頭が壊死する可能性が高くなり，骨頭を温存する手術を行うか人工骨頭置換術を選択するか，整形外科医にとって悩ましい問題となります．
> 　山根ら[7]は，4-part 骨折において解剖頚で骨頭が骨折し脱臼した場合で，骨頭に骨片が全く付着していない例では骨頭壊死となるが Ⅲ-10B，骨頭の頚部内側に骨片が残存した例では血行が残存するため，同部の骨片の有無が骨頭壊死を予測するポイントと述べています Ⅲ-10C．骨折時のレントゲン像や CT 像を評価する際には，同部を確認することが大切です．
> 　また，骨頭が外反し骨幹部にはまり込んだ 4-part 骨折を，外反嵌入型骨折（valgus impacted fracture）Ⅲ-11 といい，この場合も骨頭が骨幹部へ嵌入しているため血行が保たれている場合が多くなります．このような症例では，愛護的な整復固定を行い，その後の骨頭の壊死率は他の 4-part 骨折に比べ低く，十分に骨癒合の可能性があるとされています．

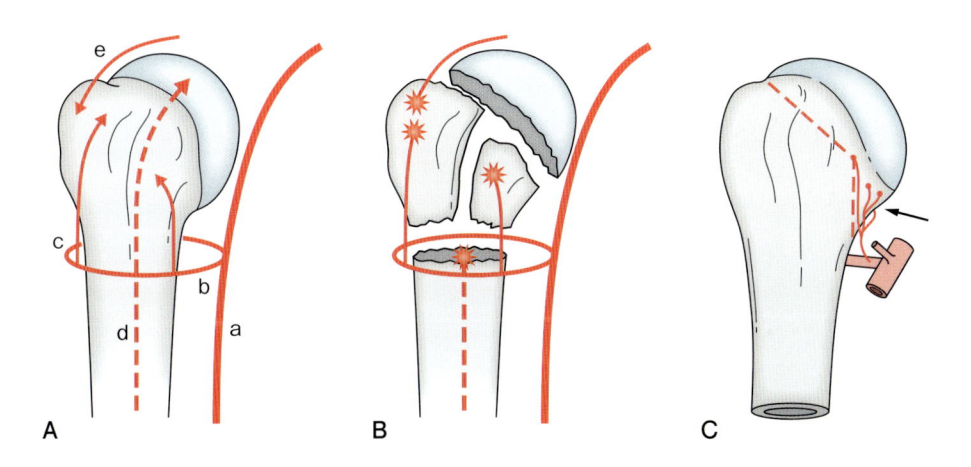

Ⅲ-10　上腕骨近位部への血行と 4-part 骨折における骨頭壊死の可能性
A：上腕骨頭への血行
　　a．腋窩動脈　b．前上腕回旋動脈　c．後上腕回旋動脈　d．髄内からの血行　e．腱板からの血行
B：4-part 骨折における骨頭壊死の可能性
　　解剖頚に骨折があり転位が大きい場合には，骨頭壊死の可能性が高くなる．
C：骨頭壊死にならない可能性　文献[7]より
Brooks[8]は，解剖頚の骨折で図中の破線のような骨折線であれば，後上腕回旋動脈から骨頭頚部内側への血行が温存され，骨頭壊死とならない可能性が高まるとしている．

た組織，縫合方法，使用された機種，骨頭を固定するスクリューの位置と固定性，骨幹部に対する骨折部の相対的な固定性，後捻角などのアライメントを確認する．アナトミカル型の人工骨頭や人工肩関節置換術が行われた場合は，骨移植や縫合糸にて大結節と小結節をフィンに固定するため，その固定性を確認する．また，骨頭の後捻角を確認するとともに，上腕骨に挿入されたステムの固定性も確認する．
　運動療法評価は，保存療法の評価に加えて，皮膚切開部や進入部の圧痛や柔軟性を評

[7] 山根慎太郎，他．MB orthop. 2004; 17（4）: 8-13.
[8] Brooks CH, et al. J Bone Joint Surg. 1993; 75-B: 132-6.

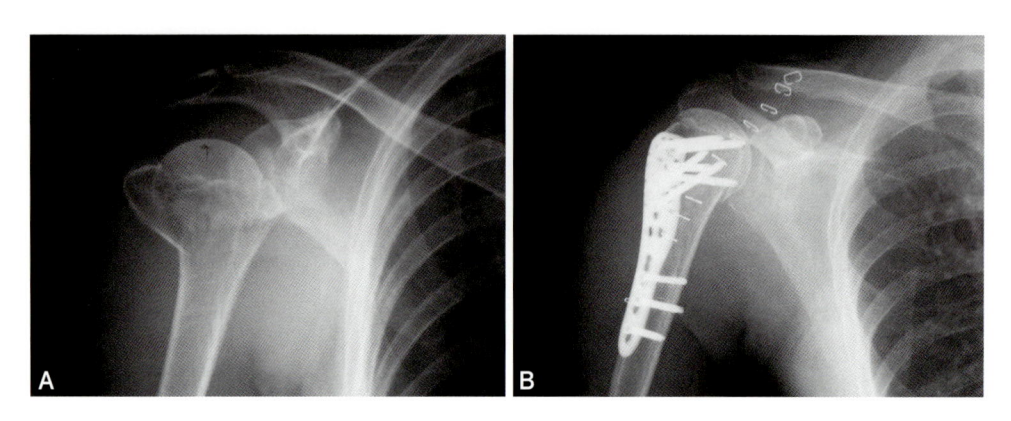

Ⅲ-11 外反嵌入型骨折（valgus impacted fracture）

価し，組織間の滑走性の低下を推察することが大切である **Ⅲ-12** ．ロッキングプレートや人工骨頭置換術の場合は，delto-pectoral approach **Ⅲ-3D** **Ⅲ-17** **Ⅲ-18** にて挿入されるため皮膚や腱板疎部（rotator interval），三角筋下の柔軟性を評価するとともに，特に肩甲上腕関節の外転，外旋，内旋，伸展可動域，肩甲骨上方回旋位での内転可動域を，骨折部に留意し評価することで骨折周辺組織の癒着の程度を推測する．また，可能であれば，エコーによる評価を行い，肩峰下へ大結節が滑り込む様子や，三角筋下の肉芽組織や瘢痕組織の存在を評価する **Ⅲ-13** ．また，大結節の上面と肩峰の前縁外側との位置関係から，求心位の異常を推測する **Ⅱ-12J** **Ⅲ-19** ．

　MIPOによるロッキングプレートの挿入は，上腕骨近位部への外側最小切開アプローチ **Ⅲ-3E** にて行われる．また，髄内釘 **Ⅲ-4BD** の挿入は上腕骨近位部への外側アプローチ（deltoid-splitting approach）**Ⅲ-4C** にて行われる．いずれも，三角筋，肩峰下滑液包，棘上筋などに侵襲が加わるため，前述と同様の評価を行う．また，まれに腋窩神経を損傷することがあるため，同領域の感覚検査と三角筋と小円筋の筋収縮を評価する．

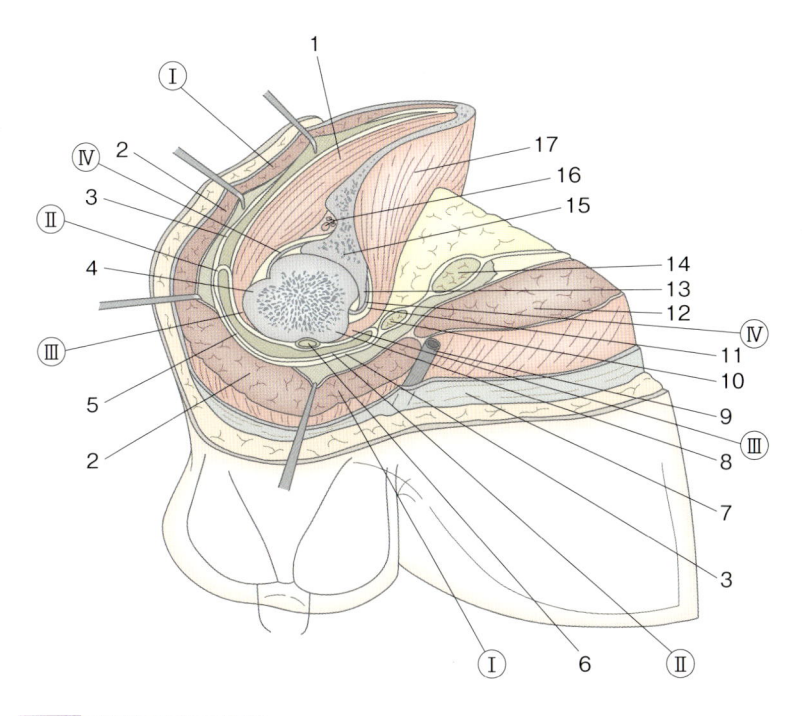

Ⅲ-12 肩関節周囲の層構造

Drawing of a cross-section of the right shoulder at the level of the lesser tuberosity. The layers are illustrated by the encircled Roman numerals. Note that at the anterior and posterior aspects of the shoulder, Layer 1 (deltoid) is more easily separated from Layer 2 (clavipectoral and posterior scapular fascia) than it is at the lateral aspect (hooks) (1=infraspinatus; 2=deltoid; 3=fascia (Layer Ⅲ); 4=greater tuberosity; 5=subacromial bursa; 6=biceps long head; 7=fascia (Layer Ⅰ); 8=lesser tuberosity; 9=cephalic vein; 10=conjoined tendon; 11=joint capsule; 12=pectoralis major; 13=synovium; 14=pectoralis minor; 15=glenoid; 16=suprascapular neurovascular bundle; 17=sub-scapularis).

Cooperら[9]は，肩甲上腕関節の周辺組織を4層に区別した．第1層は三角筋と大胸筋とそれらを取り囲む筋膜である．第2層の前方は，鎖骨胸筋筋膜（clavipectoral fascia），上腕二頭筋短頭と烏口腕筋の共同腱，烏口肩峰靱帯であり，後方は，棘下筋と小円筋を覆う後肩甲骨筋膜（posterior scapula fascia）である．また，前方と後方の第2層は連続性があるとされ，三角筋と後肩甲骨筋膜とは容易に分離することができるともされている．第3層は，肩峰下滑液包（subacromial bursa），肩甲下筋，棘上筋，棘下筋，小円筋の筋腱単位で構成され，第4層は，肩甲上腕関節を覆う被膜としている．

また，今西ら[10][11][12]は，三角筋の深部に「比較的発達した流線状筋膜と扁平脂肪が見られた．」としている．つまり，肩関節周辺は多くの滑走性が必要な部位であることを意味する．この部の滑走性を評価し，維持することは肩関節の可動域や筋力，機能を回復する上で重要である．

[9] Cooper DE, et al. Clin Orthop Relat Res. 1993; 289: 144-55.
[10] 今西宣晶. 慶応医学. 1994; 71: T12-T33.
[11] Nakajima H, et al. Scand J Plast Reconstr Surg Hand Surg. 2004; 38: 261-6.
[12] 今西宣晶. 臨スポーツ医. 2020; 37: 128-32.

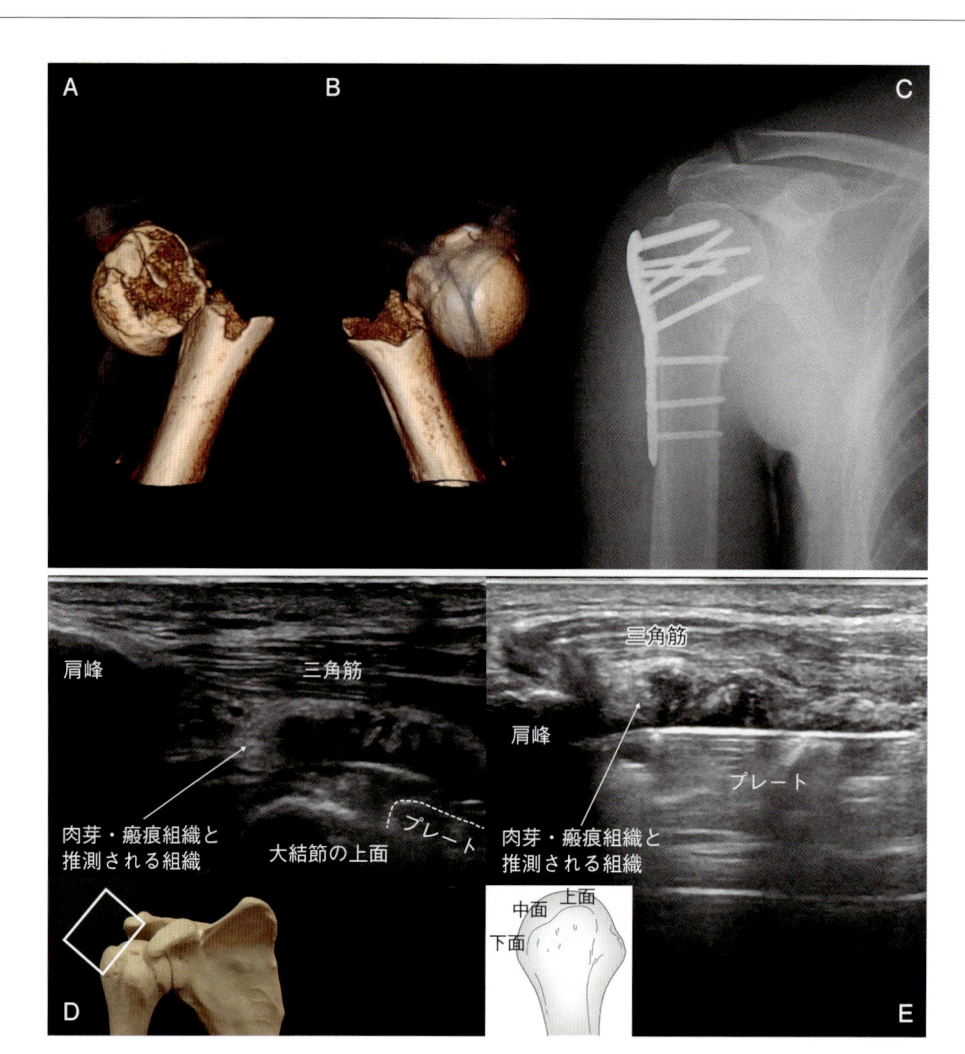

Ⅲ-13 肩関節周辺のエコーによる評価

ＡＢ：例として右上腕骨近位部骨折　Neer の分類 group Ⅲ，2-part を示す．
　　　　 Ａは，外側より　Ｂは，内側より
Ｃ：ロッキングプレートにより固定された．
ＤＥ：手術後 2 週のエコー像
　　　　挙上に伴い肩峰下へ大結節の上面とプレートが通過する様子が観察された．また，三角筋下には肉芽組織か瘢痕組織と思われる組織が観察され，ゼロポジション付近では，三角筋がそれにより押し上げられる様子が観察された．挙上に伴う，肩前外側面の詰まり感や疼痛の原因の 1 つと考えられる．Ⅲ-8EF と見比べると違いは明らかである．

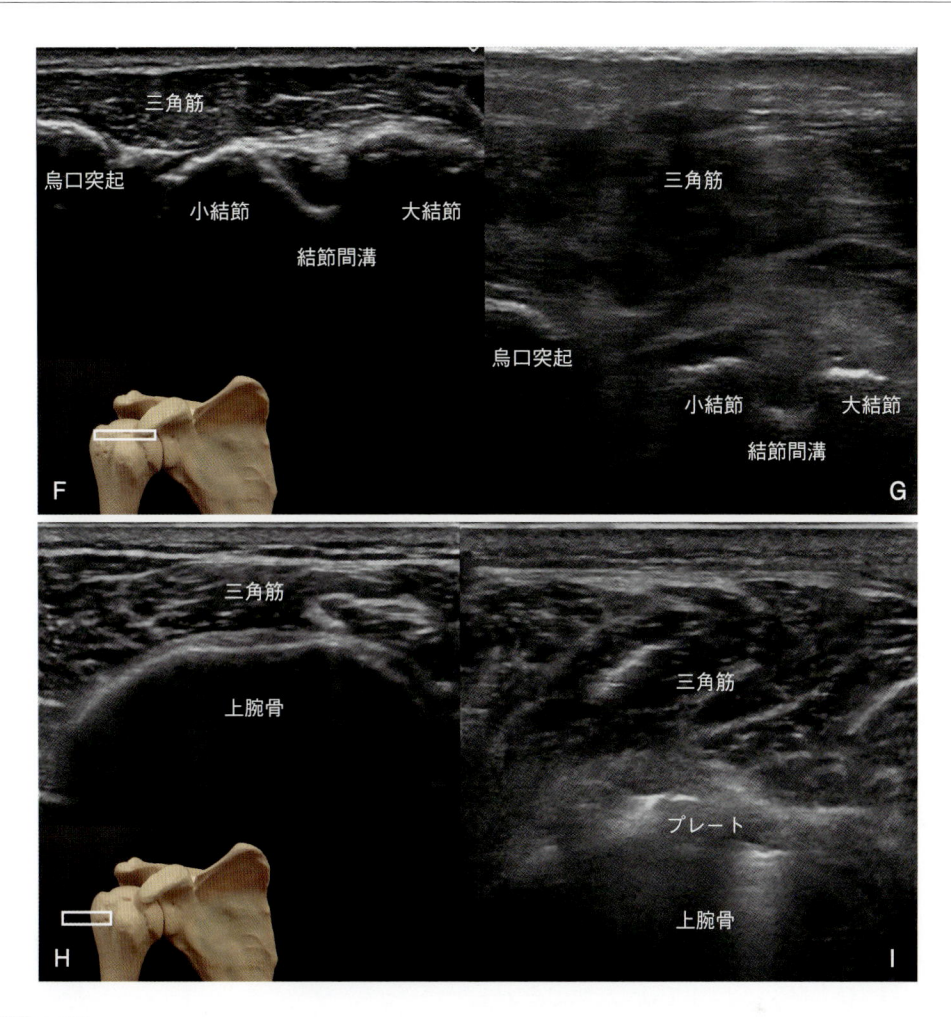

Ⅲ-13 つづき

F G: 健側と患側（術後6日）の烏口突起，小結節，大結節レベル，前方からのエコー像
三角筋は，約3倍に腫れている．鎖骨胸筋筋膜と肩峰下滑液包は，骨折と手術侵襲により損傷を受ける．

H I: 健側と患側（術後6日）の烏口突起，小結節，大結節レベル，外側からのエコー像
同様に三角筋は，約3倍に腫れている．この像からも鎖骨胸筋筋膜から肩峰下滑液包周囲の滑走性を改善させることは，重要な運動療法のポイントとなると考えられる．

運動療法 therapeutic exercise

1 保存療法

早期運動療法が推奨されており，可能な限り早い時期より手指，手関節，肘関節の可動域練習を開始する．手指や手背に浮腫が存在する場合は，その軽減を行う Ⅸ-16 Ⅸ-17 ．

初期の炎症や痛みが軽減する頃より，主治医と協議し肩甲上腕関節の可動域維持を目的に stooping exercise Ⅲ-9 ， Ⅲ-20 や背臥位で自動介助運動を開始する．可能であれ

ば，エコーを用い骨折部に動きがないことを確認する．この時期は，痛みを伴わない範囲で可動域練習を行い，骨癒合を妨げない配慮が重要である．適宜，肩関節を構成する筋のリラクセーションを目的に，筋腱移行部への I b 抑制やストレッチング Ⅲ-14 を行う．また，肩甲骨を固定し他動的な伸展運動 Ⅲ-15A や，上腕骨を下垂位のまま肩甲骨を上方回旋 Ⅲ-15B させることで，肩甲上腕関節の上方組織の滑走性と伸張性の維持を図る．

　骨癒合が確認された後は，自動運動による可動域練習 Ⅲ-21 Ⅲ-23 や他動的な可動域練習 Ⅲ-22，腱板筋群と肩甲骨周囲筋の筋力練習を開始する Ⅲ-16．

Knowledge & Opinion 早期運動療法が推奨される1つの理由

　Neer の分類で最小限の転位や転位が少ない 2-part の骨折には保存療法が選択されます．転位が少ないということは骨膜損傷の可能性が低く，これにより転位の危険性が低いことになります．したがって，拘縮を予防するために早期からの運動療法が推奨されているのでしょう．

　セラピストとしては，骨折部を触診しつつ転位が生じないように把持した上で stooping exercise を安全に行うべきと考えます．その際に適宜エコーを用い，転位の有無や骨癒合の状態を確認しながら行うことも有用な方法です．

Skill & Knowledge 我々の stooping exercise ①

　stooping exercise は，Codman[13]により 1934 年に提唱されました．石灰沈着性腱板炎など腱板や肩峰下滑液包に病態があり肩峰下に痛みのある症例に対し用いられた方法で，立位から肩の力を抜き，前にかがむ（stoop）姿勢をとらせることで，肩関節を構成する筋，靱帯，関節包などの組織の柔軟性と伸張性の維持・回復を図るものです．この姿勢では，"骨頭と関節窩での支点形成の必要がなく"，筋力を使用せずに前後・左右に"振り子"のように動かすことができるので，上肢の重さが軟部組織のストレッチング効果をもたらすことができると報告しています．後に，英語では Codman exercise または Codman's pendulum exercise と称され，日本語では"振り子運動"や"コッドマン体操"と翻訳され多くの出版物で紹介されるようになりました．

　本章で紹介する stooping exercise Ⅲ-9 は，一般的に行われている積極的に前後・左右に振るといった"振り子運動"や"アイロン運動"とは異なることを理解してください．不用意な振り子運動は肩甲胸郭関節の運動も加味されたものとなり，症例によっては骨折部の異常可動性を招来し，偽関節や遷延治癒の原因となります．

[13] Codman EA. The Shoulder. Thomas Todd；1934.

Skill & Knowledge　我々のstooping exercise ②

　Codmanの提唱したstooping exerciseを，骨折症例にそのまま使用することは危険と考えます．まず，上肢を下垂させることで骨折部を離開させる可能性があります．また，求心位が得られない状態では，骨頭と関節窩との適切な位置関係 Ⅱ-11 が保てず，何らかのimpingementを起こし，それに伴い痛みを生じる可能性があります．個人的な意見ですが，肩関節の可動域の改善には，「各組織の柔軟性と伸張性，滑走性の改善，そして筋力の改善に加え，可動域練習の際に目的とする肢位へ骨頭の求心位を保ち誘導すること」が，臨床上のコツと考えています．

　よって，当院ではstooping exercise Ⅲ-9 Ⅲ-20 を行う際に，肩甲骨を固定する者と骨折部を把持する者に分かれ2人で行っています．肩甲骨を固定する者は，一方の手で肩甲骨の下角を，もう一方で肩甲棘と鎖骨を触診し，棘鎖角が変化しないように固定します．そして，重要なのは骨頭を把持する者です．骨折部での動きがないことを確認しつつ求心位 Ⅲ-9B を保つ操作を行います．これらにより，肩甲上腕関節の軟部組織の柔軟性と伸張性，滑走性の維持を試みます．また，エコーを用い骨折部の異常可動性の有無や，骨癒合の状態を確認しながら行うことも有効な方法です．

　本練習は，初期の炎症や痛みが軽減する頃より開始することが望ましいとされていますが，骨折型とセラピストの技術に依存する治療法です．したがって，主治医と協議して開始時期を決定すべきと考えます．

Skill & Knowledge　我々のstooping exercise ③

　stooping exerciseを成功に導くには，多くの配慮が必要です．必ず健側のSpino-Humeral Angleに対して，どの程度の可動域が獲得されているかの評価を忘れてはいけません．また，代償動作にも注意してください．上肢を下垂させることに集中するあまり，体幹の回旋や側屈で代償することがあるため，前にかがむ際には，左右対称にかがませることがコツです Ⅲ-9A ．さらに，頚部や体幹の余分な力を抜かせることが重要であり，両膝を伸展させたり，健側の手をイスや台などにつかせるなどの配慮が必要な場合もあります Ⅲ-9B ．

　応用操作としては，体幹を受傷側に回旋させ肩甲上腕関節を水平屈曲することで，後方組織の伸張性と滑走性の維持を図ります Ⅲ-9C ．また，反対側へ回旋させることで水平伸展位とし，前方組織にも同様の効果を期待します Ⅲ-9D ．この際，上腕骨を把持する者は，骨折部の位置関係に注意し，常に上腕が床面に対し垂直に位置するように保つことを心がけてください．

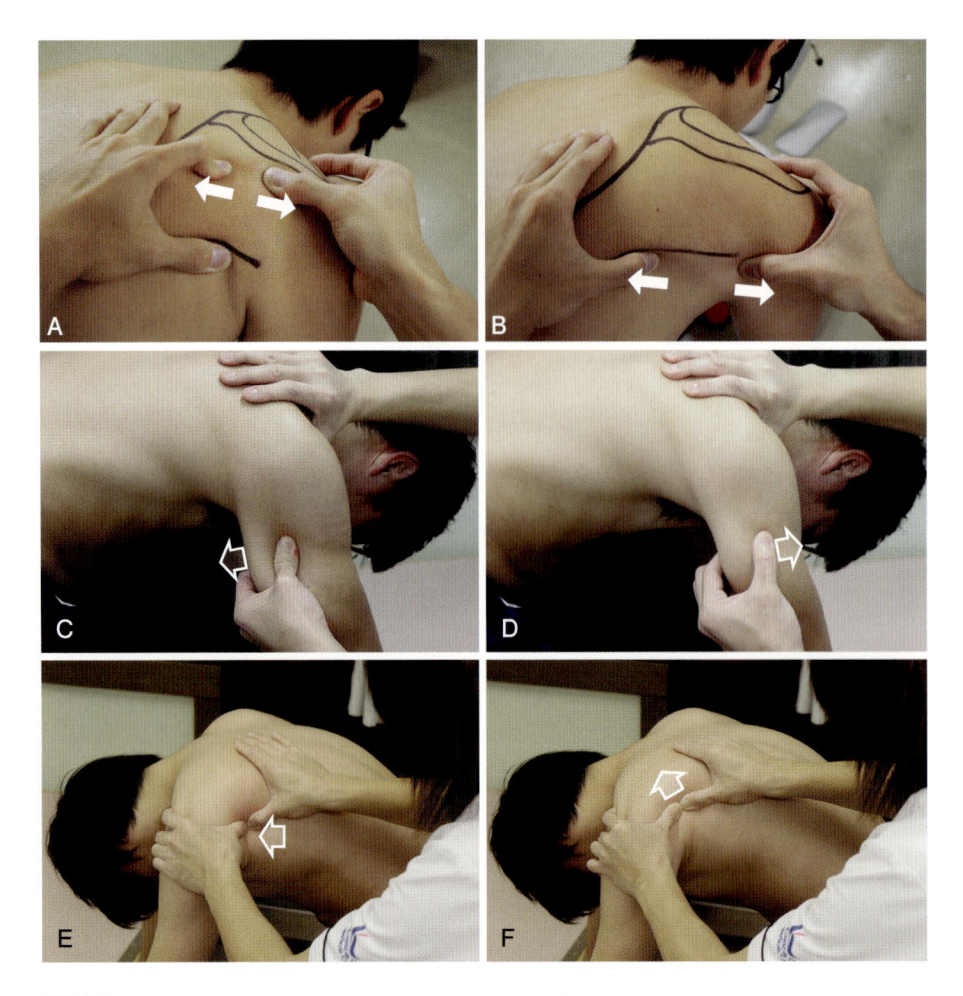

Ⅲ-14 肩甲骨周辺組織に対するⅠｂ抑制とストレッチング

A：棘下筋の筋内腱は，肩甲棘の下方で棘下窩へ扇状に広がる．そこへ進入する筋実質部と筋腱移行部を想定し，同部を引き離すように伸張刺激を加える．

B：小円筋は，肩甲骨の背側縁から大結節の下面と外科頚付近に停止するとされている．停止部の近位に筋腱移行部が存在するとされており，同部を引き離すように伸張刺激を加える．

CD：後方関節包には上腕三頭筋長頭の約2.3％が付着し，上腕骨頭の下方偏位の制動に寄与する[14]とされ，長頭を横方向にストレッチングすることで，下方関節包周辺組織の柔軟性の維持，回復を期待する．

E：上腕三頭筋長頭の下方で大円筋を触診し，長頭から引き離すことで quadrilateral space 周辺組織の柔軟性と伸張性，滑走性の維持を期待する．

F：上腕三頭筋長頭の上方で小円筋を触診し，長頭から引き離すことで上記と同様の効果を期待する．

[14] Eiserloh H, et al. J Shoulder Elbow Surg. 2000; 9 (4): 332-5.

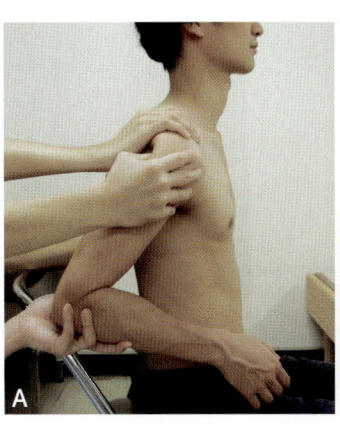

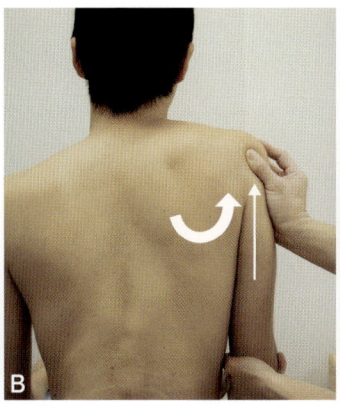

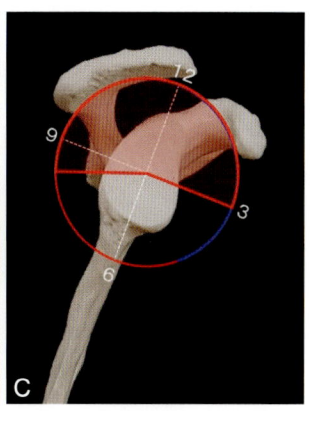

Ⅲ-15 上方組織の滑走および伸張練習

A：骨折部を確認し把持する．肩甲骨を固定し，骨折部を離開させないように肩甲上腕関節で伸展させる．
B：肩甲骨を上方回旋させ大結節を引き出す．
A，Bの操作により，棘上筋，棘下筋，肩甲下筋の上方線維，肩峰下滑液包，上方関節包などの上方組織の伸張性と滑走性の維持を図る．
C：伸張性と滑走性の維持を期待する部位
　　8時から3時の位置にある組織の伸張を期待する．

2 手術療法

a．プレートや髄内釘後の運動療法

　固定性がよい場合には，早期より stooping exercise Ⅲ-9 Ⅲ-20 や，背臥位での自動介助または他動による可動域練習を開始する．また，上方組織の滑走および伸張練習 Ⅲ-15 も開始する．また，手術侵襲に伴う組織を確認し Ⅲ-3 Ⅲ-4 Ⅲ-12 Ⅲ-13 ，上腕骨と三角筋間の滑走練習 Ⅲ-17 と皮下組織の滑走練習 Ⅲ-18 を開始する．

　衣笠ら[15]は，3-part 骨折におけるロッキングプレートの術後成績として，自動挙上の平均角度を 125.9°，JOA-score を 84.4 点と報告し，髄内釘では 84.5 点と報告している．成績不良例の多くは，大結節が烏口肩峰アーチ Ⅲ-19 を通過することができていないと推測される．挙上方向の成績を向上させるためには，肩峰下における大結節の通過経路を早期に獲得しておくことが重要である Ⅲ-13DE Ⅲ-19 Ⅲ-20 ． Warp!! 大結節を肩峰下へ通過させるためのコツ（p. 88）

　また，骨癒合に伴い自動運動や他動的な外旋や内旋方向の可動域の拡大を追加する Ⅲ-21 Ⅲ-22 Ⅲ-23 ．特に，挙上動作と結帯動作で，共に肩甲上腕関節の後方組織（右肩であれば，6時から12時の範囲）の柔軟性と伸張性，滑走性は重要であり，その関連が強い下垂位，90°外転位，90°屈曲位での内旋可動域の改善が大切である．

　プレートと骨折部に隙間が存在し，肩峰とプレートとの衝突が避けられない症例もある．その場合は，下垂位での回旋可動域を十分に獲得し伸展可動域や結帯動作の改善を優先する．挙上方向の可動域練習は疼痛を自制内にとどめ，抜釘後にその改善を行う．
　 Warp!! 拘縮肩に対する運動療法（p. 91）

[15] 衣笠清人，他．骨折．2006; 28（4）: 579-84.

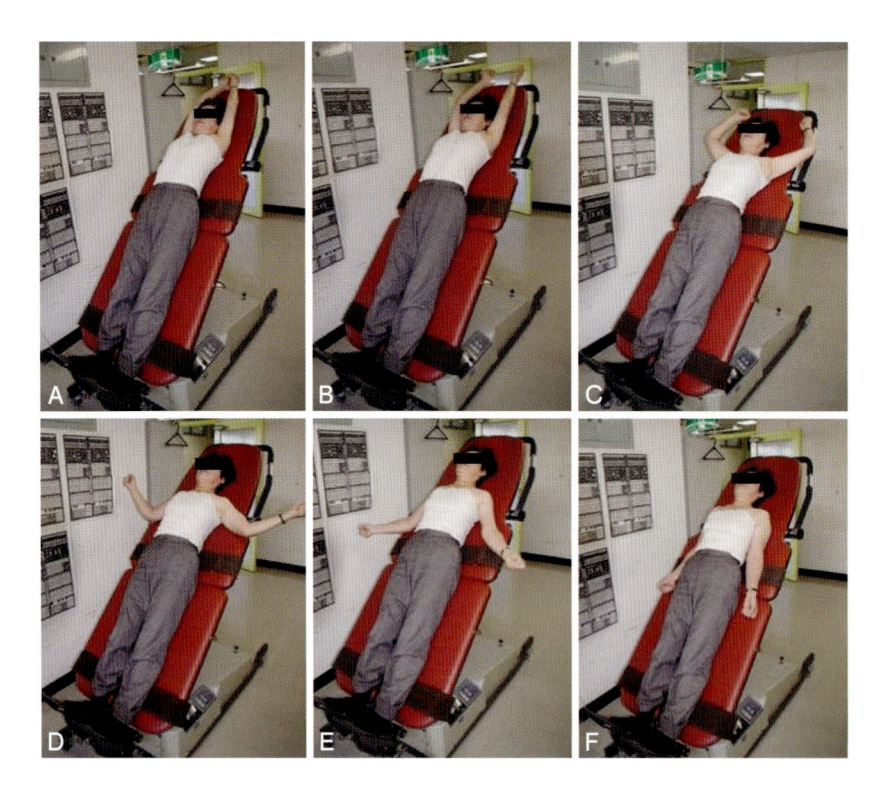

Ⅲ-16 ティルトテーブルを使用した肩関節の筋力練習　　文献⓰より改変
A：健側上肢（左）にて患側上肢（右）を可能な限り挙上させる．
B：両手を離しても獲得された可動域で挙上位保持が可能な角度を設定する．
C D E F：肩関節を外旋位，肘関節を軽度屈曲位，前腕を回外位とし10秒程度の時間をかけてゆっくりと下制させることで，腱板筋群や僧帽筋など肩甲骨周囲筋の遠心性収縮による筋力練習を行わせる．鏡等を用いて腕や肩の動きを患者本人にフィードバックし，下制時の肩甲上腕リズムに左右差がないように反復することが大切である．

b．アナトミカル型の人工骨頭，人工肩関節の運動療法

　基本的な運動療法はプレート固定後の運動療法に準じる．

　三笠⓱は，術後の烏口上腕靱帯や腱板疎部の癒着の発生に触れ，その予防として外転と外旋可動域の獲得の重要性について述べている．術後6日目から背臥位にて両手で棒を把持した状態での回旋運動を自動介助で行うことを推奨している．手術の進入経路を考慮すれば合目的的であり，早期からのstooping exercise Ⅲ-9 Ⅲ-20，上方組織の伸張練習 Ⅲ-15，上腕骨と三角筋間の滑走練習 Ⅲ-17，皮下組織の滑走練習 Ⅲ-18 に加え，可能であれば自動運動 Ⅲ-21 や自動介助運動による内・外旋の可動域練習を開始する．

　しかし，大結節と小結節の固定状態は個々の症例により異なるため，整形外科医には術中の固定性についてその強度を確認し，それに応じて運動療法の内容も適宜調節していくことが必要である．

⓰松本正知．他．理学療法学．2009; 36（2）: 62-9.
⓱三笠元彦．MB Orthop. 2004; 17（4）: 46-52.

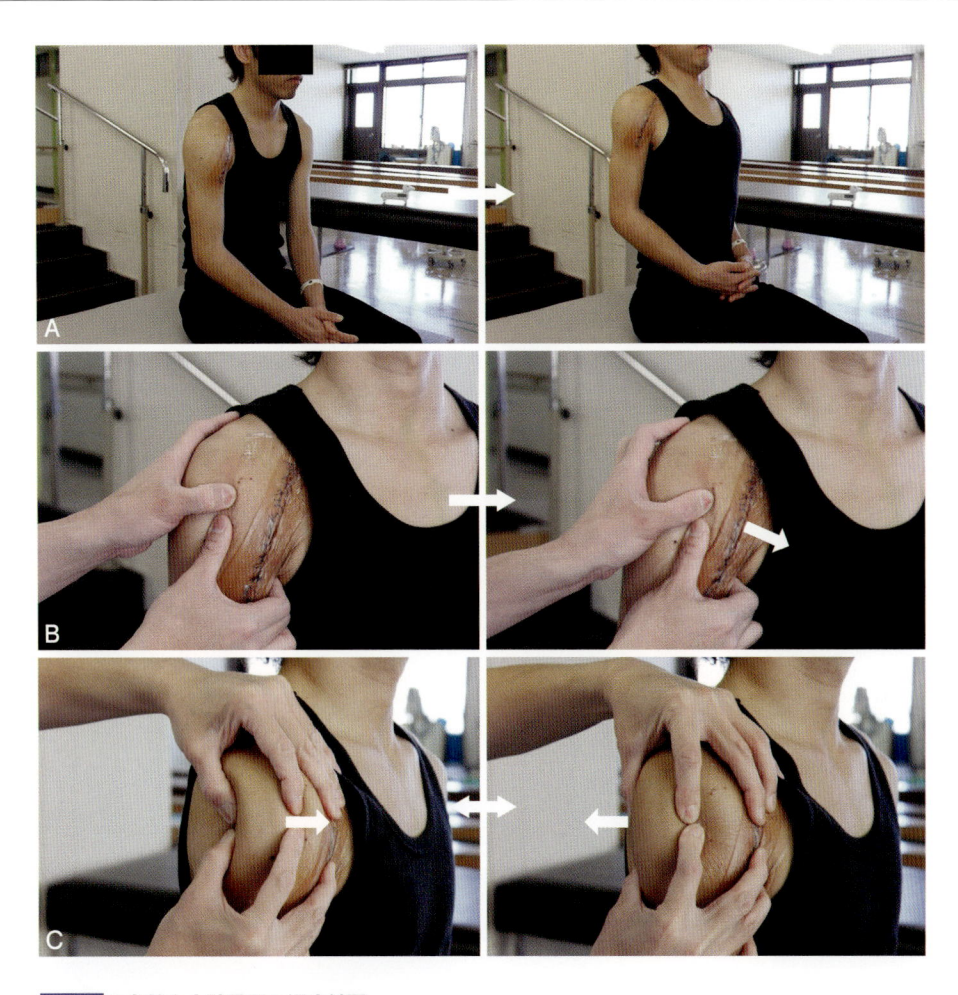

Ⅲ-17 三角筋と上腕骨間の滑走練習

delto-pectoral approach を考慮し Ⅲ-3D ，上腕骨頭と三角筋との間での滑走練習を行う．
- **A：胸を張る練習**
- **B：三角筋前部線維の滑走練習**
   三角筋前部線維と中部線維の間隙を触診し，前部線維を確認する（左）．前部線維を骨頭上で内側下方へ滑走させる．
- **C：三角筋中部線維の滑走練習**
   三角筋中部線維を触診し，前方（左）と後方（右）へ滑走させる．

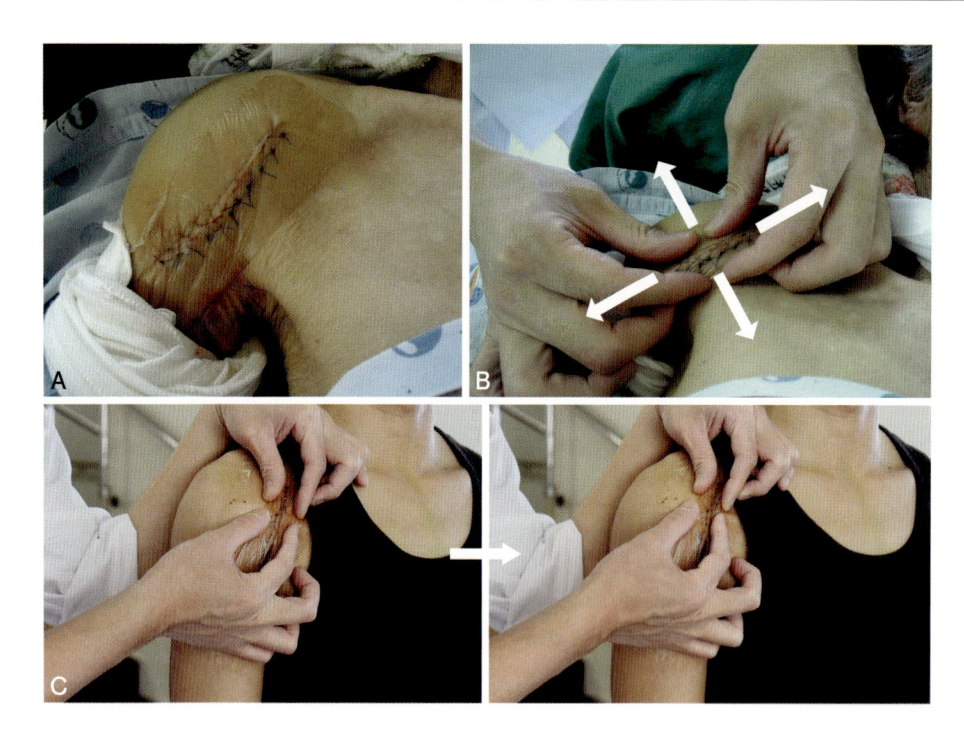

Ⅲ-18 皮下組織の滑走性の評価と滑走練習
A：delto-pectoral approach の皮膚切開
B：皮下組織の滑走性の評価と滑走練習
C：実際の外側方向への皮下組織滑走練習

評価は，創部が離開しないように摘み各方向に動かしその滑走性を健患差にて評価する（B）．また，滑走練習として，術後1週前後が皮下肉芽組織の形成期であり，同部の組織間の滑走練習を開始する．皮膚切開部を軽く摘み寄せた状態で垂直方向と水平方向へと操作する．痛みを伴わない程度で各方向10回程度行っている（C）．

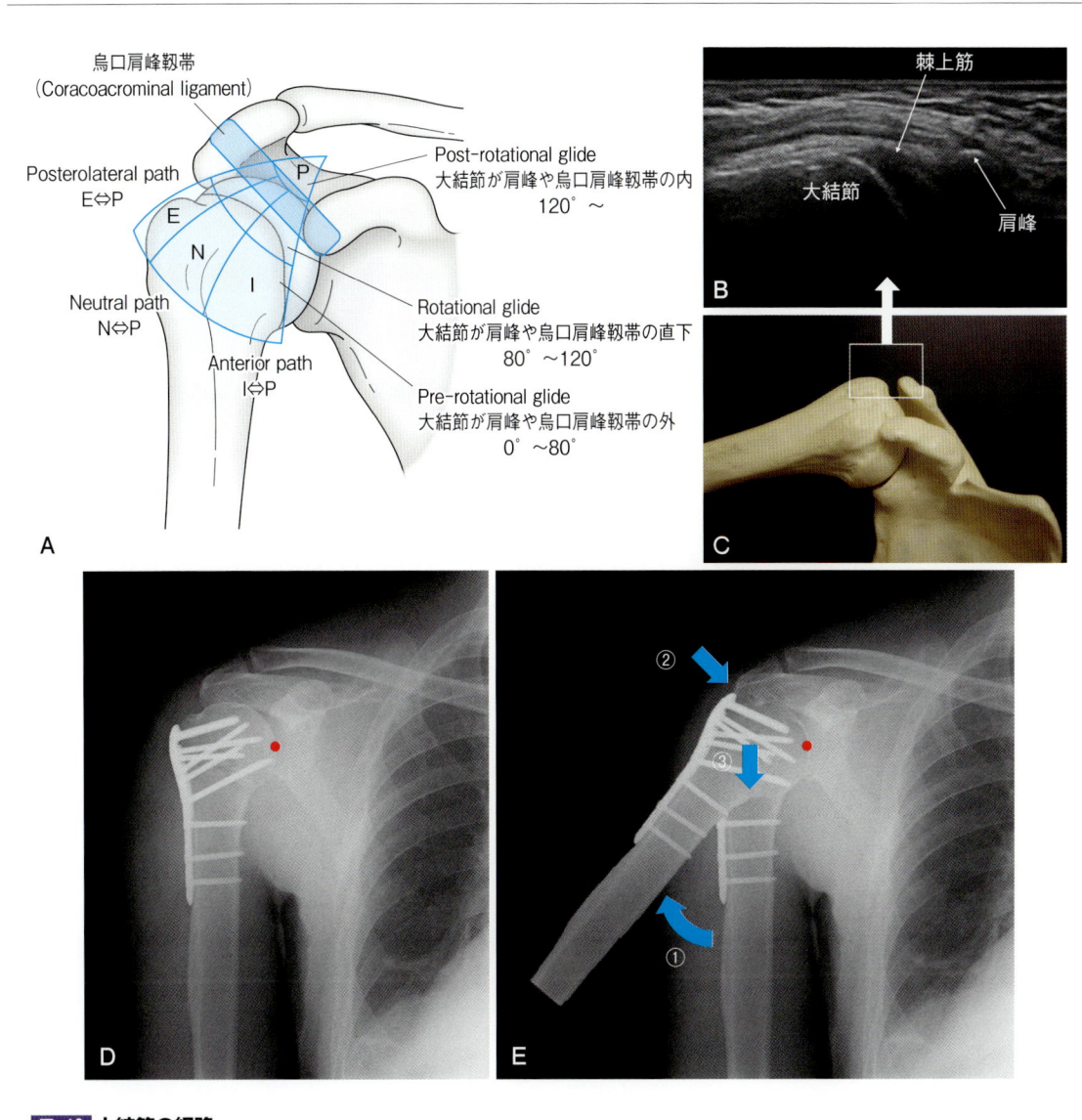

III-19 大結節の経路

A: 信原[18]は，挙上に伴う大結節の肩峰下への経路を，最大内旋位での屈曲挙上で用いられる前方路（anterior path），最大外旋位からの外転挙上で用いられる後外側路（posterolateral path），両者の間を通る中間路（neutral path）の3経路に縦割し，肩峰に対する大結節の位置関係を，pre-rotational glide（大結節が肩峰の外 0°～80°），rotational glide（大結節が肩峰の直下 80°～120°），post-rotational glide（大結節が肩峰の内 120°～）に区別した．（文献[19]より改変）

B: 他動的に外転をさせたときの大結節と肩峰の衝突例をエコーにより観察した．骨と骨の衝突ではなく棘上筋腱が挟まれているのが観察される．衝突例の多くにこのような現象が観察される．

C: エコー像から，骨模型を用いて骨の位置関係を確認すると，関節窩に接する骨頭の位置は上方に偏位していることがわかる．

D: プレートによる固定例を示す．骨折症例では，軟部組織の影響に加え，骨の変形，プレートの厚さ，髄内釘の横止めスクリューなどの存在なども加味し，通過障害の原因を考えなければならない．赤い点を求心位と仮定する．

E: ①求心位が保てず，骨頭と関節窩の接触位置が上方へ移動したまま挙上を行うと，②肩峰と大結節との衝突だけでなく，プレートとの衝突の可能性もある．③プレートを介しA-I lineに沿って骨頭を若干下方へ移動させるように誘導し，大結節を肩峰下腔へ誘導する III-20 ．
髄内釘の場合は，スクリューヘッドと肩峰との衝突の可能性があり，可能であればエコーで確認し，骨折部の固定がよければ骨頭を操作し，大結節を肩峰下腔へ誘導する．

[18] 信原克哉. 肩 その機能と臨床. 第3版. 医学書院; 2001.
[19] 整形外科リハビリテーション学会. 整形外科運動療法ナビゲーション 上肢. メジカルビュー; 2008. p. 42-5.

Skill 大結節を肩峰下へ通過させるためのコツ

　骨折部に対して隙間なくロッキングプレートが固定されたとしても，2～3 mm の厚さがあり体積の増加は否めません．また髄内釘でも，スクリューヘッドが骨へ埋没していない限り，その体積は増加します．手術中に通過障害は確認されなくても，腱板断裂の合併，痛みとその防御反応，修復過程に伴う滑走障害などで，腱板を介した肩峰と大結節との衝突は引き起こされる可能性があります．この対策として，術後早期には骨折部に配慮しつつ A-I line に沿って骨頭を下方へ誘導し，stooping exercise Ⅲ-20AB や背臥位での可動域練習を行っています．そのためには，肩関節の後方組織や下方組織の柔軟性が必要なため，水平屈曲や水平伸展の可動域を拡大します Ⅲ-9CD ．

　併せて，Ib 抑制に伴うリラクセーションとストレッチングも行います．棘下筋の筋内腱は大きく Ⅲ-14AB ，肩甲下筋は 5～7 のセグメントに分かれる筋内腱を有していますので，どこに伸張を加えても Ib 抑制が作用しますのでお試しください．また，上腕三頭筋の長頭 Ⅲ-14CD ，小円筋，大円筋 Ⅲ-14EF には，線維の長軸に対して横方向へ動かすことでストレッチングを試みます．同時にこれらの操作は，quadrilateral space を構成する組織の柔軟性と伸張性，滑走性の維持に役立ちます．

　まれに，立位で手を垂らすことや肩甲骨周囲に触られることを恐れ，肩甲骨周囲筋の脱力が得られない方もみえます．この場合は，坐位で先に上肢を下垂させておき Ⅲ-20C ，その後に肩甲骨を下方回旋させ肩甲上腕関節の可動域練習を行います Ⅲ-20D ．

　さらに，内固定の固定性がよければ主治医と協議し，早期より自動介助ならびに他動運動で内・外旋運動や，大結節が烏口肩峰アーチに衝突しない範囲で水平屈曲と水平伸展の可動域練習を開始します．回旋誘導時には骨頭側で操作し，決して骨折部より遠位で操作しない配慮が必要です．

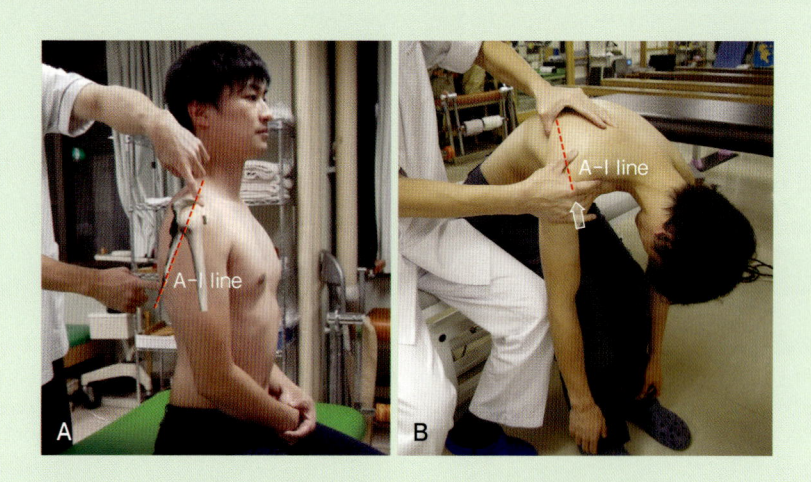

Ⅲ-20　A-I line を利用した骨頭の誘導と stooping exercise の工夫

A：肩峰の前縁外側と下角を触診し A-I line を確認し Ⅱ-12 ，肩甲骨の位置と傾きを理解する．そして肩峰の前縁外側と烏口突起の前方との距離より関節窩の中心点を推測する Ⅱ-11 Ⅱ-12I ．

B：プレートと骨頭とを触診し，お辞儀に伴い求心位が保たれるようにプレート越しに骨頭を操作し肩峰下腔へと大結節を誘導する Ⅲ-19DE ．
基礎知識として，肩峰下における大結節の軌跡 Ⅲ-19A と肩峰と大結節間の impingiment Ⅲ-19BC ，求心位が保たれた状態 Ⅱ-11 Ⅱ-12 を理解することが重要である．

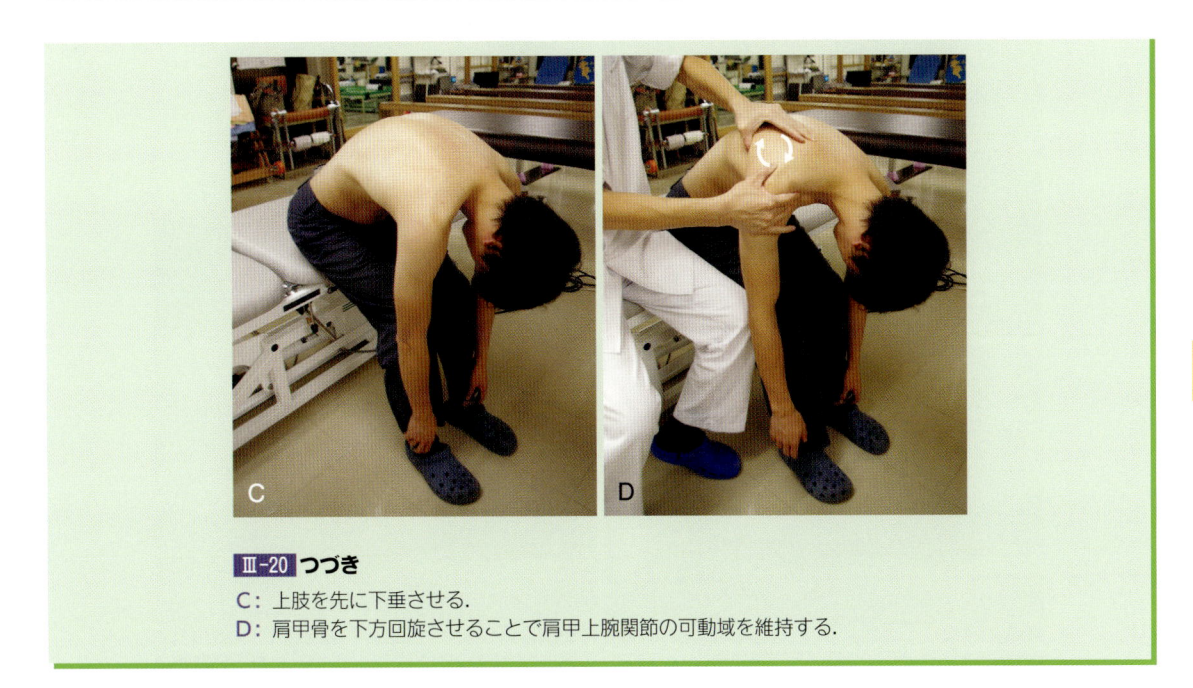

Ⅲ-20 つづき
C：上肢を先に下垂させる．
D：肩甲骨を下方回旋させることで肩甲上腕関節の可動域を維持する．

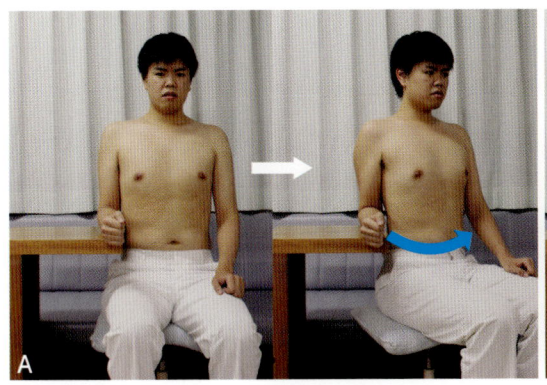

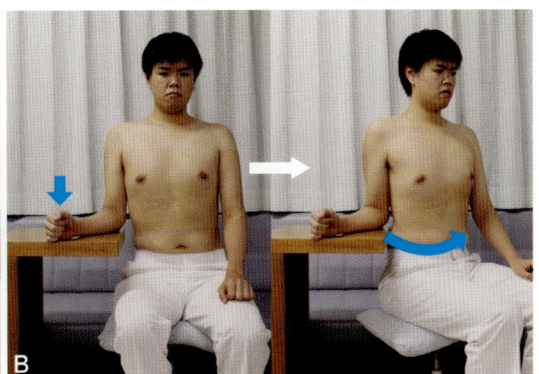

Ⅲ-21 自動運動による内・外旋の可動域練習
A：患者を回転する椅子に座らせ，前腕を台の上に固定する．上腕骨を軸に体幹を回旋させることで，肩関節の内・外旋の可動域練習となる．図は外旋方向の可動域練習を示す．
B：可動域の改善に伴い，前腕の開始位置を変化させ行わせる．

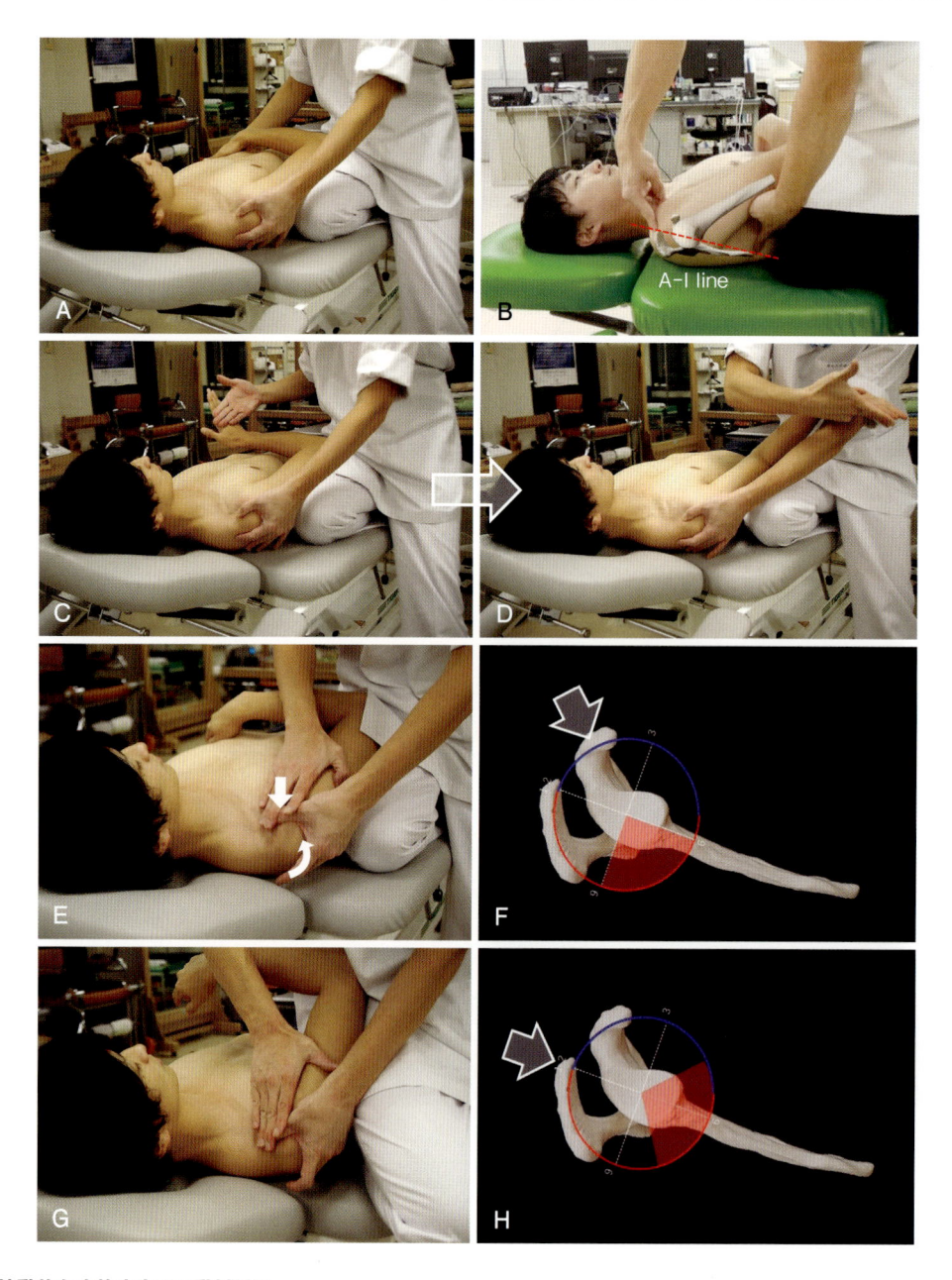

Ⅲ-22 他動的な内旋方向の可動域練習

A: 可動域練習は，肩甲骨を下制させ評価と同様の肢位で行う Ⅰ-7 Ⅰ-8 .
評価と治療の開始肢位を同じにすることで，治療のターゲットとなる組織を明確化する．

B: A-I line Ⅱ-12 より，肩甲骨の位置と傾き，大きさを確認する．そして，関節窩の中心点を推測し骨頭を触診することで，可動域練習前の求心位が保たれた状態を確認する．

CD: 棘下筋と小円筋の筋収縮練習
　C．患者さんに手関節の背屈を命じ，治療者の一方の手で軽い抵抗（MMT 3～4程度）を加える．そして，棘下筋や小円筋が固定筋として働いていることを，もう一方の手で触診する．D．等張性収縮にて外旋させ，最終域で等尺性収縮を行わせる．

E: 十分な筋収縮練習とストレッチング後に，関節包などの深部組織の伸張を行う．
患者さんの肘関節を治療者の右股関節付近で固定する．左母指で骨頭の前方への obligate translation が起こらないことを確認し，同時に左手指で骨頭の内旋誘導を行い，右前腕で内旋可動域の確認を行う．滑らかな内旋運動を再現しつつモビライゼーションと持続伸張を行う．

F: A-I line と関節窩の中心点より，腋窩陥凹，後下関節上腕靱帯，関節包など，6時から9時周辺組織の伸張を期待した操作であることがわかる．

G: 肩甲上腕関節の屈曲角度を増加し，同様の操作を行うことで前下方から後下方の関節包を伸張する．

H: 前下関節上腕靱帯，腋窩陥凹，後下関節上腕靱帯，関節包など，4時から8時周辺組織の伸張を期待した操作であることがわかる．

Skill 拘縮肩に対する運動療法

　骨癒合が得られた時点で全く拘縮がないことが理想ですが，通常は多かれ少なかれ拘縮は残存します．私が臨床で行っている改善法についてお話しさせていただきます．
　原則は，ただ一つ「各組織の柔軟性と伸張性，滑走性の改善，そして筋力の改善に加え，可動域練習の際に目的とする肢位へ骨頭の求心位を保ち誘導すること」です．筋収縮練習とストレッチングなどで筋の柔軟性と伸張性を回復し，筋肉による制限を少なくします．次に，常に求心位 Ⅱ-11 保った状態で操作し，関節包や靱帯を伸張しながら，各組織間の滑走性を改善します．
　棘下筋と小円筋を例に挙げれば Ⅲ-22CD ，下垂位で最大内旋位から自動で外旋させ最終域で等尺性収縮を行わせます．その後ストレッチングを加え，筋収縮距離と筋伸張距離の改善を図ります．抵抗は，MMTで3〜4程度で決して強いものではありません． Warp!! 筋収縮練習とストレッチングのコツ1（p.36），2（p.187）
　十分に，筋の伸張性と柔軟性を獲得した後に，求心位 Ⅱ-11 を保った状態で骨頭を操作し，関節包や靱帯を伸張します Ⅲ-22EFGH ．
　棘上筋，大円筋，肩甲下筋でも同様にアプローチし各方向の可動域を改善します．

Opinion 自主練習の考え方

　患者さんから"先生，なにか肩に良い自主トレはないですか？"とよく聞かれます．いろいろあるのですが，答えはいつもこんな感じです．高度な制限がある方には"手を首の後ろで組んでできるだけ長くテレビを見てください．できればテレビを見ていない時も何度も何度も繰り返してくださいね" Ⅲ-23A とお願いします．制限の程度により"手を頭の上に乗せてください Ⅲ-23B ．手を頭の後ろで組んでください Ⅲ-23C ．"と指示を変えます．
　ほとんどの方は，"え〜"と否定的な回答が返ってきます．自分から聞いてきておいて，この反応はいったい私に何を望んでいるのだろうと不思議に感じます．しかし，ここにも臨床でのヒントがあると考えます．肩関節に拘縮がある方のほとんどは，患側を使おうとせず挙上している時間も健側に比べ少ないことが予測されます．おそらく，この運動が辛いから，"え〜"なのでしょう．テレビを見る時というのは，自主練習を始めるきっかけです．手を首の後ろにもってゆくには，筋力が必要です．手を組んだ状態で長くいると，持続伸張に伴うサルコメアの増加が期待できます．何度も繰り返すことで，患側を使わせる機会を与えることができます．深筋膜下の筋や腱の周囲には，潤滑性脂肪筋膜系（lubricant adipofascial system：LAFS） 図25 図27 が存在するとされ[12]，潤滑性脂肪筋膜系は関節運動や各筋肉固有の伸縮運動を円滑にしている可能性があります[13]．これらの組織の炎症後の変化を想像してみてください．fasciaの観点から考えても自主練習と日常生活で使わせることは，その拘縮の改善に有効と考えます．リハビリ室での治療時間は長くても1時間程度でしょうから，それ以外の時間で如何に患側を使わせるかが自主練習の妙と考えます． Warp!! fasciaの定義と構造（p.25），皮下の結合組織と脂肪組織について（p.28）
　そして，セラピストの先生からも"先生，リハビリ室で行う良い自主トレはないですか？"と聞かれます．いろいろあるのですが，答えはいつもこんな感じです．"自主トレで患者さんに良くなって頂くことを考えるよりも，セラピストが良くした状態を維持するために自主トレは使いましょうね"と伝えます．この返答に対する反応は様々です．
　私が，患者さんに行って頂いている自主練習の一例を Ⅲ-23DE に示します．

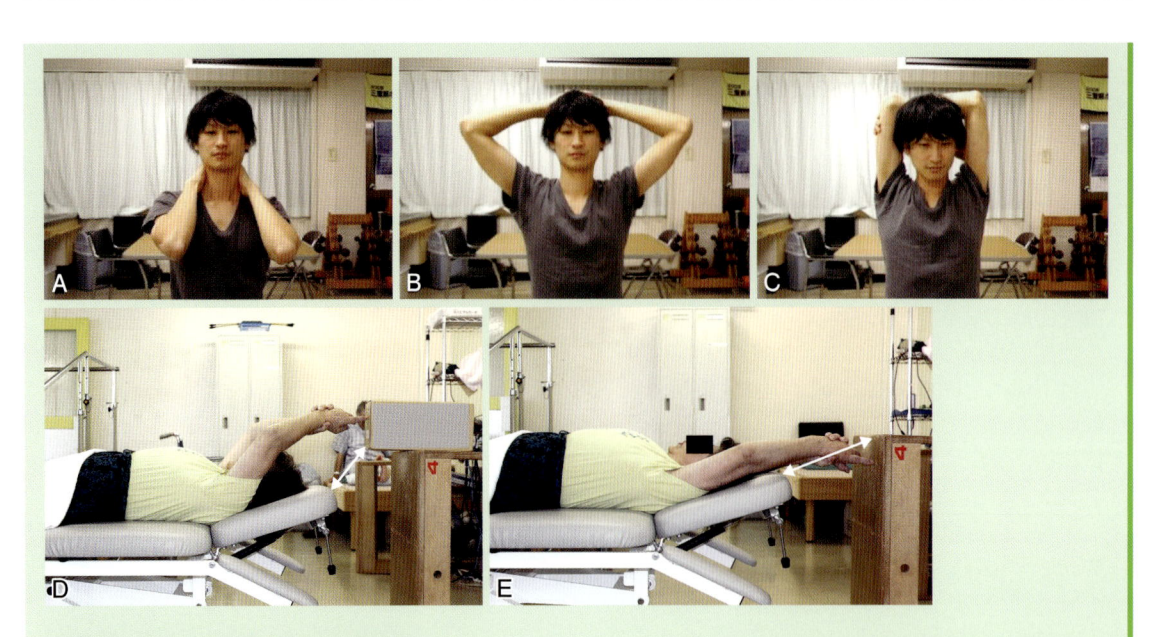

Ⅲ-23 肩関節の拘縮に対する自主練習例
A：手を首の後ろで組む　B：手を頭の上で組む　C：頭の後ろで両手を組む
DE：徒手的な可動域練習前後には，自主練習として頭部を一定の位置にして，両手を組み人差し指で目標物に触れる練習を行わせている．これにより，骨頭の外旋誘導が可能となる．ベッドの縁から目標物までの距離を計測し患者さんに伝えることで，可動域がどれだけ改善したかをフィードバックすることができ患者さんの励みにもなる．

Opinion & Skill　肩関節周囲炎に対する運動療法のお話①　挙上動作

　改訂版でも，肩関節周囲炎の症例で健側を越えるお話をさせて頂きます Ⅲ-24．臨床的な技術を文章化するのは難しく，わかりにくいかと思いますが，よろしければお読みください．健側を越えたとする基準は前回と同じで，患者さんに指導した自主練習を10分程度行わせた後に，肩関節複合体と肩甲上腕関節での他動屈曲を測定し，共に健側より5°以上となり，自動挙上でも5°以上健側を越えていることとしました．また，結帯動作では自動および他動運動ともに1椎間以上越えていることとしました．

　相変わらず，健側を越えるために何か特別なことをするわけではありません．肩関節複合体と肩甲上腕関節の可動域を，全て評価します．ここで，進歩がありました．肩甲上腕関節の可動域を測定する際は，肩甲骨の位置を左右対称 Ⅰ-7 Ⅰ-8 とし，A-I line Ⅰ-11 Ⅱ-12 を使用することです．これにより，関節窩の中心点の位置を推測し，触診にてその位置で求心位が保たれていることを確認します．そして，求心位が得られていると判断された範囲内で可動域を測定します．**Warp!!** 肩甲上腕関節の可動域測定①〜⑤（p. 45〜51）

　さらに，何時の位置で拘縮が強いかを推測するようにしました Ⅱ-12．例えば，下垂位の内旋を測定するだけでも，この操作に伴い伸張される組織は肩甲骨の傾きで異なります．A-I line と関節窩の中心点を利用すれば関節窩を時計に見立てることができますので，どの組織が伸張されるかを明確化することができます．

運動療法は，可動域の健患差をなくすだけです．しかし，それだけでは健側と同程度の可動域にしかなりませんので，肩甲胸郭関節か肩甲上腕関節のどちらか，または両方の可動域を健側より大きくする必要があります．肩甲上腕関節において内旋可動域の改善は，外旋方向に比べ比較的容易であり結帯動作においても有利なため，Ⅱ-13 や Ⅲ-22 に示す方法で内旋可動域の改善を優先しています．症例により異なりますが，多くは内旋可動域で健側を越えることを試みます．この時に，最初から最も拘縮が強いと推測される部位にアプローチするのではなく，その周辺からアプローチすることをお勧めします． **Warp!!** 肩甲上腕関節の可動域練習のコツ①②（p. 61），拘縮肩に対する運動療法（p. 91）

さて，挙上方向の可動域の改善でもっとも難しいのは，健患差で残り 10°から健側を越えることです．ここで，最終挙上域における肩甲上腕関節の誘導について考えます．肩甲骨と上腕骨の位置関係はゼロポジション Ⅲ-25A で終わるわけではなく，そこから僅かばかりの挙上と外旋が必要です Ⅲ-25B．とくに外旋の必要性は，すでに 1937 年 Johnston[20]により報告されており，大結節が肩峰に衝突するのを避けるために外旋が起こると報告しました．しかし，Jobe[21]や Iannotti らは，大結節が肩峰に衝突するのを避けるためではなく，後上方の関節唇との衝突を避けるために外旋が起こると報告しました．この衝突を，Walch[22]らは，posterosuperior impingement として報告し，後に internal impingement として世に知られるようになりました[23]．この最終挙上位での外旋角度の計測は，Ⅲ-26 のように行います．最終挙上位の外旋可動域の制限因子には肩甲下筋，烏口上腕靱帯とその周辺の脂肪組織，全周に渡る関節包や関節包靱帯が考えられます．その中でも，肩甲下筋の拘縮の改善は重要と考えます．上方線維は烏口突起下で走行が変化し小結節へ付着しています．また，その上部は上腕二頭筋長頭の安定化機構と考えられる舌部を形成しており，挙上とともに肩甲下筋の捻れは大きくなると考えられます Ⅲ-25C．また，肩甲下筋の下方線維は関節包にも付着しているため，骨頭の obligate translation Ⅱ-9 を生じさせる可能性があります．したがって，肩甲下筋に対し等張性ならびに等尺性の筋収縮練習を行い，肩甲下筋に対し Ib 抑制やストレッチング Ⅲ-27AB を行います．この操作に時間をかけ，肩甲下筋の柔軟性と伸張性の改善を図ります．同時に，90°屈曲位での内・外旋可動域を改善し腱板疎部（rotator interval）付近での滑走性の改善を期待します．90°屈曲位での回旋可動域が健側と同程度になったら，ゼロポジション付近で肩甲上腕関節を内旋位と外旋位として交互に，骨頭を A-I line 上で下方へ押し下げるように誘導 Ⅲ-27C し，下方組織の伸張性と柔軟性を改善します．ゼロポジション付近での内旋と外旋可動域が健側と同程度になったら，90°外転位と最終挙上位付近での屈曲と外旋可動域の改善 Ⅲ-27D を試みます．さらに，最終挙上位で三角筋，大胸筋，小胸筋，大円筋，広背筋など肩関節に関わる筋の筋間のストレッチングも行います．これらの操作にて，肩甲上腕関節では Ⅲ-25B の最終挙上位を少し越えるように試みます．加えて，肩甲胸郭を構成する筋の柔軟性や伸張性，滑走性を改善し，体幹の伸展や回旋を改善することで，患側が健側を越える可能性が高まります．

また自主練習も重要です．リハビリ室だけではなく，ご自宅でもできる練習を考案し，肩関節を動かす習慣をつけるようにしてください．この場合，挙上方向 Ⅲ-23ABC と結帯動作を交互に行うと，より効果的な印象を持っています．

最後に，下垂位での外旋可動域の改善についてです．この操作は，最終挙上位の獲得練習と並行して行います．まず，90°外転位の内旋可動域を健側と同程度にすることで，さらなる前方と後方組織の柔軟性と伸張性，滑走性の改善を試みます．ある程度この可動域が改善できたら，下垂位での外旋可動域の改善を行います Ⅲ-28．この際，1 人で骨頭の求心位を保つ操作と外旋誘導を行うことは難しいため，セラピスト 2 人で行っています．これが，下垂位における外旋可動域の改善のコツと考えます． **Warp!!** 筋収縮練習とストレッチングのコツ 1（p. 36），2（p. 187）

---

[20] Johnston TB. Br J Surg. 1937; 25: 252-60.
[21] Jobe CM, et al. J Shoulder Elbow Surg. 1995; 4: 281-5.
[22] Walch G, et al. Rev Chir Orthop Reparatrice Appar Mot. 1991; 77（8）: 571-4.
[23] Charles A, et al. The Shoulder. 4th ed. Saunders Elsever; 2012.

Ⅲ-24 左肩関節周囲炎の治療成績

A：初期評価時の状態
　9症例の治療前の平均可動域は，自動屈曲が128±18°であり，結帯動作は殿部〜Th12であった．また機能評価としてUCLA shoulder rating scale：17±2で，JOA score：62.2±8.8であった．写真はその1例．

B：治療終了時の状態
　治療期間は平均4.5カ月を要し，治療終了時の自動屈曲は169±9.7°，結帯動作はTh11〜Th3であった．UCLA shoulder rating scale：33.5±0.9で，JOA score：93.2±4であった．

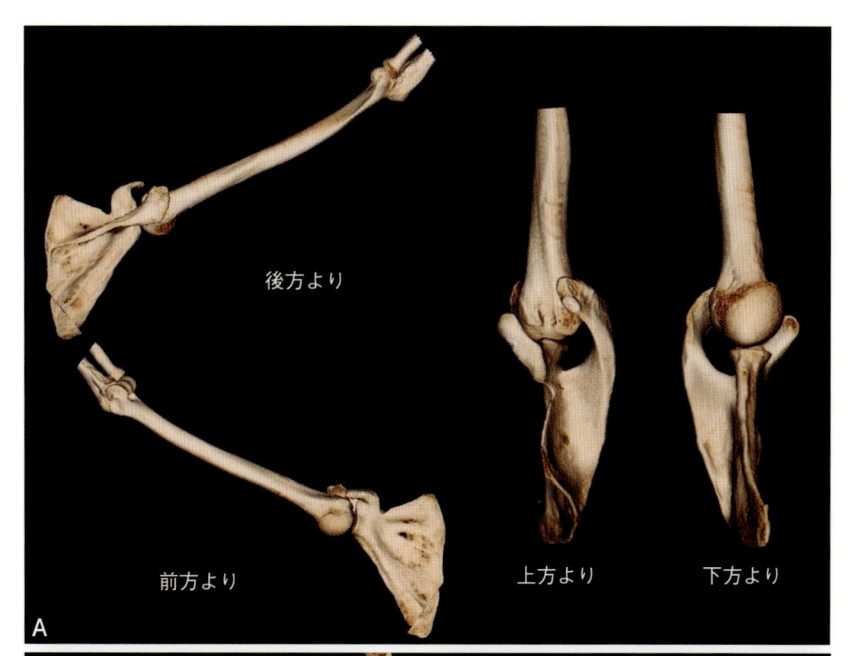

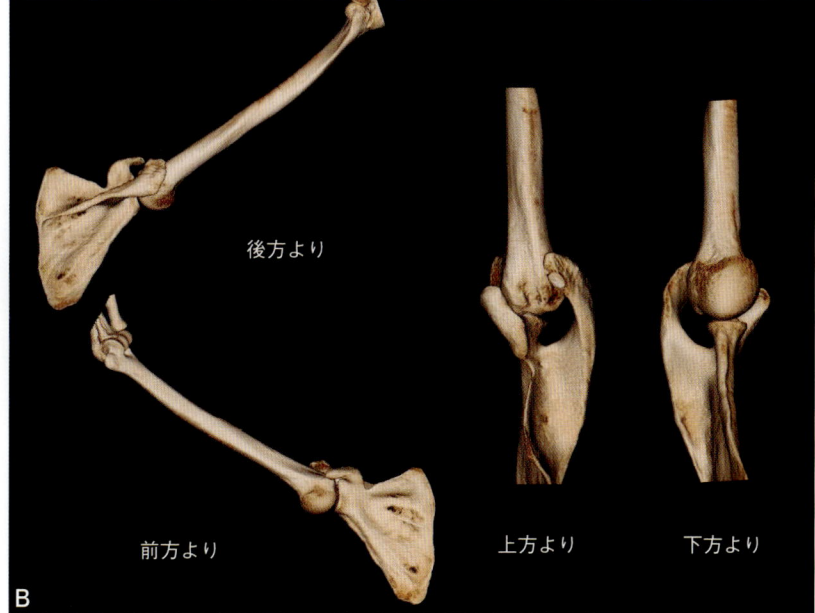

Ⅲ-25 3DCT 肩甲上腕関節におけるゼロポジションと最終挙上位の観察

A：ゼロポジション
著者（40代半ば，男性，身長 181 cm，体重 72 kg，BMI 22，肩関節に特筆すべき既往はなし）の右肩を用いて，側臥位にて挙上し CT 像を撮影した．
後方より肩甲骨と上腕骨を観察すると，肩峰と上腕骨軸が一直線となり，上方から観察すると上腕骨の結節間溝と関節上結節が一直線になっている．

B：最終挙上位
最大努力にて上肢を挙上し，その位置を保持し CT 像を撮影した．後方より観察すると肩峰に対し上腕骨が若干外転している．上方からは，結節間溝が関節上結節の後方に移動している．また下方からも，ゼロポジションと比較し大結節がより多く観察されることから骨頭の若干の外旋が確認できる．

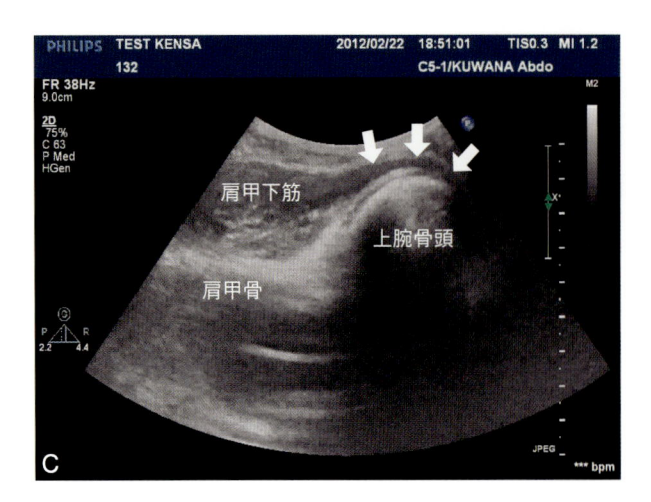

Ⅲ-25 つづき
C：最終挙上位での肩甲下筋
　背臥位で最終挙上位にて，腋窩より肩甲骨，骨頭，肩甲下筋を撮影した．骨頭に巻き付く肩甲下筋が観察される．

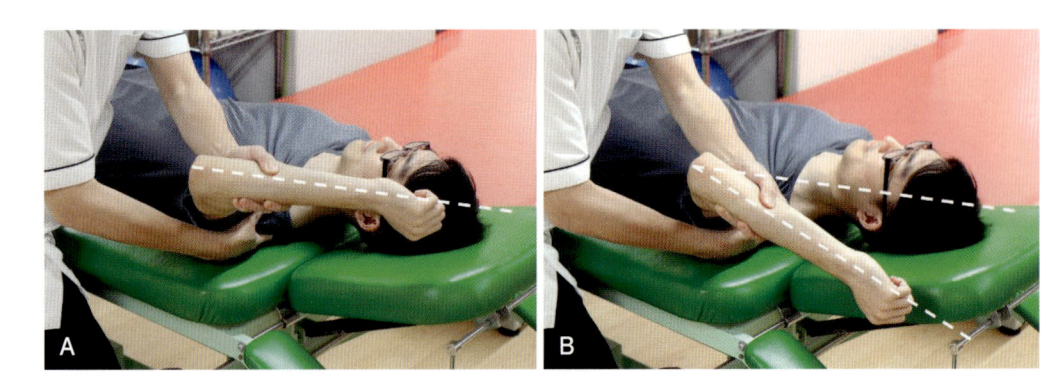

Ⅲ-26 最終挙上位での外旋角度の計測法
A：肩甲骨を左右対称とし固定した上で，A-I line に沿って肩甲上腕関節を可能な限り屈曲・外転させる．この屈曲角度は，健側と同程度に改善されていなければならない．
B：Aの肢位より外旋させ，その角度を健患差にて比較する．

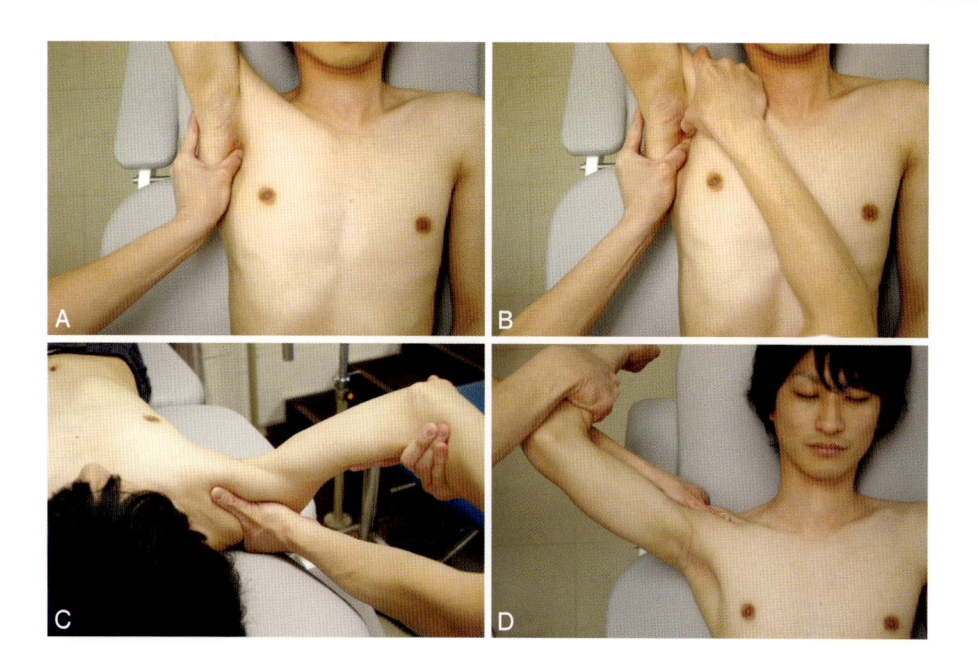

Ⅲ-27 最終挙上位での可動域練習

ＡＢ：肩甲下筋のストレッチング
　　Ａ．大円筋と広背筋を外側へよける．
　　Ｂ．肩甲下筋に対するⅠｂ抑制や，筋内腱と直交する方向へと筋線維を広げるように動かすことでストレッチングする．

Ｃ：骨頭の下方への誘導
　　各肢位での可動域の改善に加え，A-I line を基準とし Ⅱ-11 ，骨頭を下方へ誘導する．この操作は下方組織の伸張性の改善を狙っている．

Ｄ：最終挙上位での外旋可動域の治療例
　　肩甲上腕関節にて，ゼロポジションより挙上と外旋を誘導する．

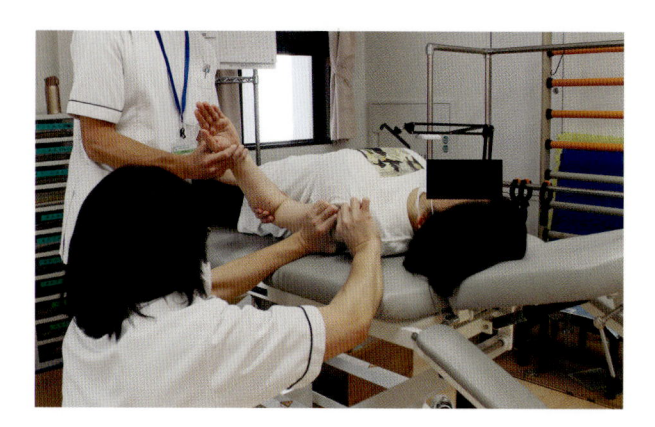

Ⅲ-28 下垂位外旋の改善法

　　セラピストの一人が，骨頭を把持し A-I line を基準とし求心位を保ち外旋誘導を行う．この際，肩甲骨が動かないように肩甲上腕関節を操作することが重要である．もう一人のセラピストはその操作に合わせ上腕骨を外旋させる．

Opinion & Skill 肩関節周囲炎に対する運動療法のお話② 結帯動作

　結帯動作に関する研究を，2011年から2018年まで行ってきました．前書を出版した2015年は，その研究の真っ直中で，残念ながら最後まで報告することはできませんでした．今回は，全てお話させていただきます．長編です．

　結帯動作を扱った報告は国内外を通して少なく，参考になる文献に巡り会うことは難しいことでした．ちなみに，英語に結帯を意味する言葉はないようで．類似する言葉としては，「hand behind back」で表現されるようです．

2011年

　さて，日々の臨床で結帯動作を観察していますと，2種類あることに気がつきました．1つは外転と伸展角度が大きい結帯動作です，これを「外転結帯」と呼称します．もう1つは，外転と伸展角度が小さい動作で，これを「内転結帯」と呼称します．臨床での観察ですが，肩関節に拘縮のある場合は，外転結帯を行うことが多いのです Ⅲ-29 ．

　この2つの結帯動作の違いを明らかにすることが，健側を越える結帯動作のために有用な情報をもたらすと思い，肩関節に既往のない58名103肩（33.3±13.7歳，男性22名，女性36名）を対象とし2種類の結帯動作を行わせ調査しました[24]．外転結帯は，平均でTh7程度まで母指の先端が届き，内転結帯はTh5程度まで届いていました．しかし，2つの結帯動作における肘関節の角度は同程度でした Ⅲ-29 ．母指の先端を，より高位まで到達させたければ，内転結帯を行ったほうが良いことがわかりました．

　肩関節に拘縮のある方は外転結帯を行うことが多いため，おそらく外転結帯の方が簡単な動作であると考え，外転結帯から内転結帯を行ったときの肩甲上腕関節が，どのような動きをしているのかを調べることにしました．よって，外転結帯から内転結帯を行わせspino-humeral angle（以後SHA）[25]を測定し，それらのSHA差を求めました Ⅲ-30 ．通常の可動域測定は5°単位で行われるため[26]，SHA差が5°以上変化する群（以後：SHA差≧5°群）すなわち肩甲上腕関節で内転を行う群と，SHA差が5°未満群（以後：SHA差＜5°群）すなわち肩甲骨と上腕骨が一塊となって行う群に分けました．結果として，75%はSHA差≧5°群でした．この群は，肩関節の伸展角度が小さかったため，肩甲上腕関節での内転と内旋可動域が大きいと推察されました．残り25%のSHA差＜5°群では，肩関節の伸展角度が大きかったため，肩甲上腕関節の可動域が少なく，肩甲胸郭関節に依存した内転結帯を行っている可能性が示唆されました Ⅲ-31 ．

2014年

　さらにこの仮説を証明するために，内転結帯を行った際のSHA差≧5°群とSHA差＜5°群の肩甲上腕関節の可動域を調査しました[27,28]．

　対象は，先行研究103肩からSHA差≧5°群20肩とSHA差＜5°群18肩の計38肩（30.3±79歳 男性5名 女性15名）とし，Ⅰ-7～Ⅰ-14に示す方法で肩甲上腕関節の可動域を測定しました．

Warp!! 肩甲上腕関節の可動域測定①～⑤（p.45～51）

---

[24] 和田満成, 他. 整形外科リハビリテーション学会 学会誌. 2012; 15: 34-7.
[25] Charles A. The Shoulder, 4th ed. Saunders Elsever; 2009; p.224-5.
[26] 松野丈夫, 他総編集. 標準整形外科学 第12版. 医学書院; 2014; p.956-7.
[27] Masatomo M, et al. ICSES2013 ICSET2013 PROGRAM & ABSTRACT. 2013; p.240.
[28] 松本正知, 他. 整形外科リハビリテーション学会誌. 2014; 16: 51-4.

SHA 差≧5°群の下垂位内旋，90°屈曲位内旋，水平屈曲は，SHA 差＜5°に比べ有意に大きいことがわかりました Ⅲ-32．つまり，SHA 差≧5°群では棘上筋，棘下筋，小円筋，関節包などの後方組織の伸張性や柔軟性が十分にあり，肩甲上腕関節で内旋と内転が十分に可能であった可能性があります．そのため，肩関節の伸展で代償することなく内転結帯が可能であったと考えられました．

それに反し，SHA 差＜5°群は，SHA 差≧5°群に比べ肩甲上腕関節の可動域が少なく，肩甲骨と上腕骨が一定の状態で保持され，肩甲骨の前傾や外転により内転結帯が行われていたとも考えられました．

いずれにせよ，肩甲上腕関節において下垂位内旋と 90°屈曲位内旋，水平屈曲の可動域を増加させ，肩甲胸郭関節の可動域を改善することで結帯動作を改善する可能性があり，これらを組み合わせることで健側を越えることができると考えられました．

2018 年

私の可動域改善の原則は，「各組織の柔軟性と伸張性，滑走性の改善，そして筋力の改善に加え，可動域練習の際に目的とする肢位へ骨頭の求心位を保ち誘導すること」です．しかし，本当に結帯動作を行うにあたり，求心位を保っているのでしょうか？ 知りうる限り，それを報告した報告を見たことはありません．この疑問の解決のために，磁気共鳴画像（Magnetic Resonance Imaging 以下，MRI）検査にて調査しました．対象は，当センターのセラピスト 5 名（健常成人 4 名，左肩関節周囲炎を有する 1 名）です．肩甲骨の位置関係を含む内転結帯時の理学所見，複合体としての肩関節可動域，肩甲上腕関節の可動域，MRI 検査による内転結帯時の関節窩と骨頭の位置関係に加え，後捻角を計測し，各項目の因果関係を対象ごとに調査しました．詳しくは，以下の論文[29]をお読みください． Warp!! 肩甲上腕関節の可動域測定（p. 45～51）

この論文より，特徴的な 2 例を示します．1 例目は論文著者の 29 歳の男性です Ⅲ-33．後捻角に左右差はなく，脊柱に沿った母指先端の到達高位（TTH）は両側とも Th3 でした．右肩甲骨の前傾が左側に比べ大きく観察され，肩甲上腕関節の可動域では，90°屈曲位内旋の可動域が右側で 6°減少していました．MRI 像において，左側では前後縁を結んだ線の中点と骨頭の接する位置は一致しており，求心位は保たれていました．しかし，右側では前方への obligate translation が観察されました．健常な肩関節において肩甲上腕関節に十分な可動域がある場合は，求心位が保たれた結帯動作を行うことができ，肩甲上腕関節に十分に可動域がない場合は，肩甲胸郭関節での肩甲骨の動きと，肩甲上腕関節での obligate translation を利用し結帯動作を遂行する可能性が示唆されました．

2 例目は，本書著者の 50 歳の男性です Ⅲ-34．このとき，軽度の肩関節周囲炎を煩っていました．左（患）側の後捻角が 4°小さいにもかかわらず，TTH が左：Th7，右：Th4 と制限されていました．また，左肩甲骨の内側の winging が右側に比べ大きく見られ，左側の 90°外転位，および屈曲位の内旋可動域が，痛みのために制限されていました．しかし，MRI 像にて両側とも関節窩に対し骨頭の求心位は保たれていました．左肩関節周囲炎による内旋の可動域制限が，左肩甲骨の内側の winging と TTH に影響している可能性が示唆されましたが，同時に疼痛を有する肩関節の自動運動では obligate translation が起こらず，求心位が保たれた範囲でしか運動ができない可能性も示唆されました．対象が 5 名の，小さな研究ですから明確な結論は申し上げられませんが，やはり求心位を保つことは重要なようです．

この調査の中で，上腕骨の「後捻角」という言葉が出てきました．結帯動作の遂行に後捻角の影響は大きいと考えます．結帯動作時の外転結帯と内転結帯の 3DCT を見てみましょう Ⅲ-35．特に，Ⅲ-35EF に注目してください．外転結帯 Ⅲ-35E において上腕骨は A-I line に対し伸展し，小結節は前方を向き内旋角度をさほど必要としません．しかし，内転結帯では，上腕骨は A-I line に対し軽度屈曲位 Ⅲ-35DF であるにもかかわらず，小結節は前方の関節窩に接し最大内旋位となっています Ⅲ-35F．関節は，骨頭と関節窩の関節面が接する範囲でしか機能しません Ⅲ-7．後捻角が小

[29] 和田満成, 他. 整形外科リハビリテーション学会誌. 2018; 120: 63-8.

さいと上腕骨頭の内旋に使用できる関節面は大きくなり，内旋可動域が広くなる可能性があります．結果として結帯動作はしやすくなり，母指先端の到達高位も高くなる可能性があります．それに反し，後捻角が大きいと内旋に使用できる関節面は小さくなり，内旋可動域は狭くなる可能性があります．結果として，母指の到達高位が低くなる可能性があります Ⅲ-36．高校球児などで，右投げピッチャーは，結帯動作が左側に比べ制限されていることを経験しますが，これがその原因の1つかもしれません．後捻角そのものは，CT 検査または MRI 検査でしか計測できませんが，左右差であればエコーで簡単に計測できますので，これらの論文[30][31]を参照にしてください．

最後に，健側を越えるための評価法と運動療法についてまとめます．

結帯動作の改善は，外転結帯を改善した後に，内転結帯を改善することをお勧めします．本書では，内転結帯について説明します．

まず，評価です．

①健側と患側の肩甲上腕関節の可動域を全て評価してください． **Warp!!** 肩甲上腕関節の可動域測定①〜④（p. 45〜51）

②可能であれば，後捻角の左右差を評価してください．結帯動作のゴール設定に役立ちます．患側で後捻角が小さければ健側を越える可能性が高まります．

③患者さんに健側で，下垂位より内転結帯を行わせ，Scapula-Y 撮影の方向から A-I line に対する上腕骨の角度を測定してください Ⅲ-37．また，内転結帯を行った際の求心位 Ⅱ-12l を触診にて確認してください．そして，①で測定した可動域と②の後捻角の左右差，A-I line に対する上腕骨の角度，肩甲骨の winging などの状態の因果関係を考察してください Ⅲ-33 Ⅲ-34．

④同様に，患側も評価してください．

⑤①〜④の測定を基に，健側と患側を比較し肩甲上腕関節にて伸張性や柔軟性，滑走性を改善させる対象を定めてください．多くは，棘下筋，小円筋，後方と下方の関節包（6時〜12時）が対象となります．

ここまでが，評価になります．

そして，運動療法です．

⑥患側の肩甲骨周囲筋の筋収縮練習とストレッチング，リラクセーションを行い肩甲胸郭関節の可動域を改善してください．当然ですが，肩甲胸郭関節がたくさん動けば健側を越えられる可能性が高まります．

⑦対象となる肩甲上腕関節に関わる筋の筋収縮練習後に，各筋のストレッチングを行い筋の柔軟性と伸張性，滑走性を十分に改善し，関節包や関節包靱帯の伸張操作を行ってください．棘下筋，小円筋，後方と下方の関節包が対象と判断された場合は，30°屈曲位内旋，90°屈曲位内旋，90°外転位内旋，水平屈曲方向の改善を行ってください．

⑧最後に，患側の結帯動作を可能な範囲で行わせた後に，健側を参考に内転結帯の肢位へ求心位を保ち誘導してください Ⅲ-38．健側の A-I line と上腕骨の角度を越える必要はなく，肩甲上腕関節での内旋誘導が重要です．誘導がうまくできていないと痛みを訴えられますので注意が必要です．普段，健側においても内転結帯の動作を限界まで行う患者さんは少ないと思います．よって，後捻角さえ同程度であれば健側を越えることは，肩甲上腕関節においても可能であると考えています．

[30] Myers JB, et al. Am J Sports Med. 2012; 40（5）: 1155-60.
[31] 和田満成，他．日整超会誌．2018; 30（1）: 56-61.

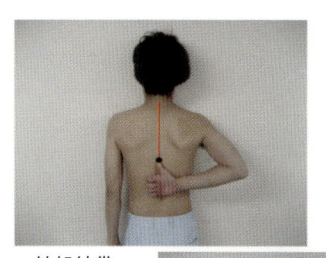

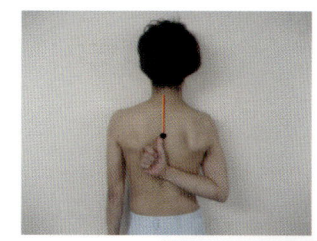

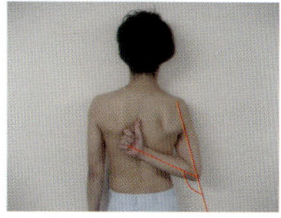

	外転結帯 (n=103)	内転結帯 (n=103)	P value
母指先端の高さ	Th7±2	Th5±1	0.0001*
肘関節の角度	124±9°	123±10°	0.61

*: p<0.05

Ⅲ-29 外転結帯と内転結帯の特徴

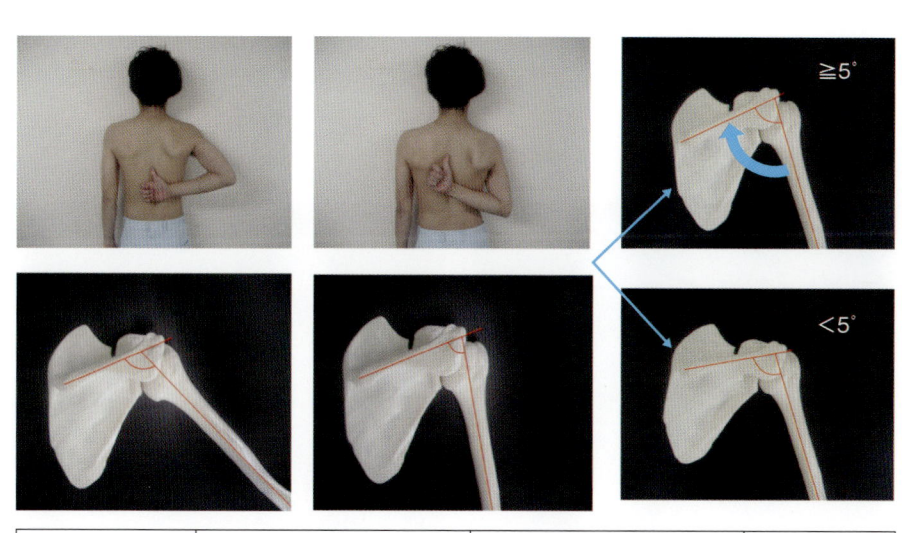

	SHA 差≧5° group (n=77: 75%)	SHA 差<5° group (n=26: 25%)	P value
SHA	89±8°	96±8°	0.0002*

*: p<0.05

Ⅲ-30 spino-humeral angle による 2 群への分類

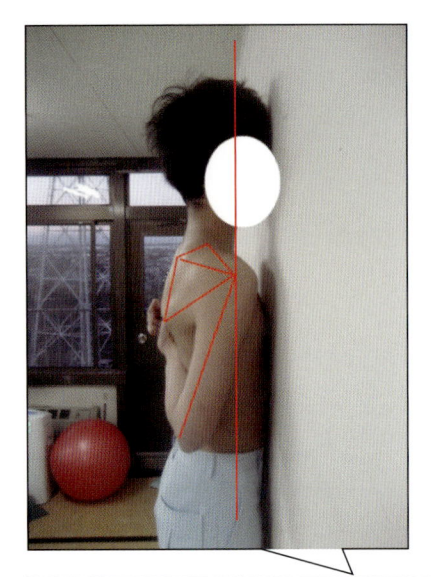

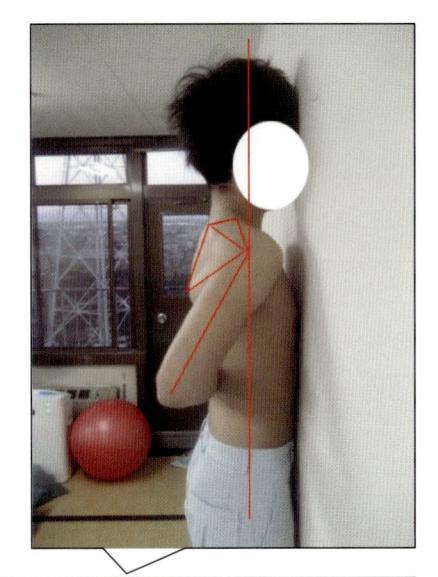

	SHA 差≧5° group (n=77: 75%)	SHA 差<5° group (n=26: 25%)	P value
肩関節伸展角度	15±7°	19±10°	0.0142*

*: p<0.05

Ⅲ-31 内転結帯におけるSHA差≧5°群とSHA差<5°群の特徴
SHA差≧5°群は，肩関節の伸展角度が小さいことが観察され，肩甲上腕関節での内転と内旋可動域が必要な結帯動作である．
SHA差<5°群は，肩関節の伸展角度が大きく肩甲胸郭関節に依存した結帯動作である．

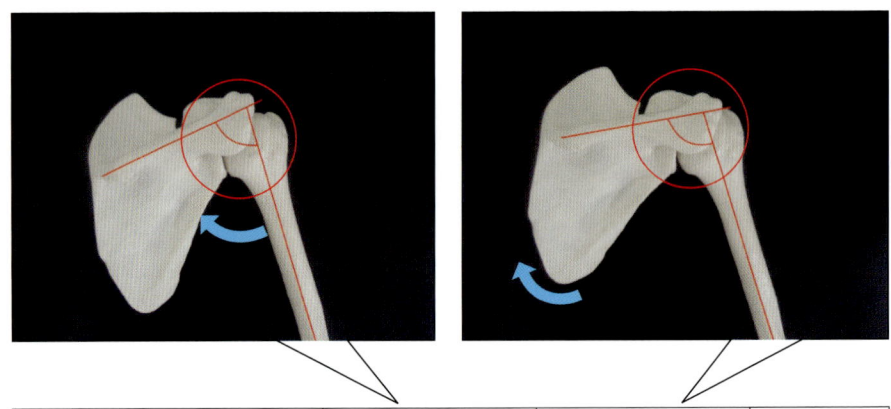

	SHA 差≧5° group (n=20)	SHA 差<5° group (n=18)	P value
30°屈曲位内旋	91±11°	83±11°	0.0225*
90°屈曲位内旋	−12±10°	−21±13°	0.0259*
水平屈曲	105±7°	101±5°	0.0343*

*: p<0.05

Ⅲ-32 SHA差≧5°群とSHA差<5°群における肩甲上腕関節の可動域差

右利き		左	右
後捻角		25°	26°
GH	内旋 30°屈曲位	85°	82°
	外転位	7°	10°
	屈曲位	−11°	−17°

Ⅲ-33 29歳男性の内転結帯時の理学所見とMRI所見

A： 左側の内転結帯
B： 右側の内転結帯
　右肩甲骨の前傾が左側に比べ大きく観察された（矢印）
C： 左側の内転結帯時のMRI
　a．関節窩の前縁と後縁を結んだ線
　b．前後縁線上の前縁点からの垂線
　c．前後縁線の中点を通る垂線
　d．前後縁線上の後縁点からの垂線
D： 右側の内転結帯時のMRI

	右利き		左 (患)	右
	後捻角		25°	29°
GH	内旋	30°屈曲位	83°	80°
		外転位	−12°	20°
		屈曲位	−25°	−9°

Ⅲ-34 50歳男性の内転結帯時の理学所見とMRI所見

- **A**：左側の内転結帯
  左肩甲骨の内側のwingingが右側に比べ大きく観察された（矢印）．
- **B**：右側の内転結帯
- **C**：左側の内転結帯時のMRI
- **D**：右側の内転結帯時のMRI

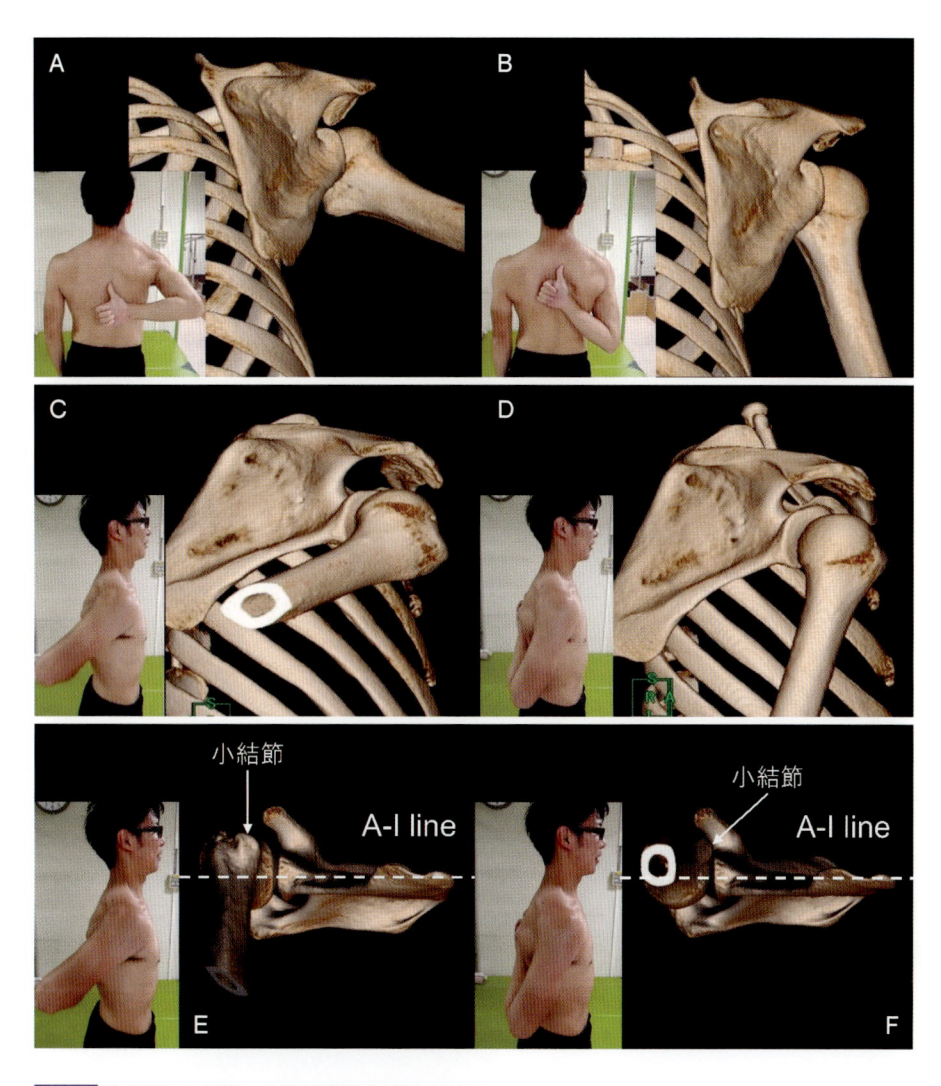

Ⅲ-35 論文著者の外転・内転結帯動作時の3DCT
AB：後方から　CD：側方から　EF：下方から

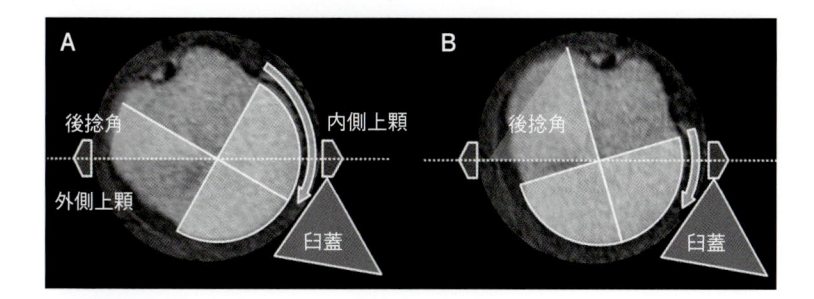

Ⅲ-36 後捻角が結帯動作へ与える影響
　下方から見た右肘関節の内・外側上顆，骨頭，臼蓋の位置関係を示す．
A：後捻角が小さいと，内旋に使用できる関節面が広く，内旋角度が大きくなり，結帯動作を行いやすい可能性がある．
B：後捻角が大きいと，内旋に使用できる関節面が狭く，内旋角度が小さくなり，結帯動作を行いにくい可能性がある．

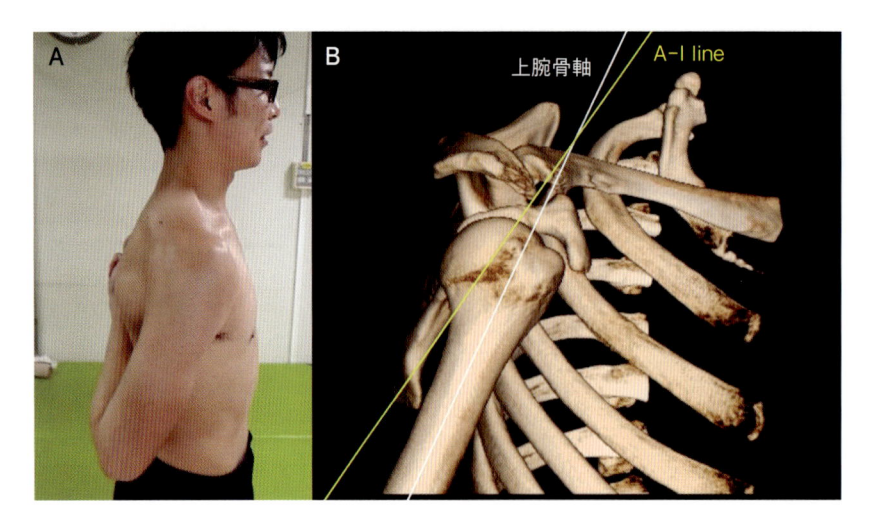

Ⅲ-37 Scapula-Y 撮影の方向から見る内転結帯

A：触診にて，A-I line と肩甲骨の内側縁を確認する．臨床では，この2本の線が重なるように見える方向が，Scapula-Y 撮影の方向と考える．
B：論文著者の内転結帯において上腕骨軸は，A-I line に対し屈曲位となっていた．
では，本書著者の位置関係はどうでしょうか？　答えは裏表紙です．

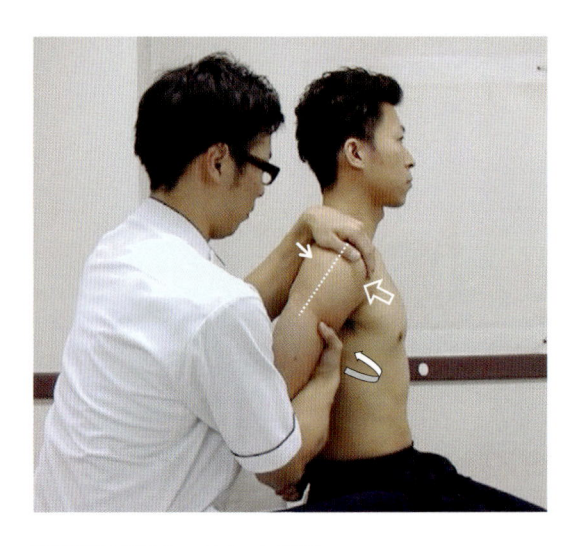

Ⅲ-38 結帯動作に対する可動域

　　左前腕にて肩甲骨を固定し，左手は骨頭を触知しながら求心位を保ち，右手にて目標とする結帯動作の肢位へ誘導を行っている．点線は，A-I line を示す．

上腕骨骨幹部骨折

fracture of the humeral shaft

概要 • general remarks

上腕骨骨幹部骨折は，全骨折の2%前後とされる．受傷機転は直達外力の他に特殊な骨折として腕相撲をした際の急激な捻転力によって生じる腕相撲骨折（arm wrestling fracture）Ⅳ-5A や，繰り返す投球動作により生じる投球骨折（throwing fracture）がある．捻転力が原因で骨折する場合は，螺旋骨折となることが多い．3 cm までの短縮，前後方向20°までの角状変形，左右方向30°までの角状変形は，機能的にも外観的にも問題にならないとされ，保存療法の適応とされている．

好発部位は骨幹部の中央1/3で，骨癒合は比較的良好な部位である．一般的に骨折の高位と筋の牽引力により，転位する方向は一定とされている Ⅳ-1．上腕骨骨幹部骨折に特有の分類はなく，AO/OTA 分類が用いられる[1]． **Warp!!** AO/OTA 分類と長管骨の骨幹部，近位部，遠位部の分類（p. 4）

橈骨神経は，橈骨神経溝より肘関節前面へ走行するため，骨幹部の中央1/3の骨折で

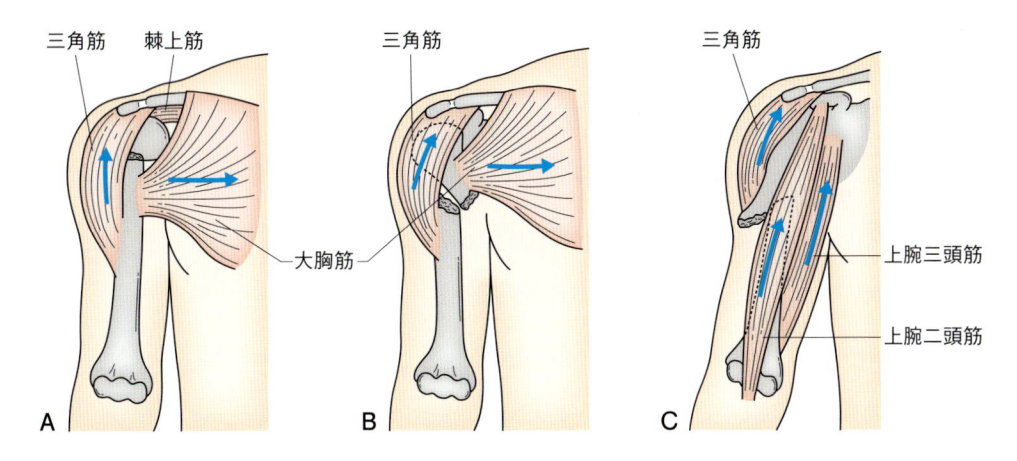

Ⅳ-1 上腕骨骨幹部骨折の典型的な転位 文献[2]より

- A：外科頸付近の骨折では，近位骨片は腱板筋群により軽度外転方向へ向き，遠位骨片は三角筋，上腕二頭筋，上腕三頭筋，大胸筋などにより前上方内側へ転位する．
- B：大結節稜から三角筋粗面の高さの骨折では，近位骨片は大胸筋により内転し，遠位骨片は三角筋，上腕二頭筋，上腕三頭筋などにより上方へ転位する．
- C：三角筋粗面より遠位の骨折では，三角筋や腱板筋群により近位骨片は外転し，遠位骨片は上腕二頭筋，上腕三頭筋などにより上方へ転位する．

---

[1] Fracture and dislocation compendium. J Orthop Trauma. 1996; 10（supple 1）: 6-10.
[2] 鳥巣岳彦, 監修. 標準整形外科学. 第10版. 医学書院; 2008.

は橈骨神経麻痺の可能性があり注意が必要である．また，遠位 1/3 の骨折では，まれに正中・尺骨・橈骨神経の単独または複合損傷の可能性がある．

整形外科的治療 • orthopedic procedure

1 保存療法

下肢骨の骨折と違い荷重に対しては，さほど考慮する必要はない．併せて同部は血流も豊富であるため，整形外科的な治療の第一選択は保存療法であり Ⅳ-2，その多くで良好な成績が報告されている．

a．U 字型副子（sugar tongs brace）

ギプスシーネを肘関節 90°，前腕中間位で肩峰付近から肘頭部を介し肩関節後方へ U 字状にあて包帯などで巻き固定する．手関節部と頚部をストッキネットや紐で連結する．適応は骨幹部中央 1/3 より遠位とされている．

b．ハンギングキャスト（hanging cast）

骨折部の 2〜3 cm ほど近位から手関節まで肘関節 90°，前腕中間位としてギプスにて固定し，U 字型副子と同様に手関節部と頚部を連結する．夜間も上体をある程度起こした状態で整復位を保つ必要がある．適応は，U 字型副子と同様に骨幹部中央 1/3 より遠位とされている．過牽引による，肩関節の亜脱臼と骨折部の離開に注意しなければならず，筋力の弱い高齢者に用いる場合は，特に注意が必要である．

c．機能的装具（functional brace）

骨折部周囲を functional brace にて圧迫し，筋収縮を促すことで転位した骨に圧迫力を生じさせる hydraulic mechanism という概念を基に考案されている．

受傷から数週間は U 字型副子やハンギングキャストによる固定がなされ，その後上腕をプラスチック製の functional brace へと変更する経過をたどる．

d．三角巾

亀裂骨折など軽度な骨折に用いられ，肩関節を三角巾で覆いバストバンドなどを使用して体幹固定と併用されることが多い．肩や肘の位置関係に十分注意する必要がある．

e．創外固定（external fixation）

粉砕骨折や軟部組織の損傷が激しい開放性の骨折などで用いられる．Unilateral 型の

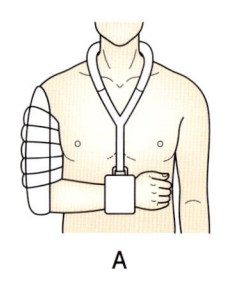

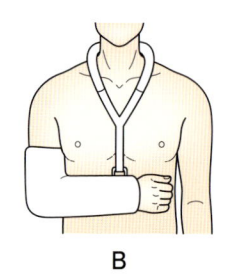

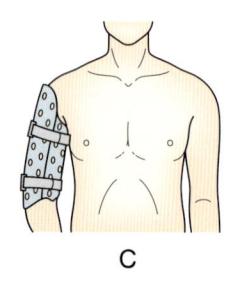

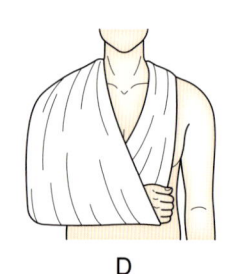

A　　　B　　　C　　　D

Ⅳ-2 上腕骨骨幹部骨折に対する保存療法例　文献❷より
A：U 字型副子　B：ハンギングキャスト　C：機能的装具　D：三角巾

創外固定器が用いられることが多い 図23 (p. 23).

❷ 手術療法

　手術療法は，粉砕骨折など整復が不良で安定性が乏しい場合，合併症などにより遷延治癒や偽関節の可能性がある場合，病的骨折，認知症を伴い保存療法での管理が困難な場合などで選択される．しかし近年では，早期の社会復帰を目的とし，手術療法が選択されるケースも増加してきている．内固定材料としては髄内釘 Ⅳ-4BC ，Kirschner 鋼線，Ender nail 図21 Ⅳ-4E ，ロッキングプレート Ⅳ-5B などで固定される．

Knowledge & Skill　ストッキネットベルポー固定

　上腕骨頚部骨折や骨幹部骨折に用いられる固定法の1つです．3号のストッキネットと安全ピンが4個あれば簡便にできる固定法で，三角巾とバストバンドによるものより固定性がよく，脇の下に枕やタオルを入れて骨折部の整復位を維持するためにも非常に有用な方法とされています．

　正しい固定肢位を維持しようとすると，1日に1回程度の締め直しが必要です．入院加療の場合は問題ないのですが，外来で使用する際は家人に説明してもなかなか覚えていただけない場合もあり丁寧な説明が必要です．

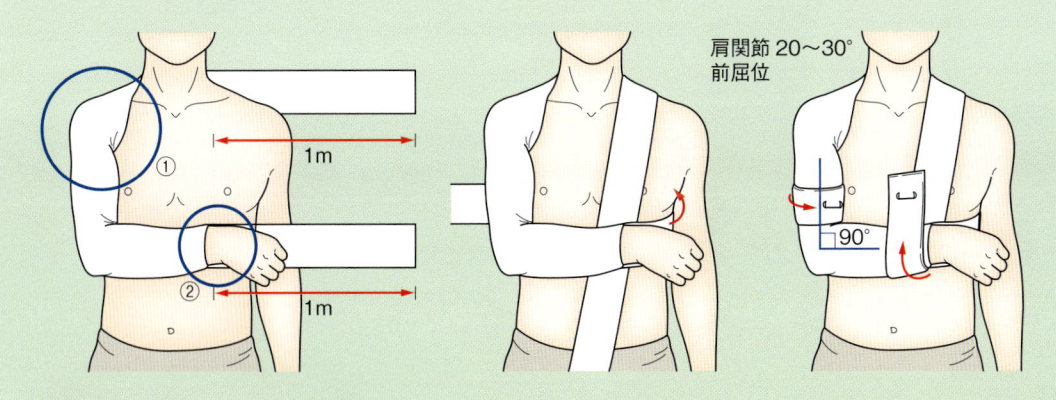

Ⅳ-3 ストッキネットベルポー固定

約2.5mの3号のストッキネットを準備する．
①肩関節付近のストッキネットを長軸に沿って縦割し，洋服の袖を通すように上肢を滑り込ませる．
②手関節付近も縦割し手部がストッキネット内から出るようにする．この際，手根中央関節程度まで覆われている方が，手関節がある程度固定され快適である．また，頚部後方には，ストッキネット内に綿を入れて緩衝材とすると頚部にストッキネットが食い込むことが少なくなる．
そして，上腕部と手関節部を図のようにストッキネットを折り返し，手関節部と上腕の遠位部を安全ピン2個で止める．

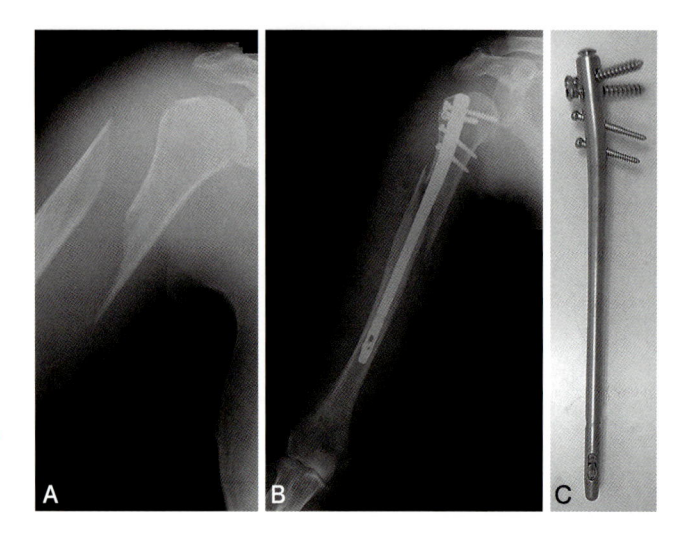

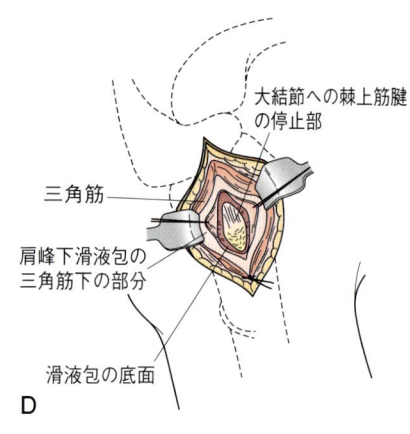

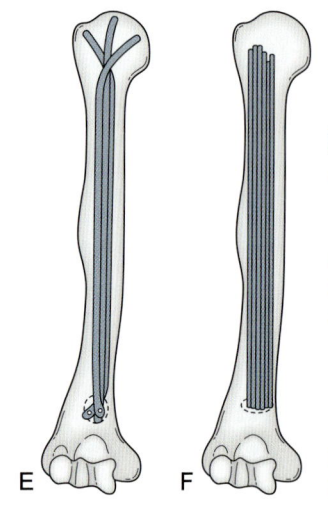

Ⅳ-4 上腕骨骨幹部骨折に対する髄内釘の手術例

A: 大結節稜と三角筋粗面の間から下内側に向いた斜骨折が見られる．遠位骨片は三角筋により外側へ，上腕二頭筋，上腕三頭筋などにより上方へ転位し，近位骨片は大胸筋により内転したものと推察される Ⅳ-1B．
B: 順行性髄内釘による固定が行われた．
C: 使用された髄内釘
D: 順行性髄内釘のためのアプローチ（文献❸より）
上腕骨近位部への外側アプローチ（deltoid-splitting approach）により，髄内釘が挿入された．肩峰の先端から上腕の外側へ 5 cm ほど皮膚を縦切し，三角筋を鈍的に縦割する．その後，肩峰下滑液包と関節包を展開し，大結節と腱板の付着部に達する．腱板を縦切し髄内釘を挿入する．
E: Ender nail による固定
F: Hackethal 集束釘による固定

Knowledge　順行性と逆行性の髄内釘

　上腕骨骨幹部骨折に対する髄内釘は，その骨折の高さによって肩や肘のどちらから挿入されるかが決められます．一般的に，骨幹部中央より近位側であれば肩から挿入されることが多く順行性といい，遠位側であれば肘からが多く逆行性と表現されます．

❸Hoppenfeld S, et al. 整形外科医のための手術解剖学図説．原著第 4 版．寺山和雄，他監訳．南山堂；2011．

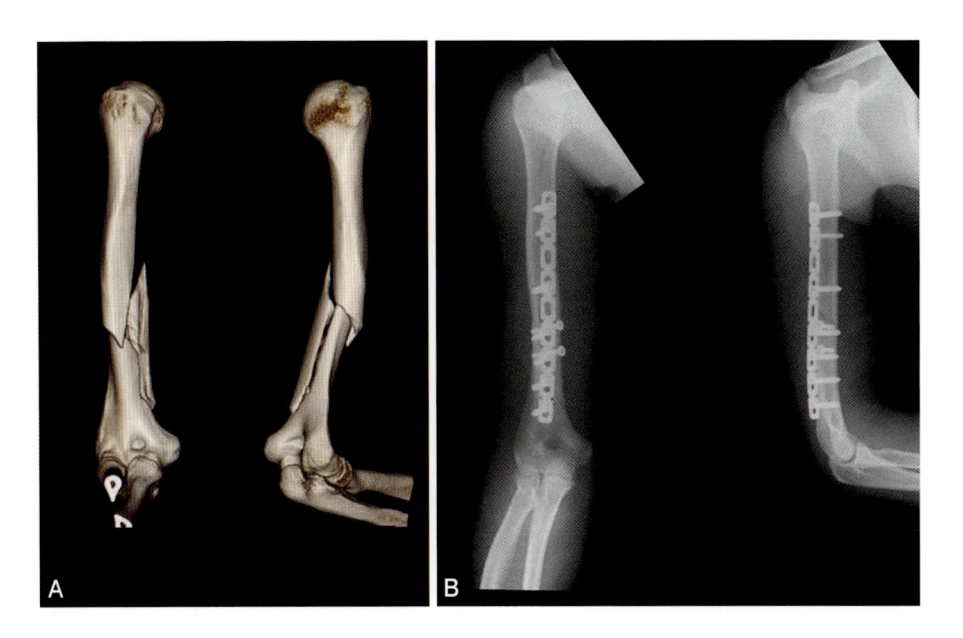

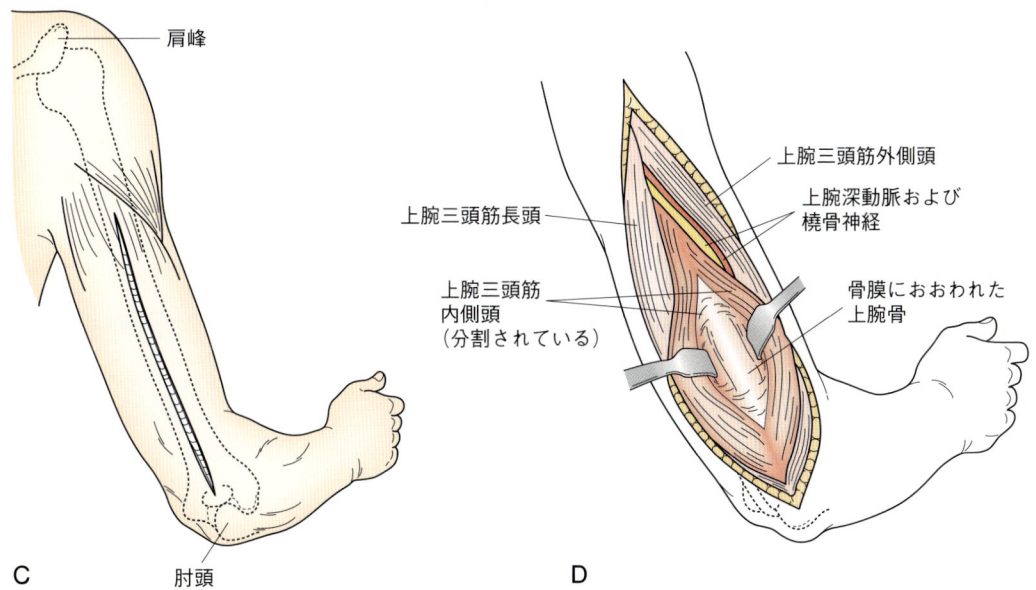

Post-Fracture Rehabilitation Master Book 111

IV-5 上腕骨骨幹部骨折に対するプレート固定の手術例　文献❸より

A：上腕骨骨幹部から骨幹端部に至る骨折
　正面ならびに，右斜め後方より見た3DCT像．腕相撲にて受傷．後方に第3骨片が認められる．

B：プレート固定例
　正面像と側面像．本症例は第3骨片が後方に認められたために，上腕骨遠位部への後方アプローチにて，ロッキングプレートを使用し皮質骨スクリューとロッキングスクリューにて固定された．

CD：上腕骨遠位部への後方アプローチ
　上腕の中央後面より肘頭窩に向けて皮膚を切開する．（C）上腕の深筋膜を切開し表層筋である外側頭と長頭を鈍的に分け内側頭に達する．内側頭を中央で切開し上腕骨の後方に達する．（D）本症例では，プレートを橈骨神経の下方に挿入した．
　逆行性髄内釘（ IV-4EF など）を挿入する際にもこのアプローチは用いられる．肘頭窩の上方より挿入され，展開はプレート固定に比べ小さい．

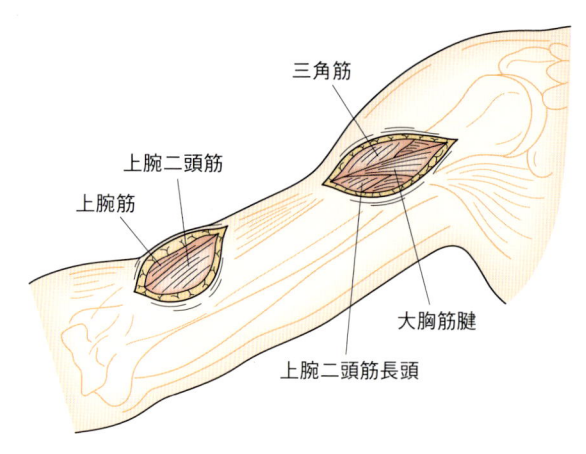

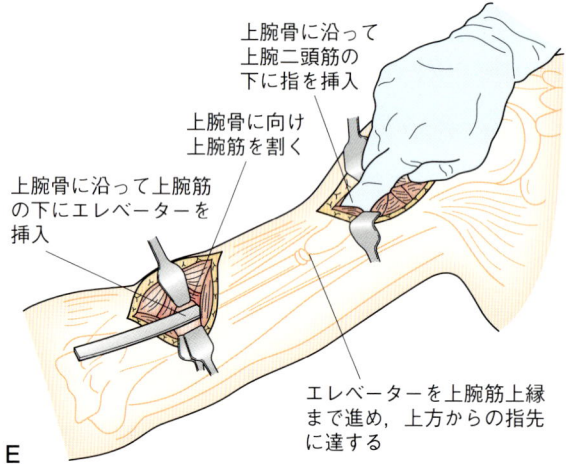

Ⅳ-5 つづき

E：上腕骨骨幹部への前方最小切開アプローチ

骨幹部中央1/3の骨折でプレート固定が行われる場合は，前方アプローチや前外側アプローチにより行われることが多い．粉砕骨折の場合も，架橋形成のためのプレート固定が行われることがあり，骨折部の血行温存のために MIPO（minimally invasive plate osteosynthesis）により行われることもある．皮膚切開は，三角筋胸筋溝に沿った縦切開と，上腕の遠位1/3で上腕二頭筋の外側縁に沿った縦切開を行う．深筋膜を切開し，近位は三角筋胸筋溝間で展開し三角筋と大胸筋の停止部を一部または全部切離し上腕骨へ達する．遠位では，上腕二頭筋を内側へよけて展開し上腕筋を鈍的に縦切し上腕骨へ達する．エレベーターにてプレートの進入路を確保する．

評価 evaluation of the fracture

1 保存療法

肩関節と肘関節に対し基本項目を評価する．上腕骨周囲の解剖学 Ⅳ-6 と骨折の高さより，肩関節か肘関節のどちらに障害を受けやすいかを予測する．骨幹部中央1/3より近位部の骨折では，肩甲上腕関節が制限されやすく，遠位1/3の骨折では上腕筋や上腕三頭筋の内側頭が影響を受け，肘関節の可動域制限を起こしやすい． Warp!! 評価の基本項目（p.43）

可動域測定では，骨折部の位置関係を確認し骨片間の離開に注意する．早期の肩甲上腕関節の可動域は，屈曲と伸展方向を評価する程度でよく，屈曲方向は stooping exercise Ⅲ-9 Ⅲ-20 Ⅳ-8AB を行いながら評価する方が安全である．受傷後早期に回旋可動域を測定することは，骨片間の異常可動性を惹起するため危険である．

骨幹部中央1/3の骨折では橈骨神経の損傷を疑い，遠位1/3の骨折では正中，尺骨，橈骨神経の損傷を念頭に置く．支配領域の感覚検査と筋力検査とを行う．骨折後早期の筋力検査は，筋収縮の有無を確認する程度でよい．

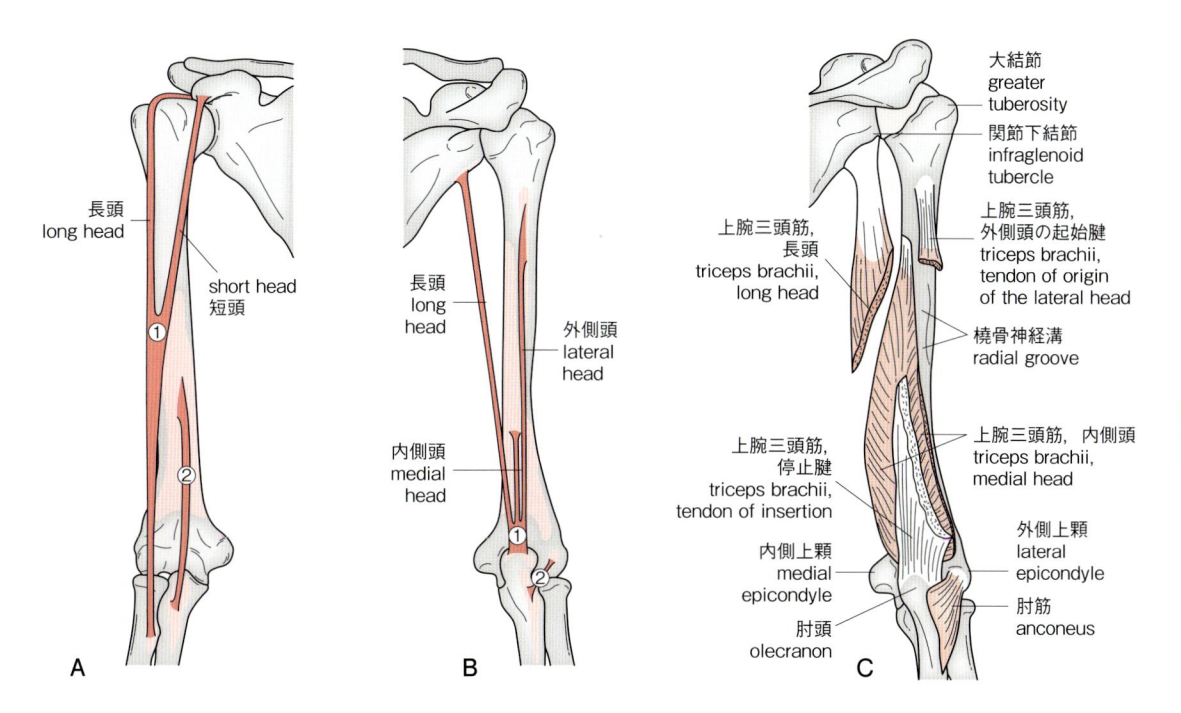

IV-6 上腕二頭筋，上腕筋，上腕三頭筋の起始と停止

A①：上腕二頭筋の起始と停止 長頭は肩甲骨の関節上結節と関節唇に起始し，短頭は烏口突起に起始する．停止は橈骨粗面と前腕の屈筋腱膜である．

A②：上腕筋の起始と停止 近位は三角筋粗面の高さから，遠位は関節包の上方から起始し，肘関節の前方関節包，鈎状突起，尺骨粗面に停止する．上腕筋も浅層線維と深層線維の二頭筋により構成されるとの報告[4]があり，深層線維と関節包とのユニットが拘縮をみる上でのポイントである．
筋腹は，上腕二頭筋と隣接し，停止部付近で内側は円回内筋と接し，外側は腕橈骨筋や長橈側手根伸筋と接している．その間には，動脈や神経が走行し，粗な結合組織と脂肪組織が存在する．

B：上腕三頭筋 長頭と外側頭の起始と停止 長頭は肩甲骨の関節下結節より起始し，外側頭は橈骨神経溝より上腕骨近位の背側面に起始する．この二頭が上腕三頭筋の表層筋であり，両筋が合流して共同腱を形成し，その後肘頭に停止する．

C：上腕三頭筋 内側頭の起始と停止 内側頭は，橈骨神経溝より遠位の上腕骨背側面に広く起始し，共同腱へ付着する線維と後方関節包へと付着する線維に分けられる．

　圧痛部位と組織の柔軟性を評価し損傷を受けている組織を推察する．特に，遠位1/3の骨折では，上腕筋と上腕三頭筋内側頭に対して丁寧に対応することが大切である．

　骨折部より遠位（肘関節から手指にかけて）で浮腫を認めることが多く，周径の推移を継時的に評価する．

　U字型副子やハンギングキャストが用いられた場合は，上腕骨の長軸と重力の方向が一致しているかを評価する IV-7．また，MP関節の運動が制限なくできるか手部のギプスの固定範囲を確認する．ギプスによりMP関節の運動が制限される場合には，整形外科医に報告し同部のトリミングを必要とすることもある IV-8CD．

　functional brace が用いられた場合は，stooping exercise ならびに肘関節の運動を阻害しないトリミングが行われているかどうかを評価する．行われていない場合は，整形外科医や義肢装具士と協議し，骨折部位に対するbraceの固定効果を損なわない程度にトリミングの範囲を模索する必要がある．

[4] Leonello DT, et al. J Bone Joint Surg Am. 2007; 89 (6): 1293-7.

各論 ● 上肢の骨折

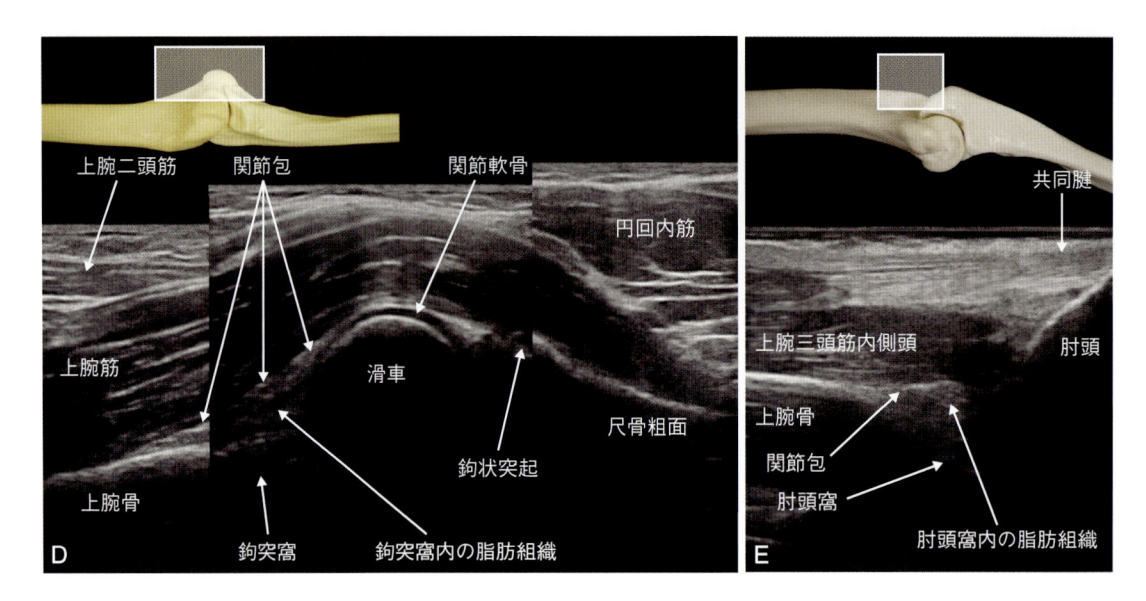

Ⅳ-6 つづき

D：上腕筋の停止部エコー像（肘関節伸展 0°）
　上腕筋は，滑車の頂点を中心として大きく弯曲し，関節包から尺骨粗面に付着している．約 30°屈曲位で上腕筋は上腕骨長軸と平行になるとされている[5]．

E：上腕三頭筋の停止部エコー像（肘関節屈曲 30°）
　上腕三頭筋の内側頭が，共同腱と肘頭，後方関節包へ付着する様子が観察される．

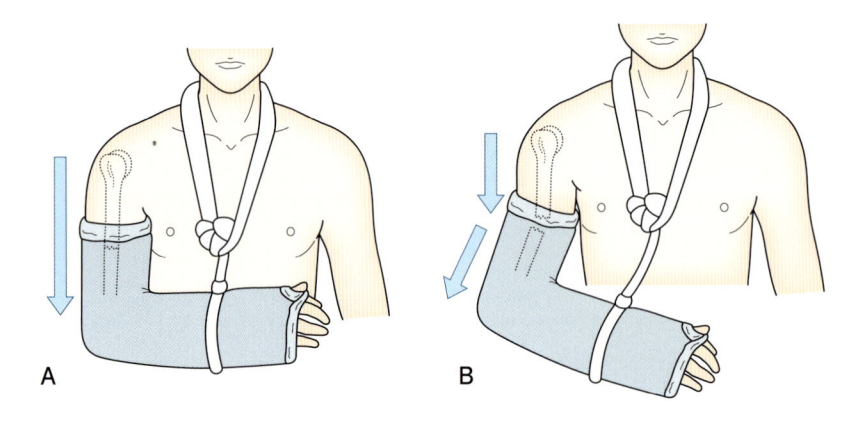

Ⅳ-7 U 字型副子やハンギングキャストを使用するにあたっての注意点　文献[6]より

U 字型副子やハンギングキャストが用いられた場合は，上腕骨の長軸と重力の方向が常に一致しているかが重要である．転位は手関節部と頚部との連結が不適切な場合に起こることが多く注意が必要である．U 字型副子の場合は，包帯の弛みにも留意し必要に応じて締め直しを行う．

[5] 林　典雄．運動療法のための機能解剖学的触診技術．メジカルビュー社；2011. p. 231-5.
[6] 整形外科リハビリテーション学会．整形外科運動療法ナビゲーション　上肢．メジカルビュー社；2008.

2 手術療法

　手術侵襲による影響を考慮し評価する．順行性の髄内釘が使用された場合は，上腕骨近位部骨折の手術療法の評価に準じる．　Warp!! 上腕骨近位部骨折の評価（p. 70）

　逆行性の髄内釘や後方アプローチによるプレート固定の場合には，皮切や進入路，上腕三頭筋の内側頭の癒着，瘢痕化を中心とした拘縮を予測し，肘関節の可動域，浮腫の状態，圧痛や組織の柔軟性を評価する．前方からのプレート固定の場合は，皮切や進入路と共に，上腕筋を中心に肘関節に対し基本項目を評価する．

運動療法 therapeutic exercise

1 保存療法

a．骨幹部中央 1/3 と同部より近位部の骨折

　ある程度の骨癒合が得られるまでは，固定法により手指，手関節，前腕の可動域を維持する．その際，可能な限り大きな範囲の自動運動を行わせ拘縮の予防に努める．特に，手指の全可動域における"手指を反らす"と"握り込む"練習は，患者さんにとって安心してできる運動の一つである IV-8CD ．

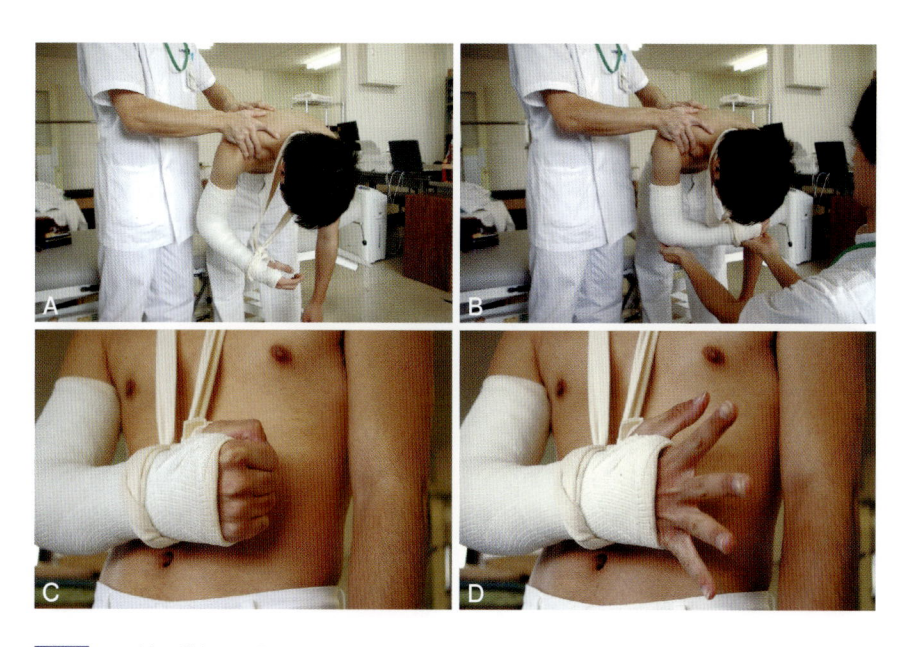

IV-8 ハンギングキャスト下での stooping exercise の注意点
A：肘関節が 90°に固定されているため，通常の通り上肢を下垂させると骨折部に外反力や回旋力が加わる可能性がある．
B：上腕骨の長軸と重力の方向が一致するように補助者の協力を得ることで，安全に行うことができる．
CD：浮腫や不動による二次的な拘縮を予防する．手指は完全に伸展し屈曲できる状態を目指す．特に，MP 関節が制限なく伸展できることが重要であり，これは橈骨神経麻痺を評価する上で重要な所見となる．前腕ギプス例も参照のこと IX-3 ．
　Warp!! ギプスを巻いたとき，巻き換え時の注意点（p. 168）

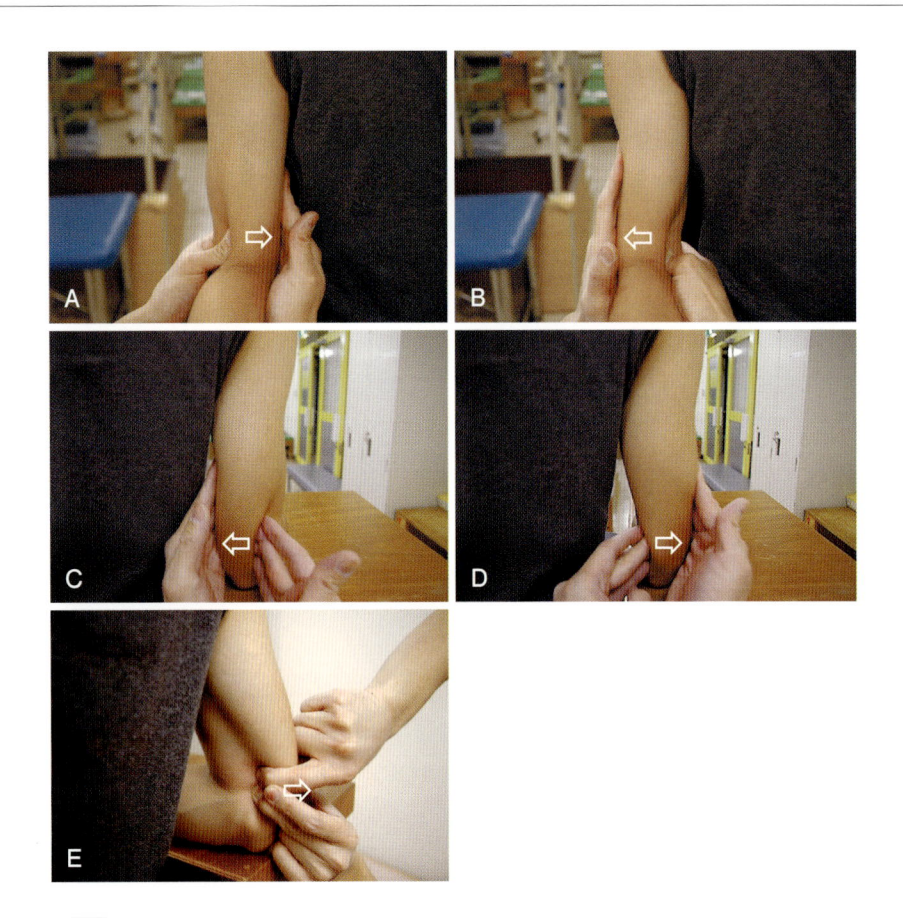

Ⅳ-9 上腕筋と上腕三頭筋内側頭に対するストレッチング

上腕筋に対するストレッチング
ＡＢ：上腕筋を触知し，同筋腹を内側と外側とへスライドさせ，筋の柔軟性と伸張性の維持を図る．
　　　特に，深層部を動かすように意識する．

上腕三頭筋内側頭に対するストレッチング
ＣＤ：上腕三頭筋内側頭へ，同様の操作を行う．
　Ｅ：内側頭を両側から把持し，つまみ上げることで筋の深層部や関節包の伸張性の維持を図る．

　骨癒合がある程度得られた後に，骨折部に転位がないことを確認しつつ，肩関節に対してstooping exercise Ⅲ-9 Ⅲ-20 を行う．Ｕ字型副子やハンギングキャストでは肘関節を90°で固定するため，外反力や回旋力が骨折部に作用しやすく注意を要する．セラピストの技術に不安があるときは，肩甲骨を固定する側と前腕を把持する側に分けて，2名で行うことを推奨する Ⅳ-8AB ．

　また，骨折による筋の柔軟性と伸張性，滑走性の低下を考慮し，肘関節には関節運動が起こらない程度で上腕筋と上腕三頭筋に等尺性収縮を行わせるとともに，ストレッチングを行い Ⅳ-9 肘関節の拘縮を可能な限り予防する．肘関節より遠位では浮腫が起こりやすいため，その管理が必要である．特にハンギングキャストでは，手指の二次的な拘縮を予防する Ⅳ-8CD Ⅸ-16 ．

　functional braceが用いられた場合は，骨折部の安定化のために痛みを伴わない範囲で，肘関節の自動または自動介助運動を行わせる．その場合には静脈還流を妨げない程度に締め直しを頻繁に行う．骨折部の骨癒合がある程度得られた後に，肘や肩関節の残

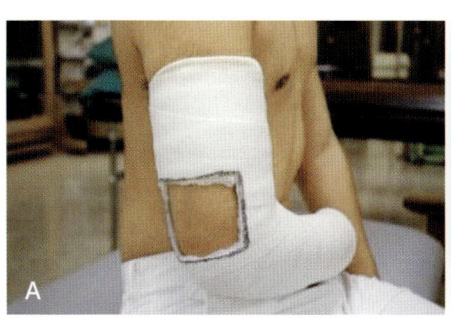

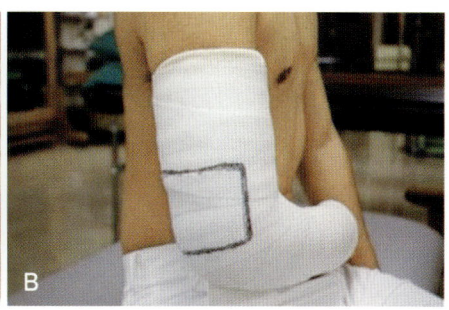

Ⅳ-10 ハンギングキャストの開窓
A：治療時のみ開窓し上腕三頭筋内側頭のストレッチングを行う．
B：普段は，閉窓し包帯などを巻いておく．

Skill　ハンギングキャスト下でのストレッチングの工夫

　ハンギングキャストが用いられた場合は，肘頭より近位に 5 cm ほどの場所を開窓し Ⅳ-10 上腕三頭筋へのストレッチング Ⅳ-9CDE を行います．ギプスの強度が低下するため開窓は片面だけにしています．上腕筋を行う場合は前方だけを開窓します．

Knowledge & Skill　肘関節固定下での上腕筋と上腕三頭筋内側頭のストレッチングの有用性

　林[7]は，上腕筋が終末伸展域で滑車を乗り越え内側へ移動すると報告しました．また，伊藤[8]は，上腕三頭筋の外側部の滑動の欠如は，意外なほど屈曲制限に関与すると述べています．
　エコーを使用してこれらの筋を観察すると，上腕筋の内側部は伸展に伴い徐々に滑車を乗り越え移動し Ⅳ-11AB ，さらに外側部では小頭の上を外側へ移動していました Ⅳ-11CD ．
　上腕三頭筋では，肘関節の屈曲に伴い内側頭の外側部が外側顆上稜を乗り越え，腹側へと移動していました Ⅳ-12AB ．また，内側部では屈曲位でも伸展位でも内側顆上稜を乗り越えており，特に屈曲位でその量は増加していました Ⅳ-12CD ．
　つまり，上腕筋は伸展運動に伴い遠位方向と内・外側へ，上腕三頭筋も屈曲運動に伴い遠位方向と内・外側へ広がる筋の柔軟性と伸張性，滑走性が必要であると考えられます．加えて，各組織間の滑走性が必要であると考えられます． Warp!! fascia の定義と構造（p. 25）
　したがって，上腕筋ならびに上腕三頭筋内側頭に対する筋収縮練習とストレッチング Ⅳ-9 を早期から行う必要があります．また，肘関節の拘縮を改善する際 Ⅴ-8 ～ Ⅴ-12 にも，上腕筋や上腕三頭筋の内側頭は治療のターゲットとなります．エコーで観察された動きを再現することが可動域改善のコツであり，それらの操作は関節包や脂肪組織への伸張にもつながると考えています．

存する拘縮を除去する． Warp!! 拘縮肩に対する運動療法（p. 91），肘関節周囲の浮腫管理（p. 120），手指の浮腫軽減例（p. 185）

b．遠位 1/3 の骨折

　前述の治療に加え，U 字型副子や functional brace など上腕筋や上腕三頭筋の内側頭

[7] 林　典雄．運動療法のための機能解剖学的触診技術．メジカルビュー社；2011．p. 231-5.
[8] 伊藤恵康．肘関節外科の実際．南江堂；2011．p. 296-7.

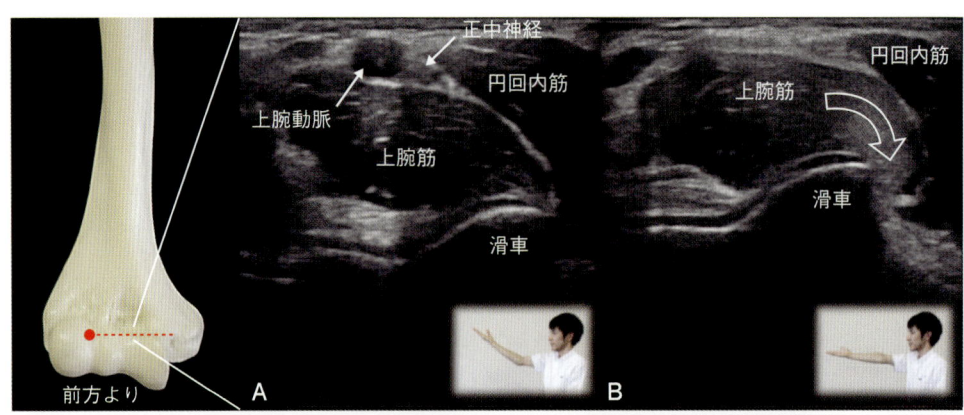

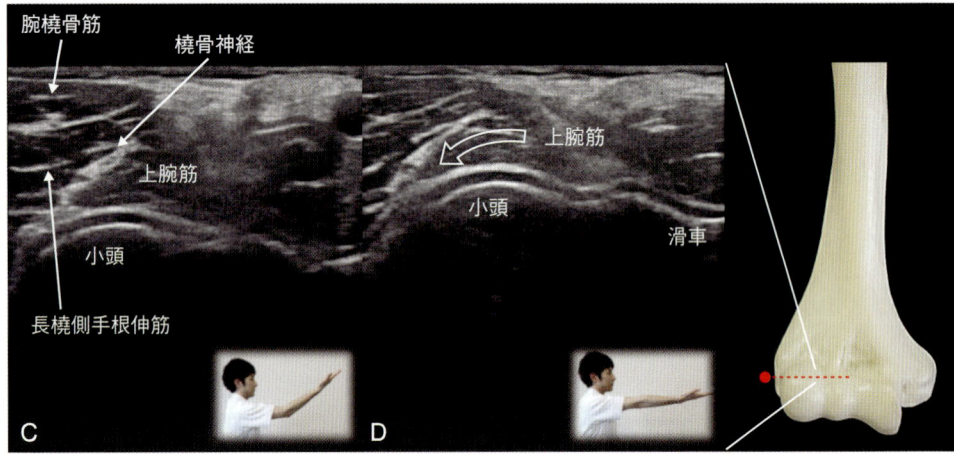

Ⅳ-11 肘関節運動に伴う上腕筋の動態

A：肘関節屈曲30°上腕筋の内側　上腕筋が，滑車上に観察される．
B：肘関節伸展0°上腕筋の内側　滑車の内側縁を乗り越える上腕筋が，観察される．
C：肘関節屈曲30°上腕筋の外側　上腕筋が，小頭上に観察される．
D：肘関節伸展0°上腕筋の外側　小頭の上を外側へ移動する上腕筋が観察され，それに伴い腕橈骨筋と長橈側手根伸筋が外側へ移動する様態が観察される．

を直接触れられる場合は，痛みが軽減し骨折部がある程度安定してきた頃より等尺性の筋収縮練習とストレッチングを行うことで柔軟性と伸張性の維持を図る Ⅳ-9 ．また，ハンギングキャストが用いられた場合は，ギプスの後方を一部開窓し上腕三頭筋への操作を行うことも有効な方法である Ⅳ-10 ．

2　手術療法

a．骨幹部中央1/3より近位で順行性髄内釘が使用された場合

上腕骨近位部骨折の治療に準じる．　Warp!! 上腕骨近位部骨折の運動療法（p.79）

b．骨幹部中央1/3より遠位で逆行性髄内釘やプレートによる固定が行われた場合

骨折と手術侵襲による影響で，肘関節周囲は高度な浮腫を呈することが多く，その管理が重要である Ⅳ-13 ．さらに，皮下組織の滑走練習も開始する Ⅲ-18 ．

固定性がよい場合は，保存療法で述べた治療に加え，肘関節の自動運動を開始する．手術侵襲部は筋の柔軟性や伸張性，組織間の滑走性の低下が予測されるため，上腕筋

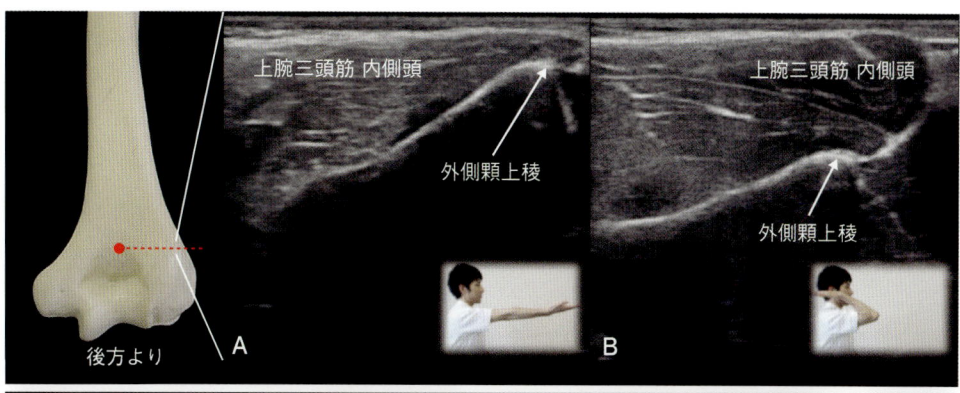

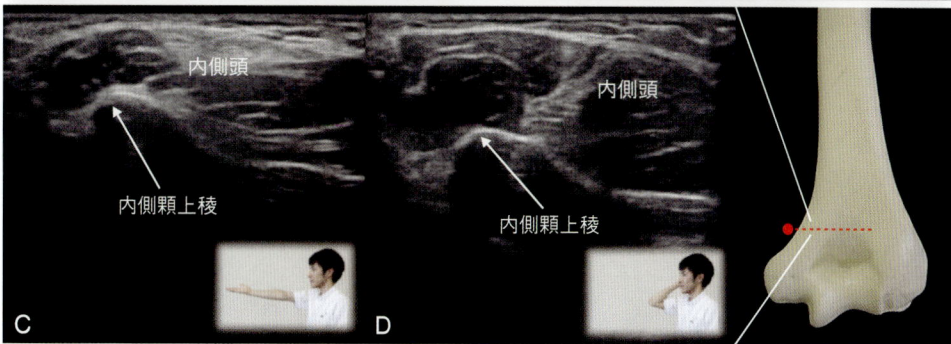

Ⅳ-12 肘関節運動に伴う上腕筋三頭筋の動態

A：肘関節伸展 0°での上腕三頭筋内側頭の外側部
　　（外側上顆より 1 cm 程度近位の外側顆上稜で撮影）
B：最大屈曲位での内側頭外側部の動態
　　内側頭の外側部が，伸展位から屈曲に伴い大きく上稜を乗り越えるのが観察される．
C：肘関節伸展 0°での内側頭の内側部
　　（内側上顆より 1 cm 程度近位の内側顆上稜で撮影）
D：最大屈曲位での内側頭内側部の動態
　　伸展位ですでに上稜を乗り越えており，屈曲によりさらに上稜を乗り越え前方移動量は大きくなる．

と上腕三頭筋内側頭の反復収縮や，筋のストレッチングを行う V-8 ～ V-11．特に，両筋の深部組織 Ⅳ-6DE Ⅳ-11 Ⅳ-12 の柔軟性と伸張性の改善は重要であり，これらの回復が肘関節の可動域改善を大きく左右する． Warp!! 筋収縮練習とストレッチングのコツ 1 (p. 36)，2（p. 187）

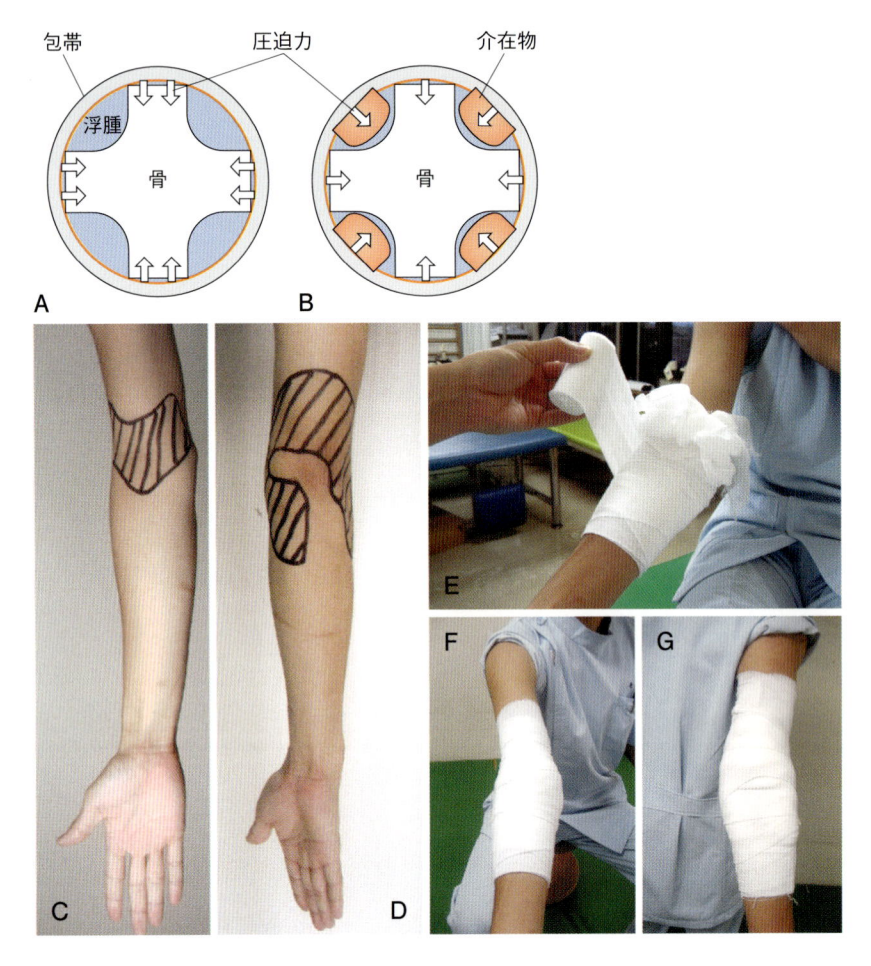

Ⅳ-13 肘関節周囲の浮腫管理 文献❾より

A: 浮腫の軽減のために包帯を巻くと，その圧迫力は隆起部に作用する．
B: 介在物を凹部に置き，圧迫力が均等に作用するようにする．
CD: 肘関節周囲の圧迫部位
　　骨の隆起部や筋の膨隆の少ない箇所に，介在物としてガーゼを置く．
E: 治療の時間以外は，弾力性の低い包帯を使用している．末梢より包帯を置く程度の圧迫力
　　で巻きあげる．
F: 前方より　G: 後方より

Skill　浮腫管理の実際

　骨折後の浮腫は，局所性の浮腫（localized edema）であり，皮下組織への急激な体液の貯留によって引き起こされます．同時に浮腫自体が拘縮の原因の1つとなります．

　急激な体液の貯留は，皮膚や皮下組織をある程度伸張した状態とするため，関節可動域を制限することになります．制限以上に他動的に動かそうとすれば疼痛の原因ともなりえます．このような浮腫を dressing 等で軽減，除去することで，即時的に可動域の改善が得られることをよく経験します．

　実際の浮腫管理は，毎回の治療開始時に伸縮性の高い弾力包帯とガーゼを用いて〔体幹・下肢編（1版）p. 83 Ⅱ-7〕浮腫の改善を行います．それ以外の時間は，弾力包帯を伸張性の低いものに変更し浮腫の予防を行います Ⅳ-13 ．

　皮膚に問題があったり，褥瘡の危険がある場合は，必ず整形外科医に確認し施行する必要があります．

---

❾松本正知. 骨関節理学療法学. 奈良　勲，監修. 医学書院；2013. p. 19-50.

上腕骨遠位部骨折
fracture of the distal humerus

概要 · general remarks

1 小児の骨折

a. 上腕骨顆上骨折（supraepicondylar fracture）

　幼児から小児期に多い骨折であり，男児が女児の2倍の発生頻度と報告されている．Gartlandの分類[1]や受傷機転によるTachdjianの分類[2]が用いられることが多い．受傷機転として，転落や転倒によることが多く，伸展骨折が大部分を占める．屈曲骨折はまれとされている．

　従来より，徒手整復後のギプス固定や牽引療法をはじめとした保存療法が原則とされてきたが，近年は整復後に経皮的なpinning固定を第一選択とする報告が多い[3]．

　合併症として，Volkmann拘縮は忘れてはならない V-1 ．

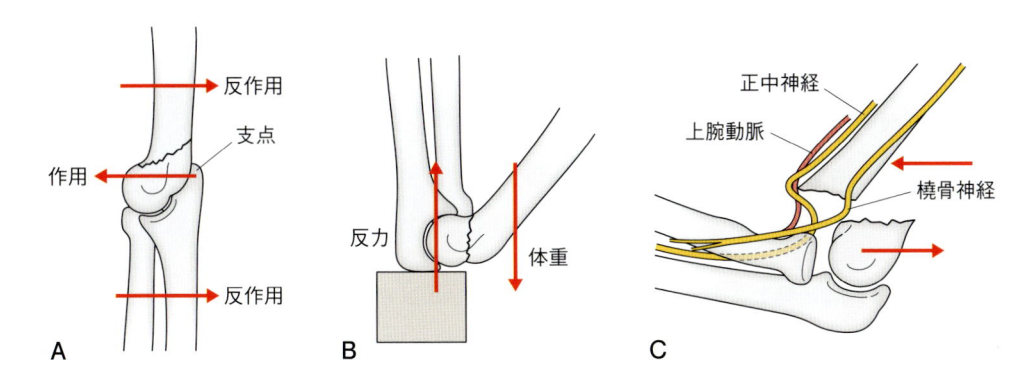

V-1 上腕骨顆上骨折の受傷機転とVolkmann拘縮の発生機序

A：伸展骨折
　転倒や転落の際，肘関節を伸展した状態で手をつき，肘頭付近が支点となり遠位骨片が後方へ転位する．

B：屈曲骨折
　肘関節を屈曲位にて転倒や強打し，骨片が前方へ転位するとされている．

C：Volkmann拘縮の発生機序
　伸展骨折などで遠位骨片が後方へ転位すると神経や血管損傷の可能性がある．古典的な阻血の症状として，5P兆候（pain：疼痛，pallor or paleness：蒼白，paresthesia：感覚異常，paralysis：運動麻痺，palsy：感覚麻痺）や，pulselessness：脈拍消失を加えた6P兆候が知られている．この他に，手指の他動伸展に伴う激痛を認めることがある．しかし，これらの症状を全て認めるものは重症例である．

---

[1] Gartland JJ. Surg Gyn Obst. 1959; 109: 145-54.
[2] Tachdjian MO. Pediatric Orthopaedics. WB Saunders; 1972. p. 1566-631.
[3] 田嶋　光. 関節外科. 2012; 31（10）: 70-9.

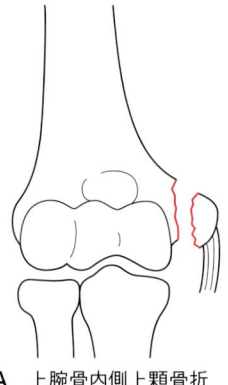

A 上腕骨内側上顆骨折
AO/OTA 分類 13A1.2
AO 小児骨折総合分類
13-M/7m

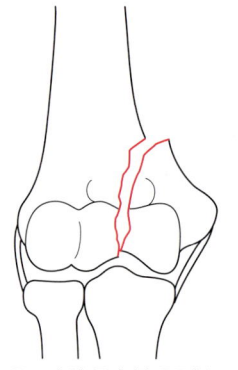

B 上腕骨内側顆骨折
AO/OTA 分類 13B1.2
AO 小児骨折総合分類
13-E/4.1m

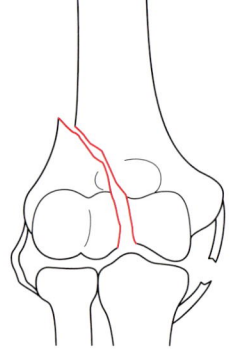

C 上腕骨外側顆骨折
AO/OTA 分類 13B1.1
AO 小児骨折総合分類
13-E/4.11

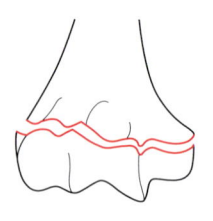

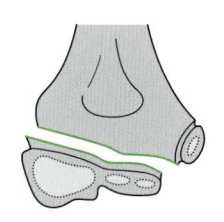

D 上腕骨通顆骨折
AO/OTA 分類 13A2.3（上）
AO 小児骨折総合分類
13-E/1.1（下）

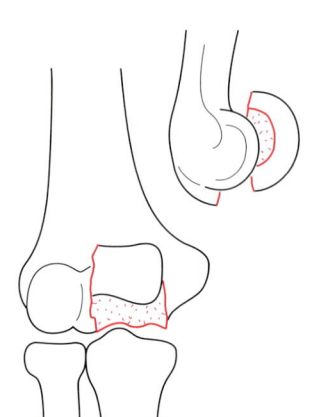

E 上腕骨滑車骨折
AO/OTA 分類 13B3.2

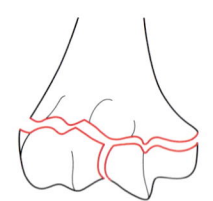

F 上腕骨遠位部 T 型骨折
AO/OTA 分類 13C1.3

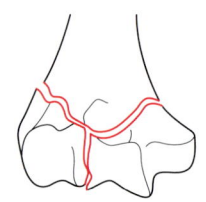

G 上腕骨遠位部 Y 型骨折
AO/OTA 分類 13C1.1
AO 小児骨折総合分類
13-E/4.2

V-2 上腕骨遠位部骨折の AO の分類 文献❹より

b. 上腕骨内側上顆骨折（fracture of the medial epicondyle of the humerus）

　小・中学生に好発し，内側上顆に付着する屈筋群や内側側副靱帯を介した牽引力が作用することによる裂離骨折 V-2A が多い．関節外骨折であり，本骨折では Watson-Jones 分類[5]が用いられることが多い．特殊な例として，繰り返される投球動作等により骨端部が離開するリトルリーガーズエルボー（little leaguer's elbow）も覚えておきたい病態である．
　転位が 3 mm 程度までの場合は保存療法の適応とされている．裂離骨片が関節内へ嵌入する場合は，手術療法の適応とされている．

c. 上腕骨内側顆骨折（fracture of the medial epicondyle of the humerus）

　非常にまれな関節内骨折で，滑車の一部あるいは全部と内側上顆全体を含む骨折であ

❹Muller ME, 他．骨折手術法マニュアル　AO 法の実際．改訂第 3 版．シュプリンガー・フェラーアーク東京；1995. p. 132-3.
❺Watson-Jones. Fractures and joint injuries. 6th ed. Churchill-Livingstone；1982. p. 628-9.

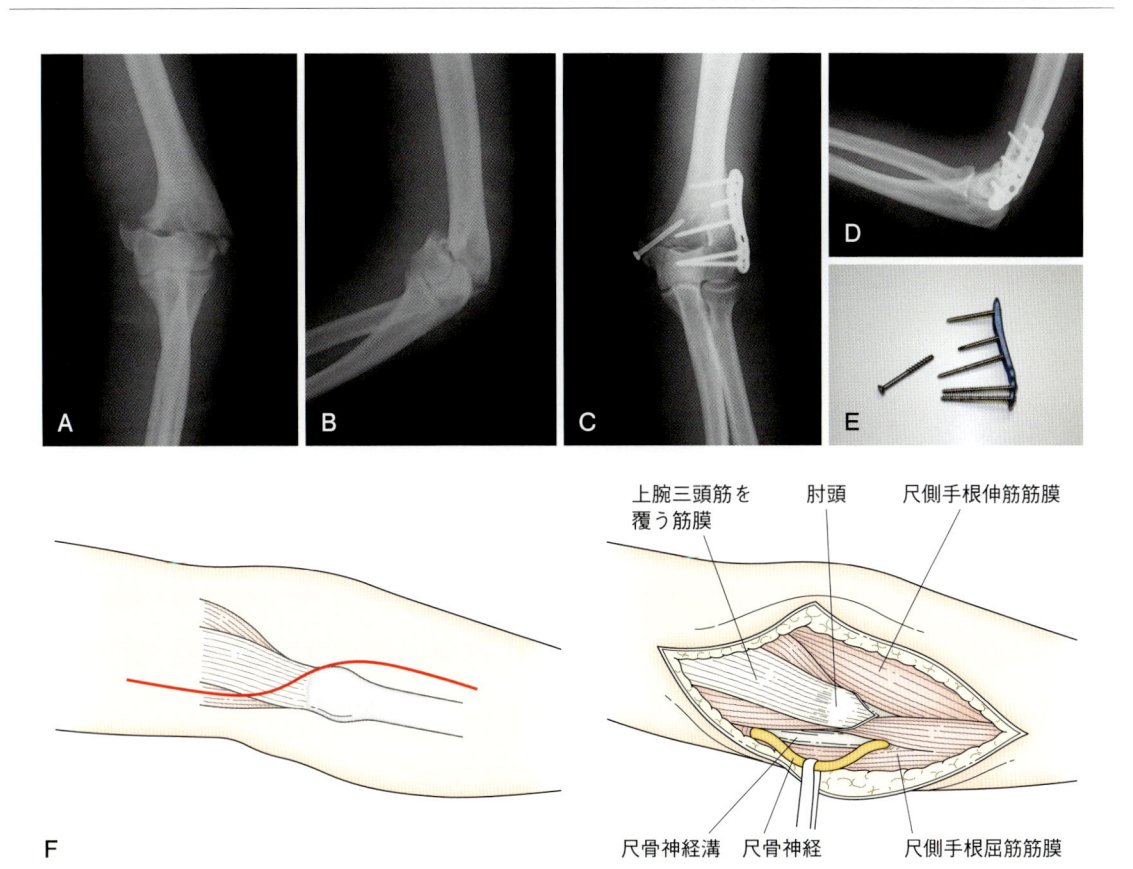

V-3 上腕骨通顆骨折例

A：正面像（左側） B：側面像 C：手術後正面像
D：手術後側面像 E：使用されたプレートとスクリュー
　外側はプレートにより，内側は cannulated screw により固定された．
　プレートと骨折部との間に隙間が認められる．特に屈曲可動域の改善に難渋した症例である．
F：肘関節への後方アプローチ（右肘後方より）文献❽より
　肘関節後方で縦に皮膚切開を加え，肘頭を通過しないように橈側にカーブをさせる皮膚切開が一般的である．尺骨神経を内側によせることで保護し，上腕三頭筋内側頭の内外側より骨折部に達する．

る V-2B ．関節内骨折の原則に沿って観血的に解剖学的整復を行い pinning や tension band wiring による内固定が行われることが多い．

d. 上腕骨外側顆骨折（fracture of the lateral epicondyle of the humerus）

　幼児から小児期に多い骨折である．関節内骨折であり，そのほとんどが転倒した際の外力が作用して骨折に至る V-2C ．Milch 分類❻や Wadsworth 分類❼が用いられ，転位が少ない場合を除いて，多くは手術療法が適応となる．整復不良に伴う変形治癒による外反変形とともに，遅発性橈骨神経麻痺に注意が必要である．

e. 上腕骨遠位骨端離開（epiphyseal separation of the distal humerus）

　成人の通顆骨折に相当し，好発年齢は分娩外傷を含む新生児期から幼児期とされている（ V-2D 下）．この年齢では，骨端核が外顆核しか認められないため，診断が難しいとされている．

---

❻Milch H. J Trauma. 1964; 4: 592-607.
❼Wadsworth TG. Clin Orthop. 1972; 85: 127-42.
❽Hoppenfeld S, et al. 整形外科医のための手術解剖学図説．原著第4版．寺山和雄，他監訳．南山堂; 2011.

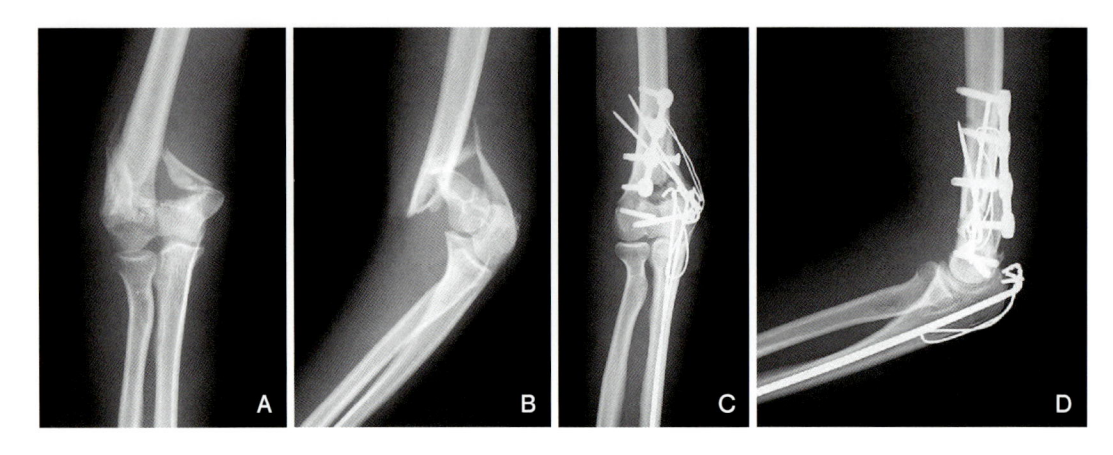

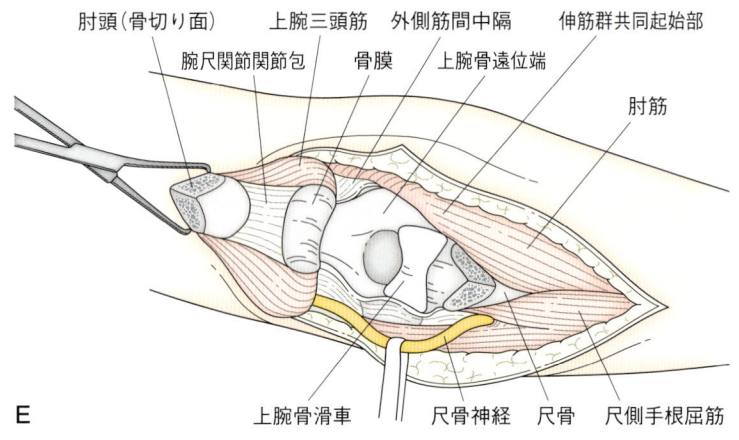

V-4 上腕骨遠位部粉砕骨折例

A：正面像　B：側面像
　　滑車と小頭の間で関節内骨折があり，骨幹部に多数の骨片が認められる．AO 分類 C2 型と考えられる．
C：術後正面像　D：術後側面像
E：肘関節への後方アプローチ（右肘後方より）（文献❽より）
　　肘関節への後方アプローチにて展開し肘頭部の骨切りを行う．その後，上腕三頭筋を近位部に反転する．整復と固定操作の終了後，Zuggurtung 法（tension band wiring 法）により肘頭骨切り部を再度固定する．

内外側からの pinning により固定されることが多いが，内反変形などの変形治癒を残しやすい骨折とされている．

2 成人の骨折

f. 上腕骨滑車骨折（fracture of the trochlea of the humerus V-2E），上腕骨小頭骨折（fracture of the capitellum of the humerus）

骨軟骨片が小さい場合は摘出し，大きい場合は Herbert screw Ⅶ-3 Ⅹ-9 などで強固に固定される．一般的に成人の骨折では AO/OTA 分類が用いられることが多い．固定性が良好であれば，術後 1〜2 週頃より運動療法を開始する．　Warp!! AO/OTA 分類と長管骨の骨幹部，近位部，遠位部の分類（p.4）

g. 上腕骨通顆骨折（transcondylar or dicondylar fracture of the humerus）

高齢者の女性に多く，骨粗鬆症との関連が指摘されている（V-2D 上）．手術療法 V-3 が推奨されている．

h. 上腕骨遠位部T・Y型骨折（T or Y shaped fracture of the distal humerus），上腕骨遠位部粉砕骨折（multifragmentary fracture of the distal humerus）

典型的なT・Y型骨折 V-2FG はまれで，転落やスポーツ外傷など強大な外力が作用した際に受傷することが多い．特に粉砕骨折の場合は治療に難渋する骨折の一つで，肘関節の機能障害を残しやすい V-4 ．

a～eの骨折は小児の骨折であり，自動運動のみで関節可動域は順調に回復することが多い．よって，本章では成人の骨折で，特に難渋することの多いg，hの手術療法後の運動療法について解説する．

整形外科的治療 ● orthopedic procedure

長野[9]は，上腕骨遠位部を4つに区分し V-5 ，手術療法におけるポイントを，medial columnとlateral columnとtrochlea（滑車）から構成される三角形の再建と固定，肘頭窩と鉤突窩の維持，関節面の正確な整復が重要と述べている．近年は，保存療法による成績不良例が多いことから手術療法を勧める報告が多い．

① 上腕骨通顆骨折

一見安定した転位のない骨折でも，経過とともに不安定となりやすく偽関節を生じやすい骨折である．強固な内固定が必要とされている．tension band wiringやプレートが用いられることが多い．

② 上腕骨遠位部T・Y型骨折

粉砕骨折の場合は，関節面の正確な整復後に，顆部・顆上部との連結が行われる．K-wire，tension band wiring，スクリュー，プレートを複合的に用い内固定が行われる V-6 ．手術後であっても不安定性が懸念される場合には，ギプスや副子にて外固定が行われる．

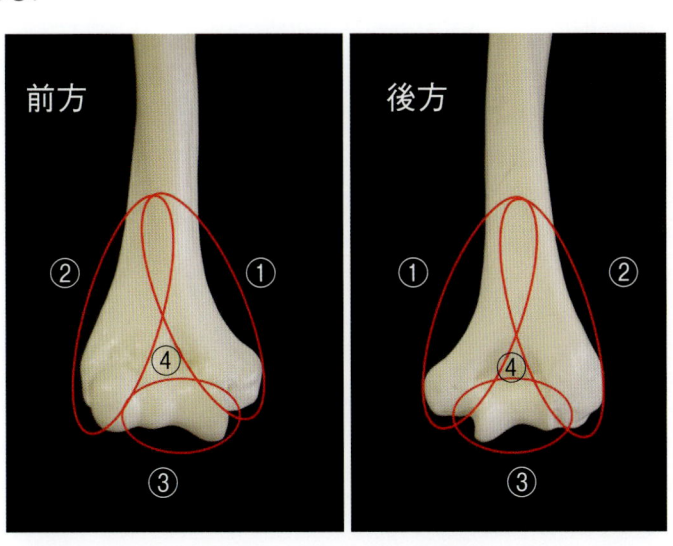

V-5 上腕骨遠位部の手術における解剖学的に重要なポイント
①medial column ②lateral column ③trochlea ④肘頭窩と鉤突窩

[9]長野博志. Mb Orthop. 2010; 23 (11): 37-44.

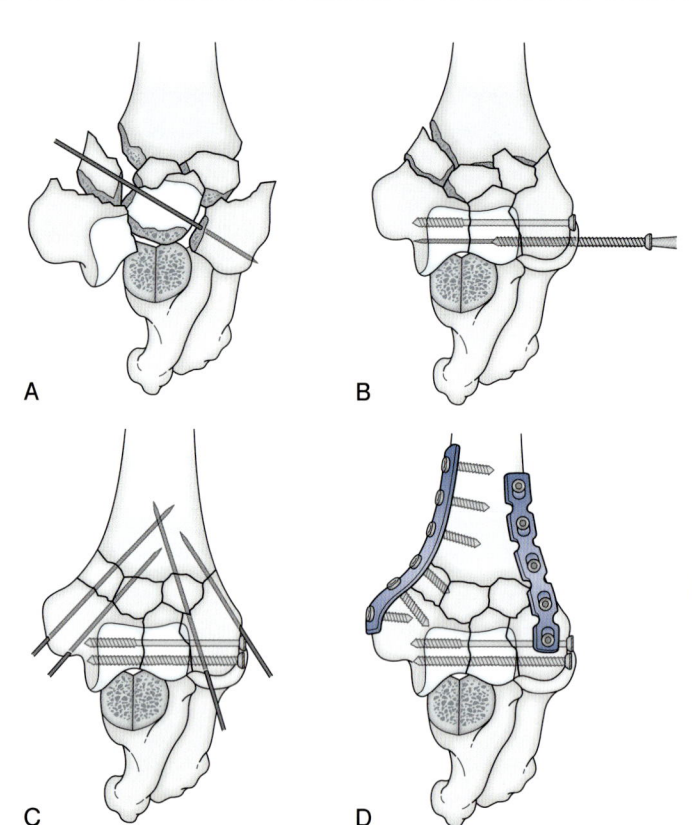

V-6 上腕骨遠位部粉砕骨折の手術療法
文献④より

AB：関節面を可能な限り正確に，強固に固定する．
CD：関節面の整復・固定後に粉砕部をまとめ，プレートなどで固定する．肘頭部は，tension band wiring により再固定される．

評価 evaluation of the fracture

　肘関節に対し基本項目を評価する． **Warp!!** 評価の基本項目（p. 43）
　画像評価として，レントゲン像だけでは骨片の転位や粉砕の状態を把握することが難しいため，CT 画像を確認する必要があり，特に 3DCT が有用である．遠位骨片が後方へ転位している場合は，肘関節の前方組織が後方組織に比べ，損傷されている可能性が高い．
　通顆骨折では，遠位骨片の回旋や前方傾斜の程度について，主治医に確認しておく．
　また，遠位部粉砕骨折の場合は，関節面の整復状態もあわせて確認する．整復状態が不安定な場合は外固定が長期化するため，拘縮は必発である．予め拘縮の要因となる各組織を予測しておくと良い．
　外固定が行われた場合は，肩関節や手指の可動域，筋力，感覚，疼痛などを評価しておく．
　外固定が行われない場合やその除去後は，肘関節に対し基本項目を評価する．
　carrying angle は，肘関節を伸展し前額面での上腕骨長軸と前腕骨軸のなす角度であり，男性は 5°，女性では 10°〜15°程度とされている．可動域評価に際しては，肘関節の可動域の測定に加え，この carrying angle と屈曲時の上腕に対する前腕の偏位を評価する **V-7** ．健側にて患側肘関節の前腕の偏位を推察するとともに，前腕の回旋角度の評価も併せて実施する． **Warp!!** 前腕の回旋可動域測定のコツ（p. 145）

---

⑩ Kapandji IA. Grant's Method of Anatomy. 10th ed. William & Wilkins Company; 1980. p. 329.

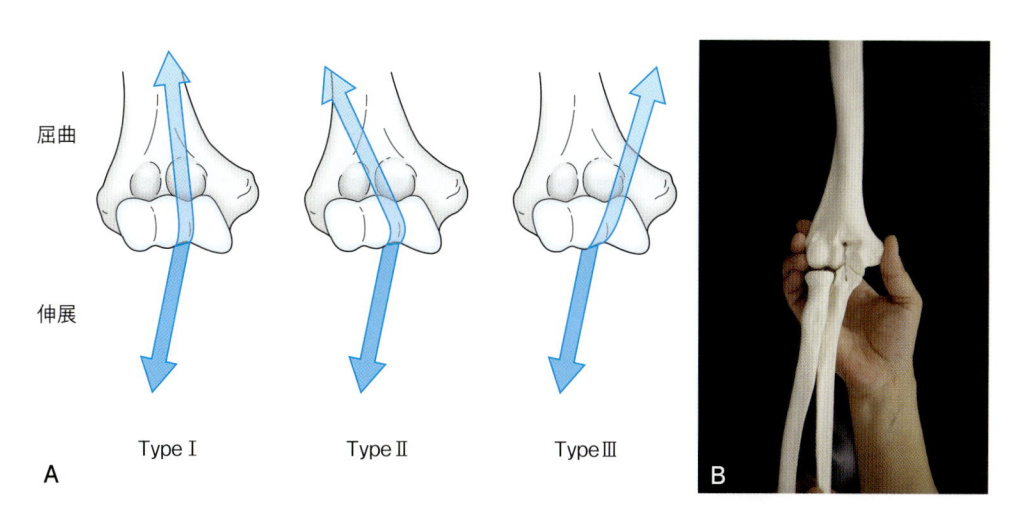

V-7 中心溝のタイプの違いによる前腕の偏位と carrying angle

A：上腕に対する前腕の偏位
滑車の中央溝と滑車切痕の隆起により上腕に対する前腕の偏位が決定される．（文献⑩より改変）
Type Ⅰ：屈曲により上腕と前腕が一致するタイプ
Type Ⅱ：前腕が外方へ偏位するタイプ
Type Ⅲ：前腕が内方へ偏位するタイプ

B：carrying angle の測定時のコツ
上腕に対する前腕の偏位や carrying angle の測定では，外側上顆と内側上顆を結ぶ線が，床面に対し水平になるようにして測定すると計測しやすい．

骨折部周囲は，正中，尺骨，橈骨神経が走行しているため，支配領域の感覚と筋力を評価する．特に，顆上骨折，通顆骨折，粉砕骨折などの伸展型骨折では，遠位骨片が後方へ転位すると神経や血管損傷の可能性がある．Volkmann 拘縮や急性コンパートメント症候群，またそれに至らない状態も臨床では経験するため，レントゲン画像との対比を行い，筋の圧痛と柔軟性も併せて評価し，筋と神経損傷の程度を推察する．特に，正中神経の運動枝である前骨間神経の麻痺は，感覚障害がなく長母指屈筋と示指の深指屈筋の麻痺により母指と示指の DIP 関節の屈曲ができなくなるため見逃してはならない．母指と示指とで，つまみ動作を指示すると円形ではなく「涙のしずくサイン」となるのが特徴で麻痺の早期発見に役立つ． **Warp!!** 急性コンパートメント症候群に至らない状態 (p. 14)

また，通常は高度な浮腫を呈することが多く，周径を経時的に確認するとともに浮腫対策を徹底する Ⅳ-13 ．

浅野⑪は，皮下の癒着が肘関節の屈曲制限の第1因子であった例を報告しており，術後の症例においては皮下の癒着の評価を忘れてはならない．

運動療法 therapeutic exercise

外固定が行われている間は，肩関節と手指の可動域を維持する．また，内固定が安定していれば上腕筋や上腕三頭筋内側頭のストレッチング Ⅳ-9 や，軽い等尺性収縮を行わせ筋の柔軟性と伸張性の維持を試みる．

外固定が行われない場合，また外固定の除去後は，徹底した浮腫の管理と可動域練習

---

⑪浅野昭裕. 整形外科リハビリテーション学会学会誌. 2007; 10: 88-91.

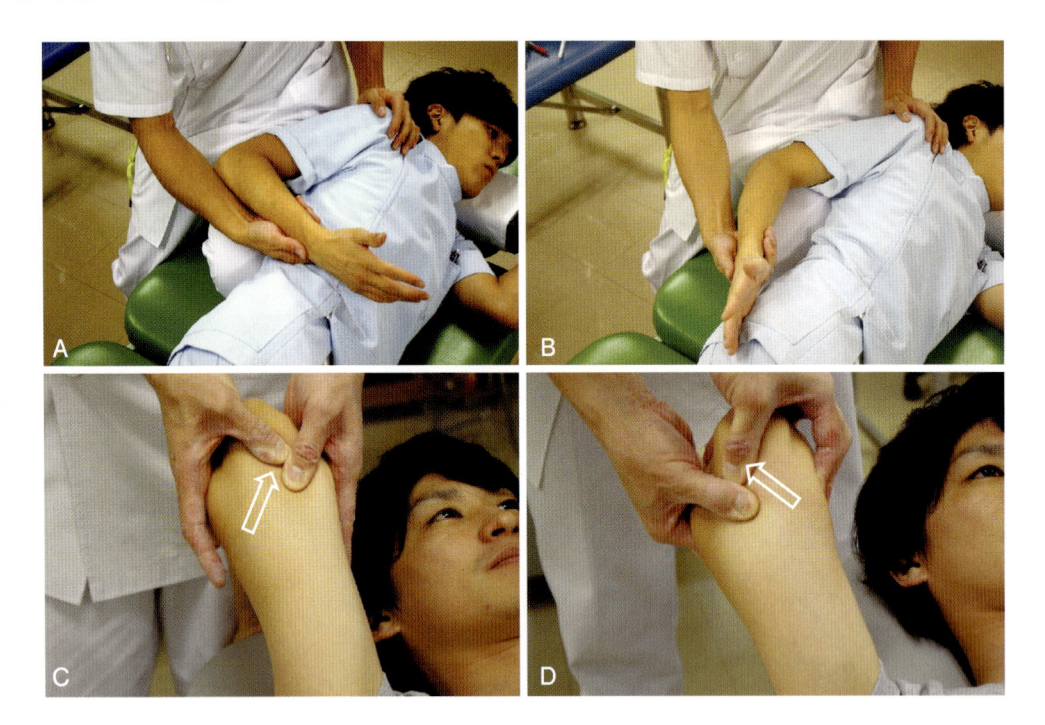

V-8 上腕三頭筋のストレッチング
A：肩関節を伸展位とし，肘関節を可能な限り屈曲位から伸展を行わせる．（文献⓬より）
B：最終域で等尺性収縮を行わせ筋収縮距離の改善を図る．（文献⓬より）
CD：肘関節の屈曲に伴い上腕三頭筋内側頭の外側部が外側顆上稜を乗り越え Ⅳ-12AB ，内側部が内側顆上稜を乗り越える Ⅳ-12CD ようにストレッチングを行う．

を継続する． relation 浮腫管理の実際（p. 120）

　早期の可動域練習は，自動運動や自動介助運動より開始する．骨癒合や固定性の状況にあわせて，個々の筋に対し筋収縮練習を行い，組織間滑走の改善とともにストレッチングを行い，柔軟性と伸張性の改善をはかる V-8 V-10 V-11 ． Warp!! 筋収縮練習とストレッチングのコツ 1（p. 36），2（p. 187）

　骨癒合の経過を整形外科医と協議し，他動運動の開始時期についても検討する．しかし，肘関節に対する猛撃矯正は，微細血管や軟部組織の損傷により異常仮骨の形成や骨化性筋炎となる恐れがあり，絶対に行ってはならない． Warp!! 肘関節可動域改善のコツ（p. 129）

　肘関節の可動域の拡大に伴い，最大屈曲位，中間位，最大伸展位での前腕の回旋可動域の拡大も行う Ⅷ-9 Ⅷ-10 ．

　関節包や靱帯の伸張が必要な場合には徒手的な操作だけでなく，装具を用いた持続伸張も有効な手段である V-12 ．

　Morrey[⓭]らは日常生活に必要な屈曲と伸展の可動域を−30°〜130°，回内と回外の可動域を 80°と報告しており，この可動域の獲得が一つの目標と考えている．また，重度な拘縮を伴いやすい肘関節周囲の骨折では，食事や更衣，整容動作の獲得のために屈曲可動域の改善を優先すべきと考える[⓮]．

⓬松本正知．骨関節理学療法学．奈良　勲，監修．医学書院；2013．p. 19-50.
⓭Morrey BF, et al. Am J Sports Med. 1983; 11: 315-9.

Opinion & Skill 肘関節可動域改善のコツ

　骨折後の肘関節は，可動域制限を起こしやすく，その改善に難渋します．今でも試行錯誤の連続です．5年が経過し肘関節に対する考え方で進歩したことは，骨折型とそれに伴う変形治癒を，まず3DCTで評価し次にエコーで評価することで，獲得可動域の予測を理論的に行うことです．肩関節と同じ考え方です．

　肘関節は，一軸性の関節です．骨の変形による影響は大きいと思われます．したがって，滑車の位置関係による肘関節の可動方向と V-7，肘頭窩と鈎突窩の変形や閉鎖 V-5 V-13 による可動域の制限は，見極めなければなりません．それを無視した無理な可動域練習や，長期にわたる運動療法の継続は避けられるべきです．セラピストのできることは，軟部組織にアプローチすることですから，その前の段階を見極めることが重要です．

　その上で，以下に示す筋や靱帯，関節包に対しアプローチすることが重要と考えます．

屈曲方向への可動域改善のコツ

　骨癒合の状態にあわせて，上腕三頭筋内側頭と外側頭に対し選択的な筋収縮を行わせます．最初は自動介助運動から開始し，徐々に自動運動へと進めます V-8AB． Warp!! 筋収縮練習とストレッチングのコツ1（p.36），2（p.187）

　上腕三頭筋内側頭の外側部 IV-12AB は，伸展位から屈曲に伴い外側顆上稜を乗り越え前方へ移動します．また内側部 IV-12CD は，すでに伸展位で内側顆上稜を乗り越えており，屈曲位でその前方移動量は大きくなります．これらのエコー像で観察された筋の動きを再現することが，ストレッチングのコツとなります．よって，遠位方向へのストレッチングに加え V-8CD，筋の深層部を骨から削ぎ取るようにストレッチング IV-9 を組み合わせて行うようにすると効果的です．またプレート固定が行われた場合は，プレート自体を内側頭が乗り越える必要があり，より多くの伸張性と柔軟性が必要となります．

　関節包や靱帯の周囲にはそれを取り巻くように脂肪組織が存在しています IV-6DE VI-8A．可動域の改善には，後方関節包と内側側副靱帯の後斜走線維（POL: posterior oblique ligament），そしてこれらを取り巻く脂肪組織の柔軟性と伸張性，滑走性の改善が重要です．これらへのアプローチは前述した筋へのアプローチの後，筋が可動域の制限とならないことを確認した後に行います VI-8BCDE．

伸展方向への可動域改善のコツ

　エコーによる長軸方向の観察で上腕筋の遠位部は，伸展に伴い滑車を頂点として大きく弯曲します IV-6D．また短軸方向の観察で内側は滑車を乗り越え IV-11AB，外側部は小頭上を外側へ移動します IV-11CD．これらの弯曲と広がりを再現するようにストレッチングを行うことが可動域改善の1つ目のコツと考えます．

　上腕筋の周囲には，内側に円回内筋 IV-11AB，外側には腕橈骨筋や長・短橈側手根伸筋が位置します IV-11CD．円回内筋の上腕頭は内側上顆より起こり上腕筋の腹側で弯曲し V-9，橈骨中央へ向かいます．したがってその柔軟性と伸張性も必要となります．また，これらの筋と上腕筋の間には，脈管系と神経が走行しており，粗な結合組織と脂肪組織が筋間に存在します．したがって，これら全ての柔軟性と伸張性を改善した後に V-10，上腕筋へのアプローチ V-11CDE，前方関節包へアプローチをすることが伸展方向への可動域改善の2つ目のコツと考えます V-11F． Warp!! fasciaの定義と構造（p.25）

⑭浅野昭裕．運動療法に役立つ単純X線像の読み方．メジカルビュー社；2011．p.108．

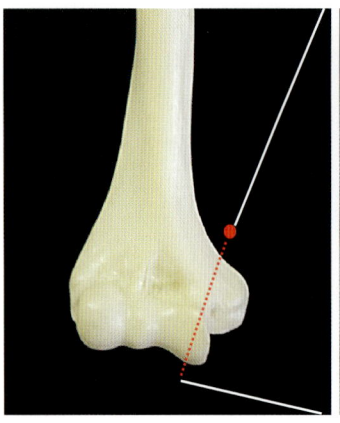

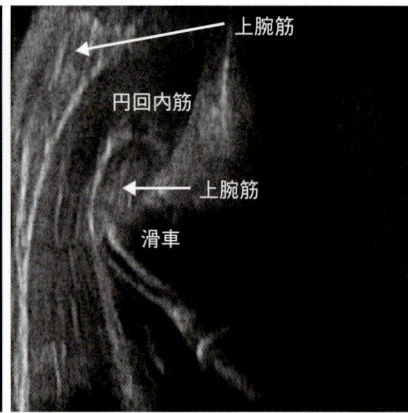

V-9 伸展位での円回内筋の動態
肘関節の終末伸展時に大きく弯曲する円回内筋が観察される．

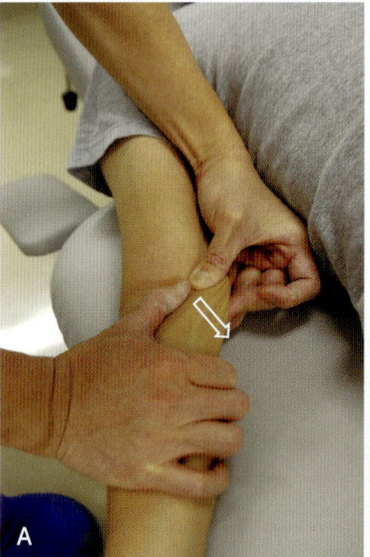

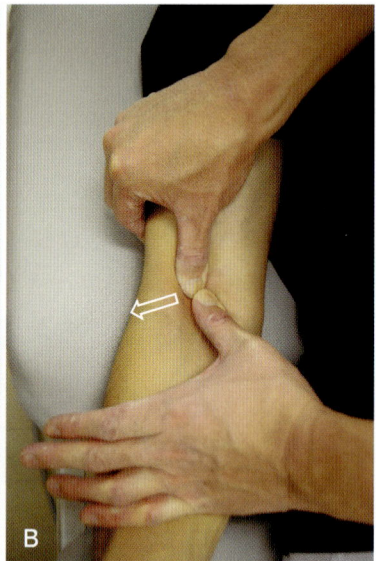

V-10 円回内筋，腕橈骨筋と長橈側手根伸筋のストレッチング
A：円回内筋の反復筋収縮の後に円回内筋を内側へ広がるようにストレッチングすることで，上腕筋との間の結合組織や脂肪組織のストレッチングを行う．
B：円回内筋と同様に，腕橈骨筋と長橈側手根伸筋にも反復収縮の後に，外側へ広がるようにストレッチングを行う．

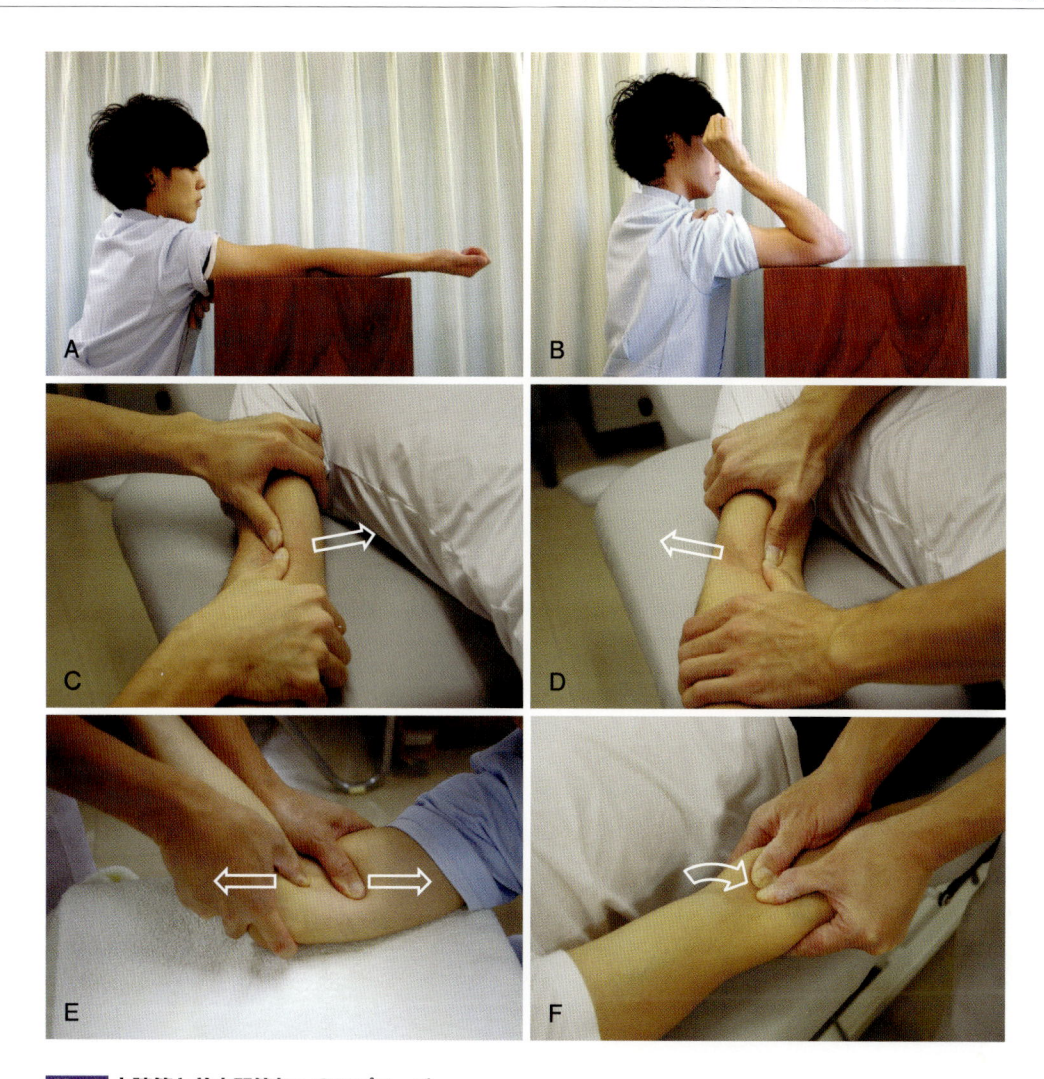

V-11 上腕筋と前方関節包へのアプローチ

ＡＢ：上腕筋の筋収縮練習

A．肩関節を屈曲位とし上腕二頭筋の作用を排除する．そして，可能な限り肘関節を伸展させ，前腕を回外位とする．

B．肘関節の屈曲運動を前腕の回内運動とともに行わせることで上腕二頭筋の作用を抑制する．その際，肩関節が屈曲してこないように左手で右肩を押さえておくことがコツである．

ＣＤＥ：上腕筋のストレッチング

C．上腕筋と，腕橈骨筋と長橈側手根伸筋の間に両母指を沈ませ，上腕筋を内側方向へ押し広げるようにストレッチングを行う．

D．上腕筋と，円回内筋の間に両母指を沈ませ，上腕筋を外側方向へ押し広げるようにストレッチングを行う．

E．上腕筋の線維方向のストレッチングを行う．

Ｆ：上腕筋の停止部と前方関節包の伸張

上腕筋遠位部の超音波解剖を踏まえ IV-6D ，滑車の前方で彎曲する上腕筋を再現する要領でストレッチングを行い，併せて前方の関節包にも伸張刺激を加える．

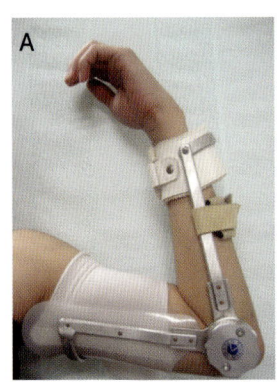

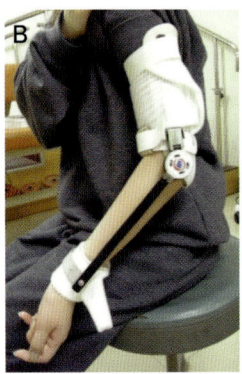

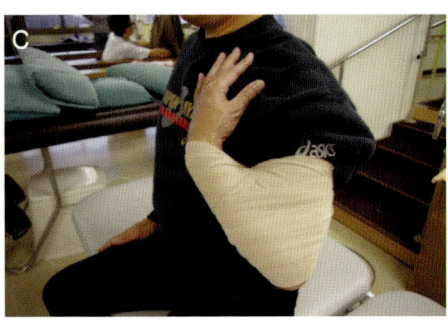

V-12 肘装具や弾性包帯を用いた持続伸張

A： タウメル継ぎ手を使用した持続伸張用の肘装具
屈曲方向への持続伸張を行っている．前腕カフの向きを変えることで，屈曲，伸展どちらの方向にも持続的な伸張が可能である．

B： ウルトラフレックスコンポーネント（継ぎ手）を使用した持続伸張用の肘装具
伸展方向への持続伸張を行っている．伸展方向へ持続伸張する場合，前腕カフが手関節の近位に位置するため，正中神経ならびに血管の圧迫症状に注意が必要である．

C： 弾性包帯を使用した持続伸張
どの方法でも，30分程度は装着できる角度で持続伸張を行っている．

check どうしても肘が伸びない

　屈曲可動域は改善したにも関わらず，伸展制限が残存することをたびたび経験します．このような症例をエコーで観察してみますと，尺骨神経溝付近だけでなく肘頭窩にも異所性の骨化ではないかという像をしばしば目にします V-13．

　このような場合は，整形外科医と相談し可動域練習をどの程度に制限するかをディスカッションしておく必要があると思います．

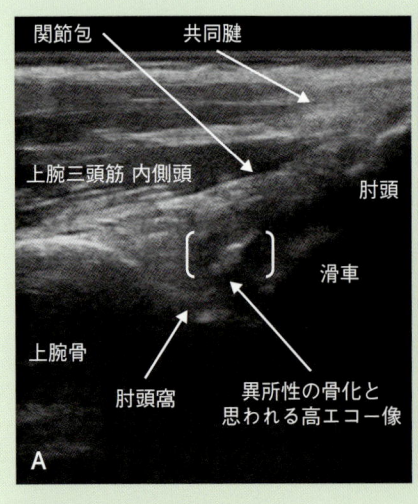

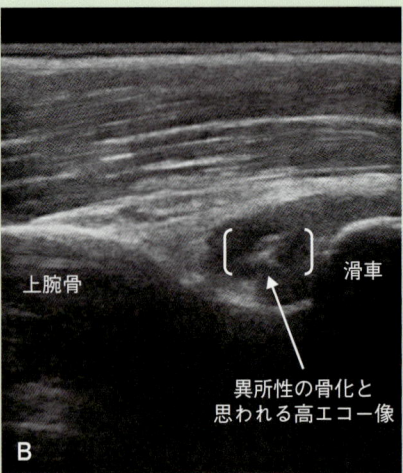

V-13 肘の伸展制限の一要因

A： 肘関節屈曲30°で後方より走査　B： 肘関節屈曲90°で後方より走査
本症例は−10°の伸展制限がある．肘関節の屈伸運動に関係なく肘頭窩の一定の位置に高信号が認められ，異所性の骨化ではないかと考えられる．肘関節周囲の骨折後には，このような高エコー像を時々認める．

VI 肘頭骨折
fracture of the olecranon

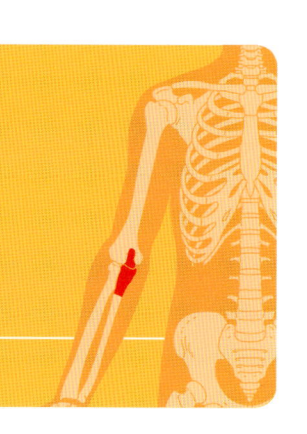

概要 general remarks

　肘頭骨折は，転倒し肘を強打した際の直達外力や，手をついた際の上腕三頭筋の張力による介達外力によって生じる．関節内骨折であり，適切な治療が行われないと機能障害は必発である．
　一般的にColtonの分類[1]や，Mayo clinicの分類[2] **VI-1** が用いられることが多い．
　Type IIとType IIIでは，Monteggia骨折の可能性があるため，レントゲン像より橈骨頭の位置を確認することが重要である． **Warp!!** Monteggia骨折（p.150）

Type I Undisplaced
A
B

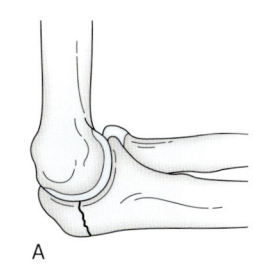

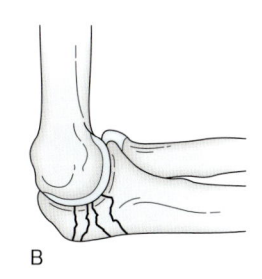

Type II Displaced -stable
A-Noncomminuted
B-Comminuted

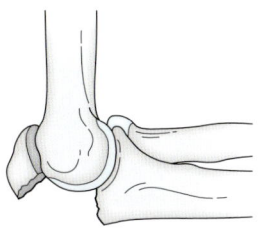

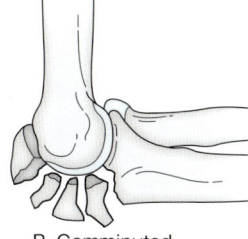

Type III Unstable
A-Noncomminuted
B-Comminuted

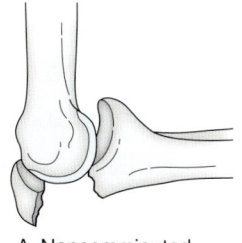

VI-1 Mayo clinicの分類
文献[2]より改変

Type I：転位のないもの．
　　A．粉砕骨折でない．
　　B．粉砕骨折
　　どちらのタイプでも，基本的には同じと考えて良い．
Type II：転位があるが，腕尺関節が安定しているもの．
　　3mm以上の離開を転位とし，側副靱帯の損傷のないもの．
Type III：転位があり，腕尺関節に不安定さが認められるもの．上腕骨に対する前腕の不安定性があり，内側側副靱帯の断裂を伴うもの．

[1] Colton CL. Injury. 1973; 5: 121-9.
[2] Morrey BF, et al. J Bone Joint Surg. 1995; 77-A: 316-27.

整形外科的治療 orthopedic procedure

　転位の少ないものは保存療法が選択される．肘関節を伸展位とし3〜4週間のギプス固定が行われることが多い．

　2mm以上の転位があるものは，手術療法の適応となる．単純な横骨折 VI-2 などでは，Zuggurtung（ツークグルーツング）法 VI-3 が用いられ，斜骨折や粉砕骨折，骨粗鬆症を伴う骨折ではロッキングプレート VI-4 による固定が行われることが多い．

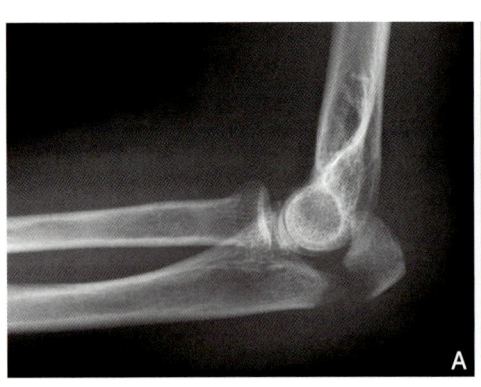

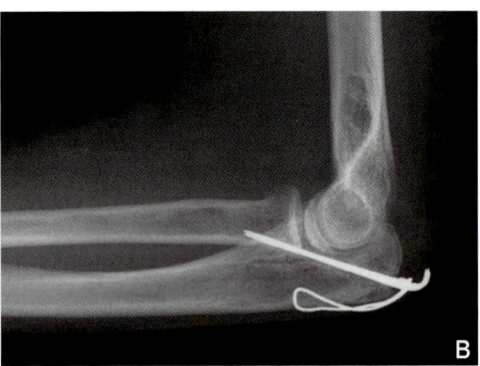

VI-2 肘頭骨折（Mayo分類：Type ⅡA）
A：受傷時　肘頭の横骨折と先端部に縦骨折が認められる．
B：手術後　Zuggurtung法により固定がなされた．
内側側副靱帯の横走線維や後斜走線維の損傷が考えられ，関節包や靱帯性の拘縮が予測される．

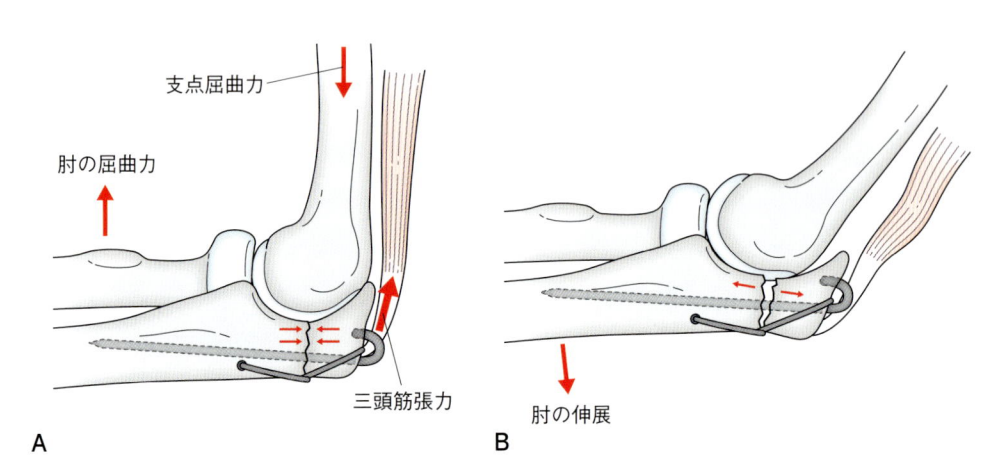

VI-3 Zuggurtung法，tension band wiring法，引き寄せ締結法　文献❸より改変
A：Kirschner鋼線を平行に2本刺入し，ワイヤーを8の字にかけて締結する．屈曲することで骨折部に作用する離開力を，圧迫力へ変換する手術でありツーク理論といわれる．屈曲方向への可動域練習を早期より行うことができる．
B：伸展方向へは，圧迫作用は働かないためピンによる固定のみと考えるべきである．骨折部が不安定な時期は，離開の可能性がある．

Warp!! Zuggurtung法＝tension band wiring法〔体幹・下肢編（1版）p.120〕

❸整形外科リハビリテーション学会．整形外科運動療法ナビゲーション　上肢．メジカルビュー社；2008．

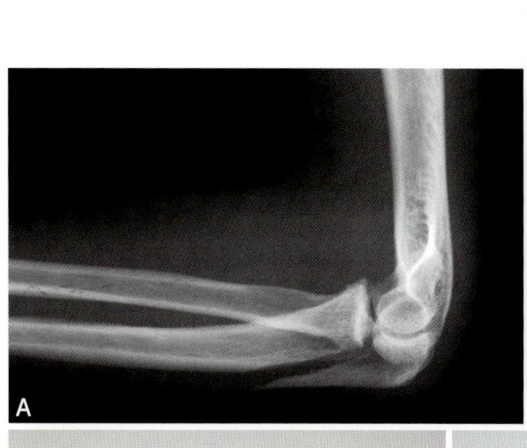

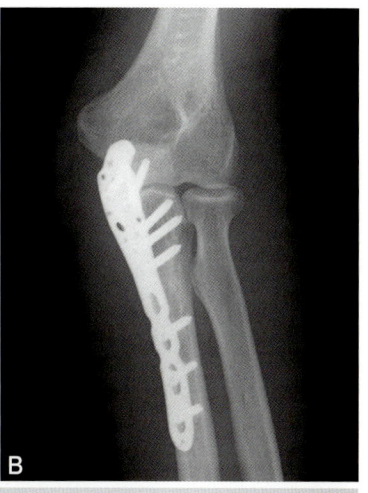

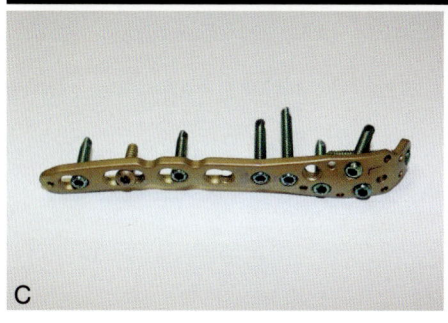

Ⅵ-4 肘頭骨折用のロッキングプレート

A： **肘頭骨折**　側面像にて，関節面に至る斜骨折を認める．
B： **肘頭骨折用のロッキングプレート**　皮膚切開は，肘頭部より遠位へ 4 cm 程度の縦切開を加えて骨折部を露出し整復が行われた．
C： 使用されたロッキングプレート

評価 evaluation of the fracture

1 保存療法

ギプスの除去後に評価を行う．上腕骨遠位部骨折の評価に準じる． **Warp!!** 評価の基本項目（p. 43）

2 手術療法

上腕骨遠位部骨折の評価に準じる． **Warp!!** 上腕骨遠位部骨折の評価（p. 126）

関節面の整復状態に関しては画像評価とともに，固定性について主治医に確認する．特に，滑車切痕が粉砕し骨欠損を残したまま整復された場合は，同部の曲率半径が小さくなり可動域制限が生じやすい．その場合には骨移植の有無に関しても主治医に確認する．

Zuggurtung 法が行われた場合は，上腕三頭筋の切開部が密に縫合されたかを確認し，運動療法中の Kirschner 鋼線の back-out の発生を予測する．

手術侵襲に伴う癒着の発生を，浮腫の評価も併せて経時的に評価する．

運動療法 therapeutic exercise

1 保存療法

　　ギプスの除去後に浮腫管理 IV-13 を行い，可動域練習を開始する．上腕三頭筋や上腕筋など肘関節周囲の筋の柔軟性と伸張性を改善 IV-9　V-8　V-10　V-11 するとともに，骨折部を離開させないように配慮し可動域練習を行う VI-5 ．

2 手術療法

　　Zuggurtung 法，プレート固定のいずれも固定性がよい場合は，外固定を行わず運動療法を開始する．また，粉砕骨折など骨折部が不安定な場合は，2～3週間程のギプス固定が行われることが多い．

　　手術後の肘頭周辺は浮腫が著明であり，その管理 IV-13 とともに皮下の癒着の予防を行う VI-6 ．

　　術後早期の可動域練習は，屈曲可動域の改善を優先する．関節面の形状に合わせ，自

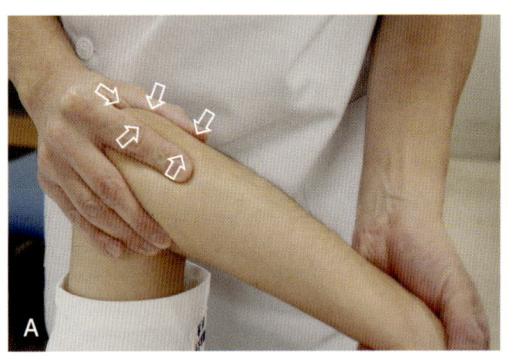

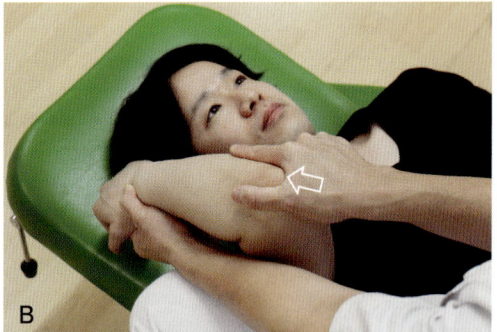

VI-5 骨折部を離開させないための配慮
A：母指と示指にて骨折部が離開しないように把持する．
B：肘頭を近位側から遠位方向へ押し込むように可動域練習を行う．上腕三頭筋のストレッチングに際しても同様の配慮が必要である．

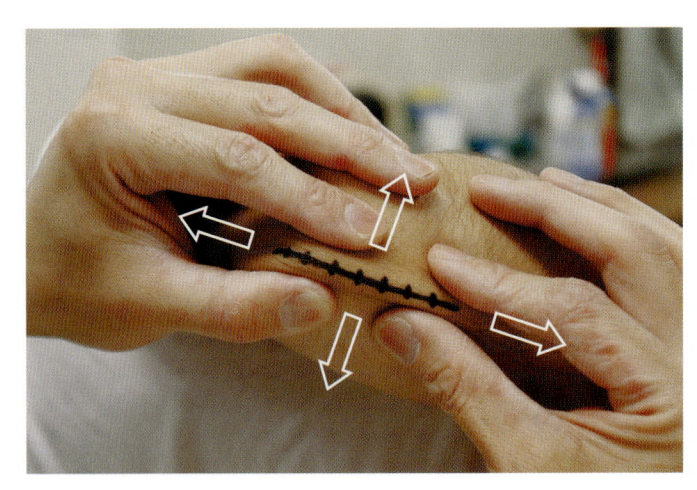

VI-6 皮下の癒着の予防
肘頭部付近の皮膚は菲薄で術創部と骨折部は癒着しやすい．皮膚切開部を軽く摘み寄せ尺骨の軸方向と横方向へと操作する．痛みを伴わない程度で各方向10回程度行っている．

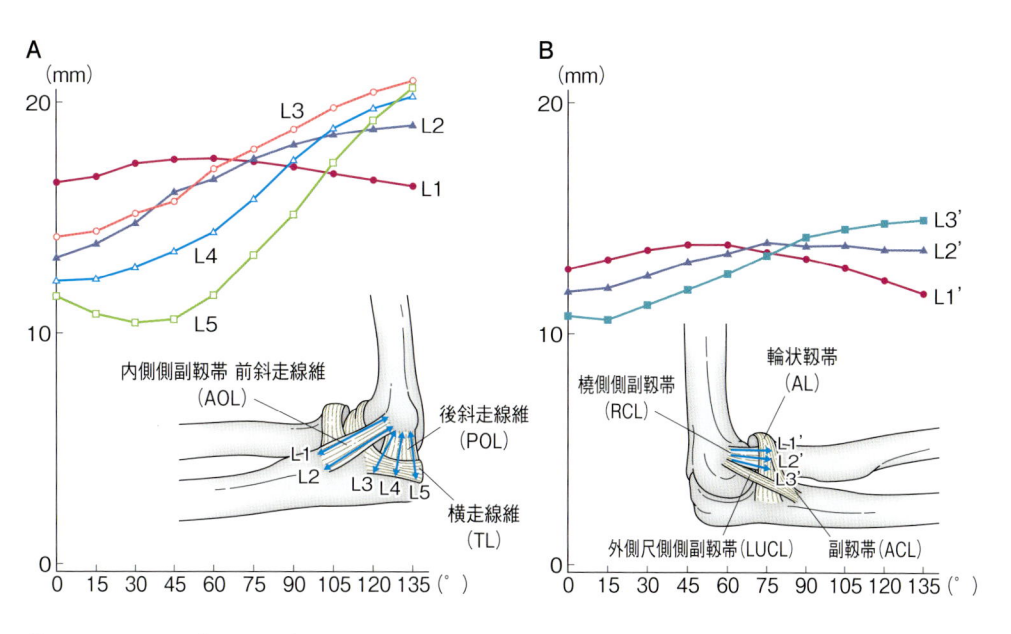

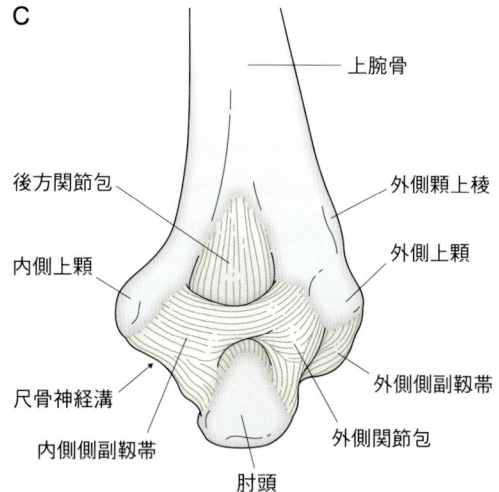

VI-7 肘関節の靱帯と関節包の解剖

A：内側側副靱帯の解剖と2点間距離　文献❹より改変
　　前斜走線維（L1, L2）は肘関節の屈曲角度に依存せず，ほぼ一定の距離を保つ．しかし，後斜走線維（L4, L5）では，屈曲に伴い2点間距離が大きくなる．つまり同部の伸張性の低下は肘関節の拘縮の原因の1つとなる．

B：外側尺側側副靱帯複合体の解剖と橈側側副靱帯の2点間距離　文献❹より改変
　　L2'部は肘関節の角度に依存せず，ほぼ一定の距離を保つ．L1'部は伸展に伴い伸張され，L3'は屈曲に伴い伸張される．

C：肘関節後方の関節包および靱帯組織　文献❺より
　　骨折型より関節包や靱帯，その他組織の拘縮の発生箇所を推察する．

　動運動や自動介助運動などを組み合わせ愛護的に行う必要がある．
　術後3～4週を経過した時期には，関節内骨折に伴う関節包や側副靱帯等を中心とした拘縮の発生を考慮する　図24 (p. 25)．
　内側では内側側副靱帯の後斜走線維が，外側では外側後方の関節包が屈曲制限の原因 VI-7 となりやすく，同部の伸張性の改善が重要である VI-8 ．

---

❹飛騨　進, 他. 関節外科. 1990; 9 (3): 39-45.
❺坂井健雄, 監訳. プロメテウス解剖学アトラス. 医学書院; 2007.

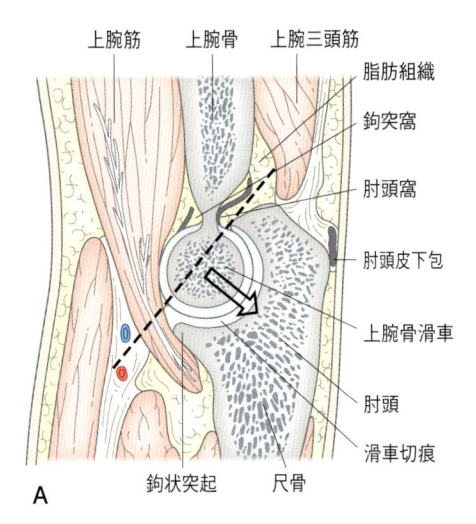

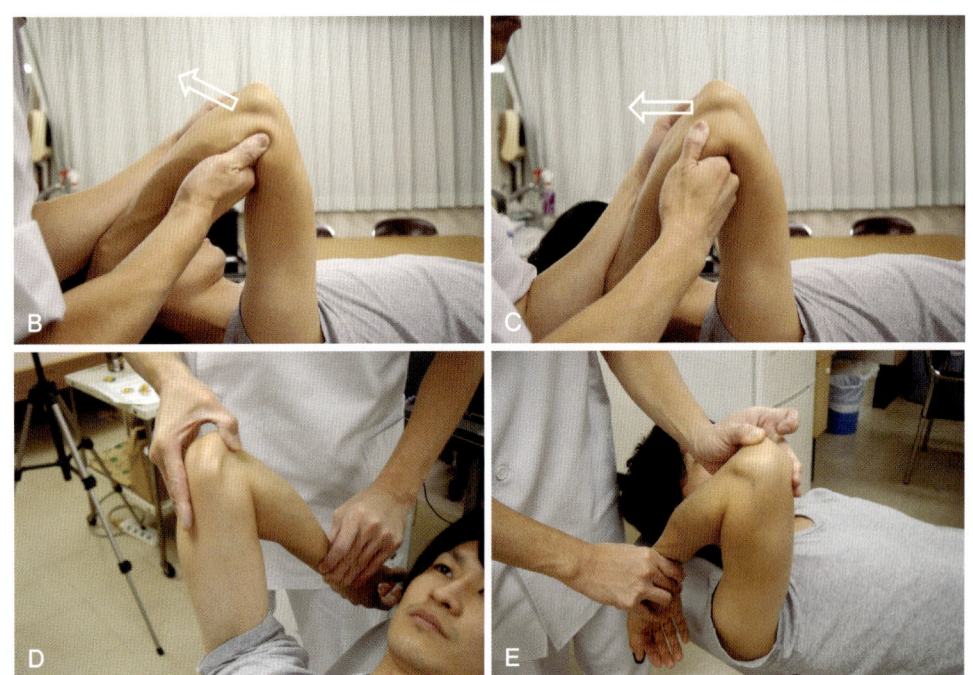

Ⅵ-8 後斜走線維，関節包，脂肪組織の伸張

A：肘関節周囲の解剖　文献❺より

滑車切痕は，滑車を 180°近く被覆している．また，滑車切痕の向きは尺骨の骨幹部に対し 30°～45°傾き，滑車も上腕骨の骨幹部に対し 30°～45°の角度で張り出している．関節包の周囲には脂肪組織が存在している．

ＢＣ： 解剖学的特徴を理解し，滑車切痕の向きと逆の方向に引き離し後方組織のストレッチングを行うことがコツである．

D：後斜走線維のストレッチング

前腕を回内位として肘関節の屈曲とともに，極軽度の外反により内側上顆と肘頭を引き離すように後斜走線維（POL）のストレッチングを行う．

E：後方外側関節包のストレッチング

前腕を回外位として肘関節の屈曲とともに，極軽度の内反により外側上顆と肘頭を引き離すように後方外側関節包のストレッチングを行う．

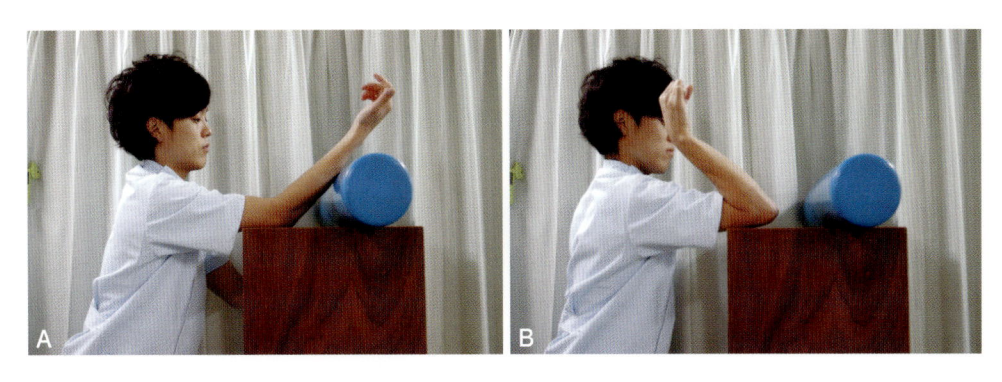

Ⅵ-9 Zuggurtung 法後の上腕筋収縮練習　文献❻より

屈曲 30°以下での伸展運動では，圧迫力が作用しないため骨折部の離開の危険性がある[7]．この場合には伸展角度を制限した上で上腕筋の筋収縮練習（前腕回内を伴った肘屈曲運動）を行う．

　伸展可動域の改善には，上腕筋，長・短橈側手根伸筋，円回内筋，そしてその周辺結合組織の柔軟性の改善が大切である．Zuggurtung 法が行われた場合，骨癒合が不十分な時期の伸展運動は，骨片が離開する可能性があるため，伸展角度を制限した筋収縮練習や可動域練習を行う方が安全である Ⅵ-9．

　可動域練習の方法は，上腕骨遠位部骨折に準じる Ⅴ-8 〜 Ⅴ-11． Warp!! 肘関節可動域改善のコツ（p. 129）

---

❻松本正知. 骨関節理学療法学. 奈良　勲, 監修. 医学書院；2013. p. 19-50.
❼柘植雅子. 整形外科リハビリテーション研究会誌. 2005; 8: 38-40.

VII 橈骨頭骨折，橈骨頸部骨折
fracture of the radial head・neck

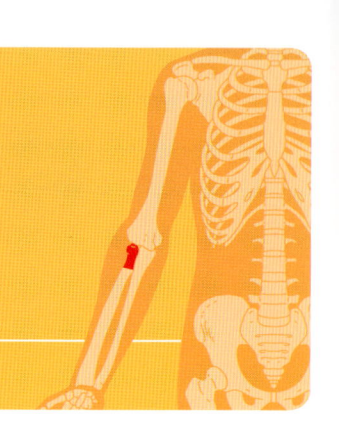

概要 general remarks

　転倒し手を突いた際の橈骨長軸に作用する介達外力や，外反力による直達外力が作用し発生する．小児では頚部骨折となり成人では橈骨頭の骨折になることが多い．

　内側側副靱帯，橈骨神経深枝（後骨間神経）や尺骨神経などの神経損傷，血管損傷を合併しやすい．

　本骨折の分類には，橈骨頭の骨折を3タイプに分けたMasonの分類[1]に，頚部骨折と脱臼骨折を加えたMorreyの分類 VII-1 [2]が多く用いられている．

　本章においても，小児の骨折が運動療法の対象となることは少ないため，成人の橈骨頭骨折と橈骨頚部骨折後の運動療法について解説する．

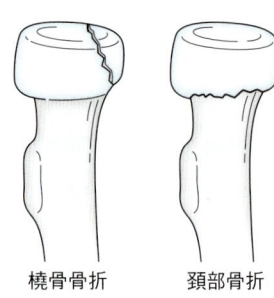

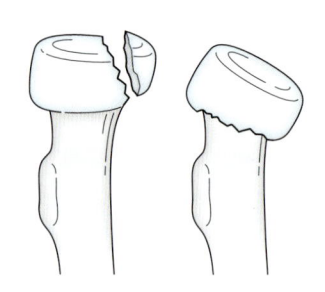

橈骨骨折　頚部骨折
Type I

Type II

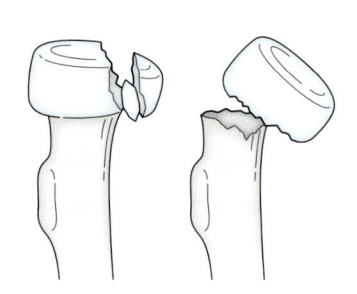

Type III

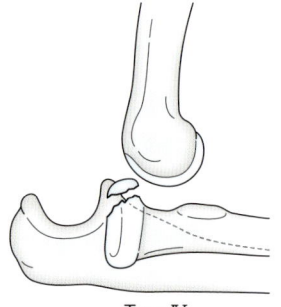

Type IV

VII-1 Morreyの分類，Mason-Morreyの分類 文献[3]より改変

Type I：転位のない骨折（2 mm以内あるいは，10°以下の転位とする報告もある）
Type II：骨片は1つであることが多く，転位のある骨折（2 mm以上あるいは，10°以上の転位）
Type III：頭部：粉砕骨折，頚部：高度の転位のある骨折
Type IV：肘関節の脱臼を伴った骨折

[1] Mason ML. Brit J Surg. 1954; 42: 123-132.
[2] Morrey BF. The elbow and its disorders. WB Saunders; 1985. p. 355-81.
[3] 整形外科リハビリテーション学会．整形外科運動療法ナビゲーション　上肢．メジカルビュー社；2008.

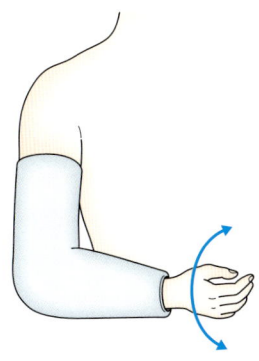

Ⅶ-2 circular cylinder cast 文献❹より
McAusland❺らによる，前腕部を円筒形として前腕の回旋運動を許容する固定法である．屈曲-伸展運動は制限される．

整形外科的治療 ● orthopedic procedure

　Type Ⅰの骨折では，保存療法が適応とされている．1～2週程度のギプス固定後にcircular cylinder cast Ⅶ-2 に変更され回旋運動の許可とともに，2～3週間程度の固定が行われる．また，cylinder castではなく4週程度の外固定が行われることも多い．

　Type Ⅱでは，転位の少ない頚部骨折で場合によっては，保存療法が選択されることもあるが，一般的には手術療法が行われることが多い．単純な骨頭部の骨折ではHerbert screw Ⅶ-3D，Acutrak screw Ⅶ-3E，DTJ screw，吸収性ピンなどの骨内に埋没するスクリューにて固定される．頚部骨折では，15°～20°以上の傾斜がある場合に手術適応とされ，K-wireやプレート Ⅶ-3G にて固定される．矯正不足の際は骨移植や骨補填材が用いられ固定される．

　Type Ⅲは，粉砕骨折や高度の転位を伴う骨折である．基本的には他の粉砕骨折と同様に，前述した固定材や骨補填材を用い整復・固定が行われる．しかし，骨片が小さく整復・固定が困難な症例や，偽関節が予測される場合などで人工橈骨頭 Ⅶ-5 が用いられることがある．かつては橈骨頭の切除が行われていた時期もあったが，外反の制動や，前腕と上腕との間の力の伝達として腕橈関節の重要性❷が指摘され，その適応は少なくなった．

　Type Ⅳでは，肘頭骨折，鉤状突起骨折，内側と外側の側副靱帯の損傷を合併していることが多く，特に橈骨頭骨折に鉤状突起骨折と肘関節の後方脱臼を伴う脱臼骨折をterrible triad injuryという．橈骨頭の整復・固定とともに合併する骨折や靱帯損傷にも内固定が行われる．手術療法が行われた場合，2～3週間の外固定が行われるのが通常である．

評価 ● evaluation of the fracture

1 保存療法

　ギプス固定中は，肩関節と手指の可動域や筋力，感覚を評価する．ギプスの除去後に，肘関節を中心に基本項目を評価する．評価内容は，上腕骨遠位部骨折に準じる．
　Warp!! 上腕骨遠位部骨折の評価（p. 126）

　特に，本骨折は近位橈尺関節の障害であるため，前腕の回旋制限を伴いやすい．その測定においては，患側の肘関節を最大屈曲位，中間位，最大伸展位の3肢位において個別に行う．　**Warp!!** 前腕の回旋可動域測定のコツ（p. 145）

---

❹伊藤恵康．骨折脱臼．改訂第2版．冨士川恭輔，他編．南山堂；2005. p. 354-8.
❺McAusland WR, et al. Instructional course lectures. 1975; 24: 168-81.

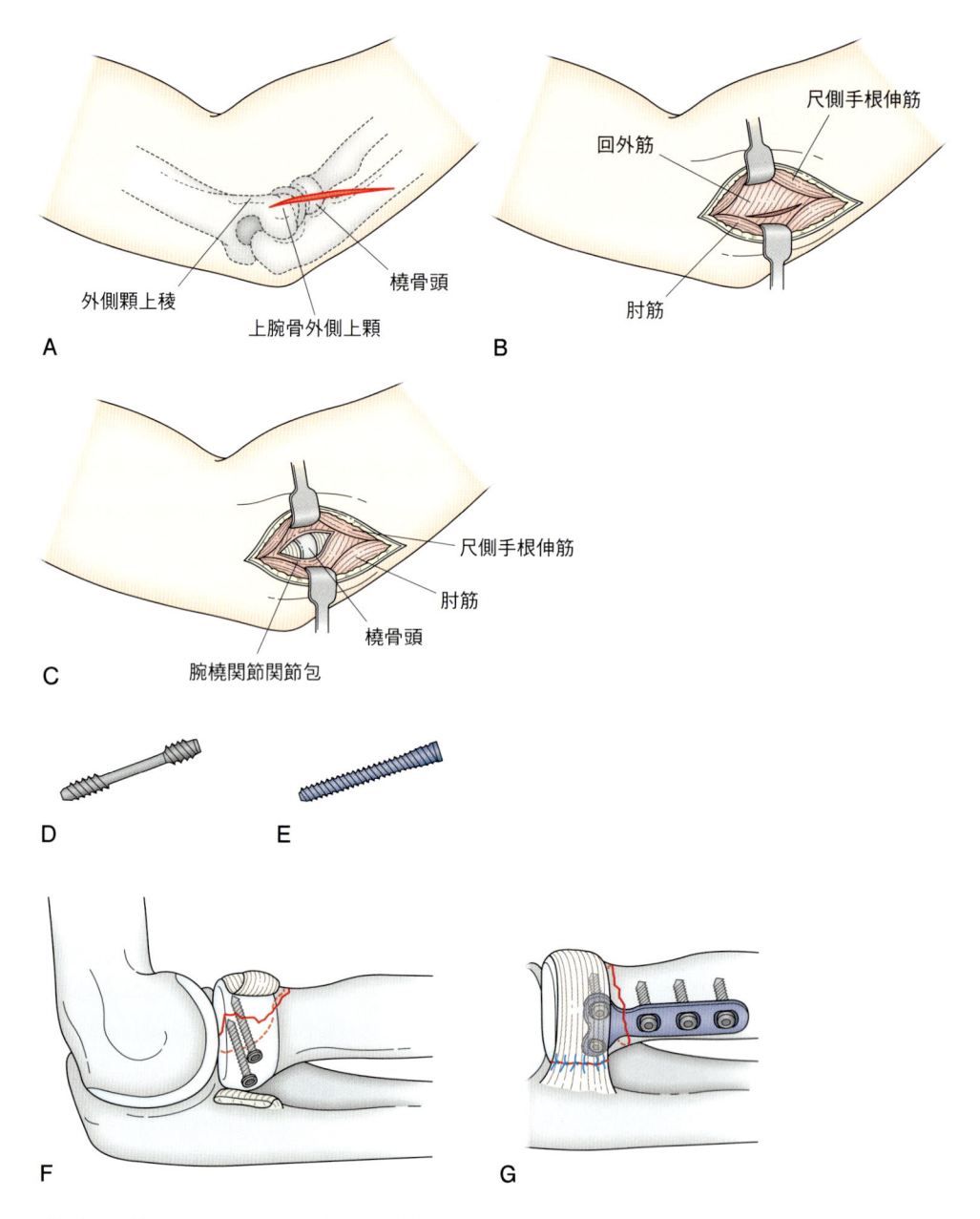

VII-3 橈骨頭骨折に用いられる進入路と固定材料

ABC：橈骨頭への後外側アプローチ　文献❻より
　A．上腕骨外側上顆より尺骨後縁に向けて皮膚を切開する．
　B．肘筋と尺側手根伸筋の間を分けて拡大し，回外筋を縦切する
　C．関節包を縦切開し肘関節内へと達する．
D：Herbert screw
　solid screwであるため，予めドリリングが必要である．近年，使用される機会は少ない．
E：Acutrak screw
　中空スクリュー（canulated screw）の1つで，スクリュー遠位部ではネジ山のピッチが広く，近位部が狭いためにスクリューの挿入に伴い骨折部に圧迫力が加わる．また，スクリューヘッドのないデザインなので骨内に埋没することができる．
F：スクリューの挿入イメージ図
G：プレート固定のイメージ図

❻Hoppenfeld S, et al. 整形外科医のための手術解剖学図説. 原著第4版. 寺山和雄, 他監訳. 南山堂; 2011.

Knowledge　プレート固定のための safe zone

　橈骨頭をプレートで固定する場合，どこでも良いというわけではありません．その位置が悪いと，プレートが橈骨切痕に衝突し回旋制限が生じます．ところが，プレートの邪魔にならない位置が存在するようです．それを，Smith[7]や Caputo[8]らは，safe zone または non-articulating zone と名づけ報告しました Ⅶ-4．

　プレート固定が行われた際は，術中の回旋運動時のプレートの状態について主治医に確認することが必要です．

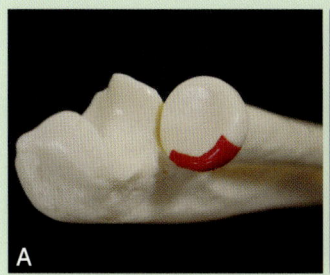

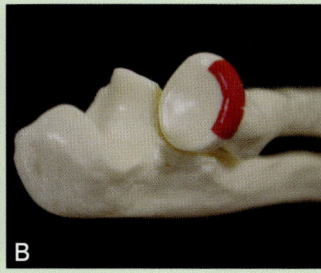

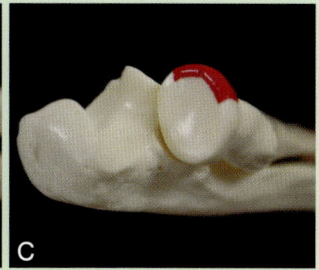

Ⅶ-4 safe zone, non-articulating zone
A：前腕回外位
B：中間位　中間位で，おおよそ1時半から4時半の位置に safe zone が存在するとされている．
C：回内位　この位置にプレートを設置することで，固定材による回旋障害を予防することができる．

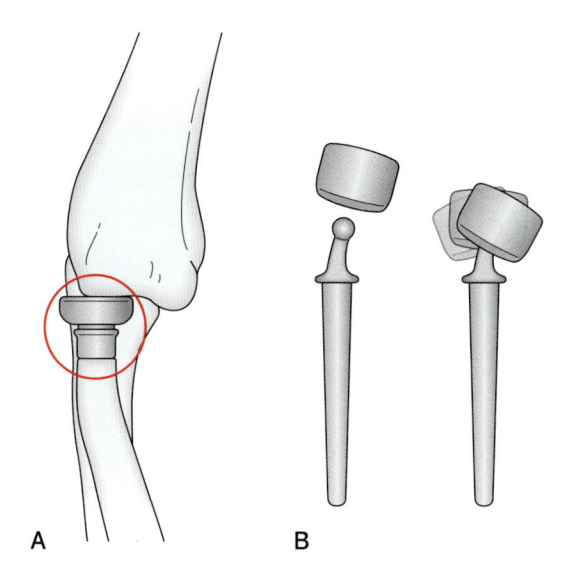

Ⅶ-5 人工橈骨頭
A：モノポーラータイプの人工橈骨頭
B：バイポーラータイプの人工橈骨頭

[7] Smith GR, et al. J shoulder Elbow Surg. 1996; 5: 113-7.
[8] Caputo AE, et al. J Hand Surg. 1998; 23-A: 1082-90.

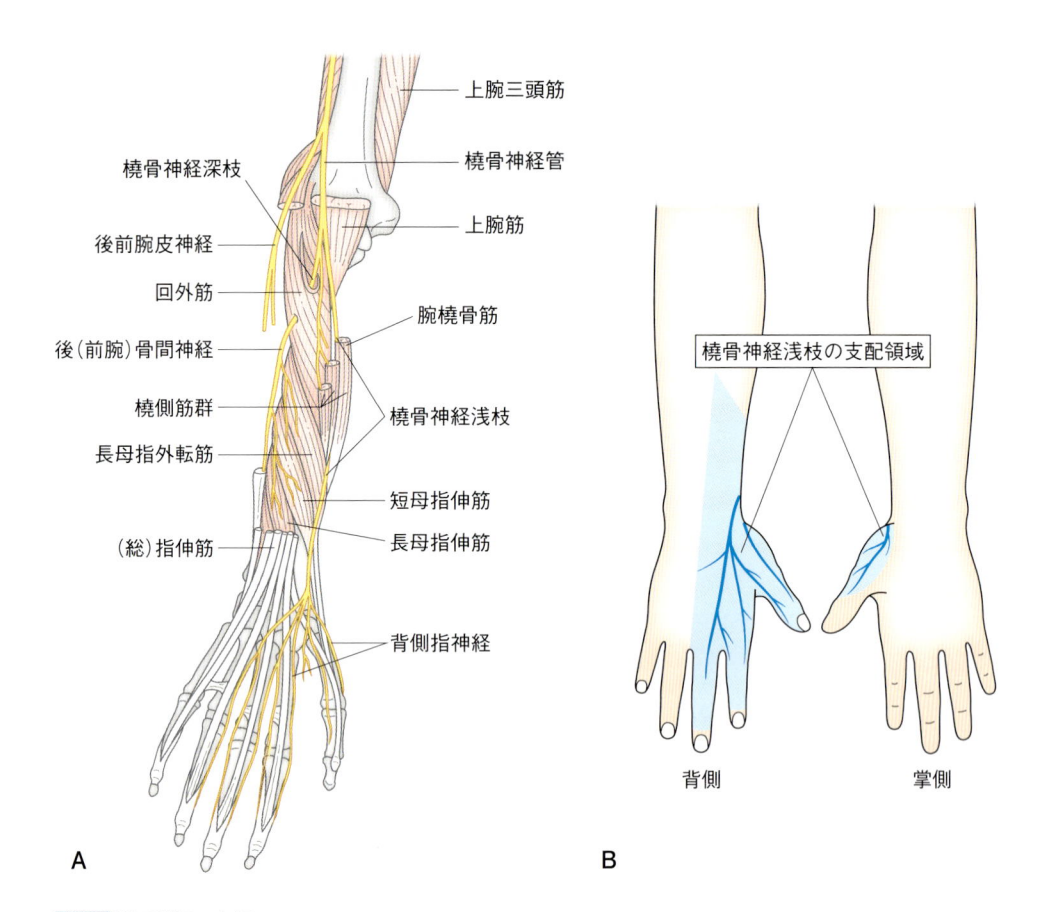

Ⅶ-6 橈骨神経の走行

A：橈骨神経浅枝と深枝の走行　文献❾より
　橈骨神経は，橈骨頭の高さで浅枝と深枝に分岐する．浅枝は腕橈骨筋の内側を下降し母指周辺の感覚神経となる．深枝は分岐後に外側上顆より起始する回外筋の浅層と尺骨後面より起始する深層の間〔Frohse's arcade（フローゼズ アーケード）〕を通り，後骨間神経となり，示指と母指の伸筋群を支配する．

B：橈骨神経浅枝の支配領域　文献❿より
　浅枝の損傷が疑われた際は，固有領域についての感覚検査を行う．

2　手術療法

　保存療法の評価に準じる．　**Warp!!** 上腕骨遠位部骨折の評価（p. 126）
　手術療法が行われた場合は，その固定性とともに輪状靱帯がどのように処理されたかを確認する．プレート固定が行われた場合は，輪状靱帯を再縫合することは困難なため放置されることが多い．また，粉砕骨折などの場合は輪状靱帯の損傷が激しく縫合自体が困難な場合もある．また，そのプレートの設置位置 Ⅶ-4 と共に術中の回旋運動についても主治医に確認する．
　筋力検査では，橈骨神経や尺骨神経の障害を早期に把握する目的に，該当する支配筋を評価する．特に，後骨間神経麻痺には注意を要する．後骨間神経は運動枝であり総指伸筋，尺側手根伸筋，示指伸筋，長・短母指伸筋，長母指外転筋，小指伸筋の筋力を評価すると共に，MP関節の伸展ができなくなる下垂指（drop finger）を見逃してはならない．また，尺骨神経や橈骨神経浅枝の固有知覚領域 Ⅶ-6 における感覚検査も忘れてはならない．

---

❾坂井健雄．監訳．プロメテウス解剖学アトラス．医学書院；2007．
❿Platzer W．分冊 解剖学アトラス．第6版（原著第10版）．平田幸男，訳．文光堂；2011．

Skill 前腕の回旋可動域測定のコツ

　本骨折は，修復過程や手術侵襲などの影響で，外側側副靱帯や輪状靱帯に癒着を中心とした障害が多く発生します．肘関節の屈伸により後方組織と前方組織の緊張も変化するため，最大屈曲位と最大伸展位での回旋可動域が異なることもまれではありません．通常，回旋可動域の測定は，肘関節 90°で行いますが，屈曲角度を変えて回旋可動域を確認し，その健患差を比較することが重要です．

Knowledge 外側側副靱帯複合体と手術後の輪状靱帯について

　関[11][12]らは，外側側副靱帯を複合体と考え，superior band：橈側側副靱帯・外側尺骨側副靱帯の起始部，anterior band：輪状靱帯の前方部，posterior band：輪状靱帯・外側尺骨側副靱帯・副靱帯の停止部からなる Y 構造を報告しました Ⅶ-7A．また，輪状靱帯と尺骨の滑車切痕より構成される機能的なリング構造を，fibro-osseous ring（ファイブロ-オシエス リング）Ⅶ-7BC といい，これら 3 つの構造の中で安定した前腕の回内・回外運動が可能となっています．

　Kapandji[13]によれば，橈骨頭は完全な円形ではなく楕円形をしており，回外位から回内に伴い橈骨頭は傾斜するため，外側へ 2 mm ほど偏位します Ⅶ-7C．つまり，正常な輪状靱帯はその偏位を許容するだけの余裕をもっていることになります．

　損傷した靱帯，もしくは縫合された靱帯は，その後の修復とともに瘢痕化することが，靱帯の安定性へとつながるため，ある程度の外固定期間が設けられることも必要なことです．

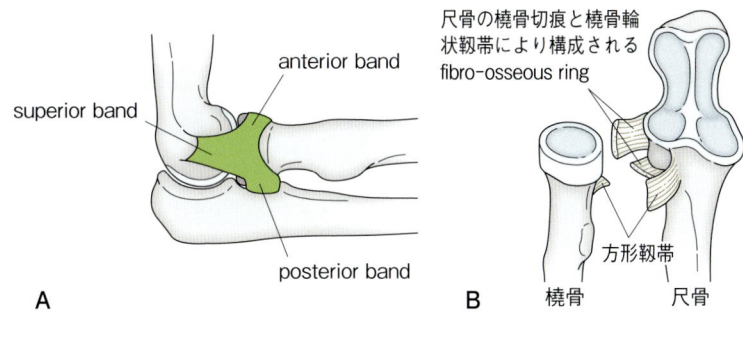

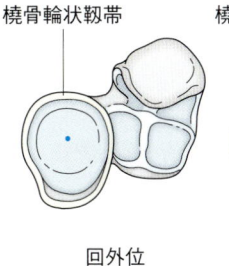

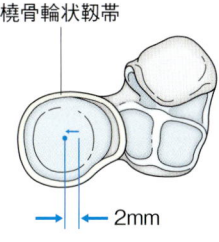

Ⅶ-7 外側側副靱帯の構造
A：関らの述べる外側側副靱帯複合体の Y 構造
B：fibro-osseous ring（文献[14]より改変）
C：橈骨頭の外側偏位（文献[3] p.129 より改変）

[11]関　敦仁，他．日肘会誌．1999; 6: 75-6.
[12]関　敦仁，他．日肘会誌．1999; 6: 77-8.
[13]Kapandji IA. 関節の生理学　Ⅰ上肢．医歯薬出版; 1986. p.114-5.
[14]伊藤恵康．骨折脱臼．改訂第 2 版．冨士川恭輔，他編．南山堂; 2005. p.270.

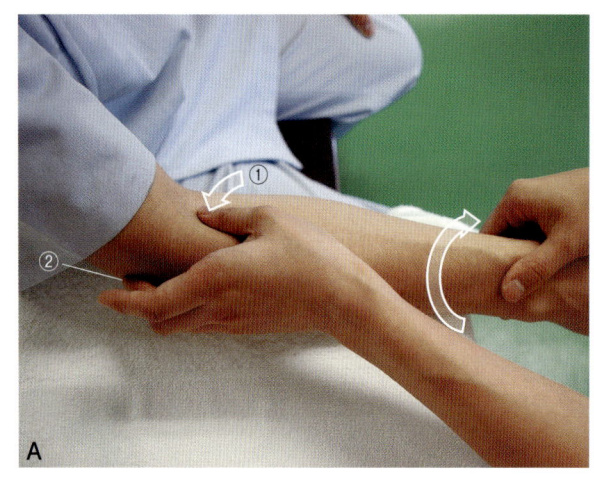

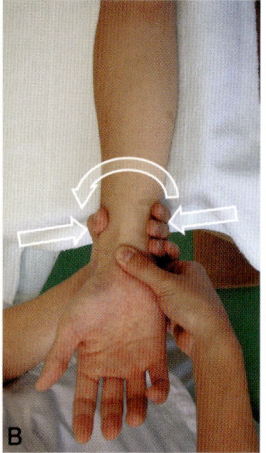

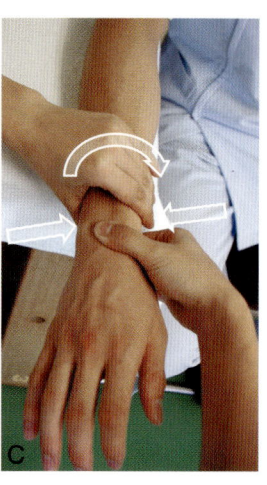

Ⅶ-8 回旋制限に対する可動域練習

A： **近位橈尺関節の可動域練習**　近位腕橈関節の表層には，腕橈骨筋，長・短橈側手根伸筋などが存在するため，左母指でそれらを外側に避けて（矢印①）橈骨頭の前方を触診する．中指で橈骨頭の後面を触知し（②）橈骨頭を挟むように把持する．前腕の回内操作と同時に，橈骨頭を後外側へ押し出すように操作し，輪状靱帯の柔軟性を改善する．

B C： **遠位橈尺関節の可動域練習**　遠位橈尺関節を圧迫することで，橈尺骨の適合性を高めた上で回旋運動を誘導する．

運動療法 therapeutic exercise

1 保存療法

　外固定中は，手指の浮腫管理 Ⅸ-16 を徹底し，肩関節や手指の可動域を維持する．

　外固定の除去後に，肘関節と手関節の可動域改善を積極的に行う．回旋制限に対しては，近位橈尺関節で橈骨頭の回旋が可能となるように輪状靱帯周辺組織の伸張性を回復し，遠位橈尺関節では橈尺骨の適合性を高めた上で可動域練習を行うことが大切である．また，肘関節を最大屈曲位，中間位，最大伸展位とし，それぞれの回旋角度を改善する Ⅶ-8 ．

2 手術療法

　骨接合術後にギプス固定が実施された場合は，整形外科医に確認し可能であれば皮膚切開部を開窓し皮下の癒着の予防を行う．

　外固定の除去後に，可動域練習を開始する．屈曲-伸展方向の運動療法は，上腕骨骨幹部・遠位部・肘頭骨折に準じる． **Warp!!** 上腕骨骨幹部骨折の運動療法（p. 115），上腕骨遠位部骨折の運動療法（p. 127），肘頭骨折の運動療法（p. 136）

　手術侵襲部は，周辺組織との癒着や瘢痕化のために進入路となる尺側手根伸筋・肘筋・回外筋に影響が起こりやすい．これらの筋に対し早期より反復収縮やストレッチングを行い，同部の柔軟性と伸張性，滑走性の回復を行う．その後，保存療法と同様に回旋可動域の改善を行う Ⅶ-8 Ⅷ-10 ．

　徒手的な操作に加え，装具[15]を用いた自動運動や持続伸張も有効な手段である Ⅷ-11 ．

[15] 篠田信之，他．日本技師装具学会誌．2007；23（3）：229-34．

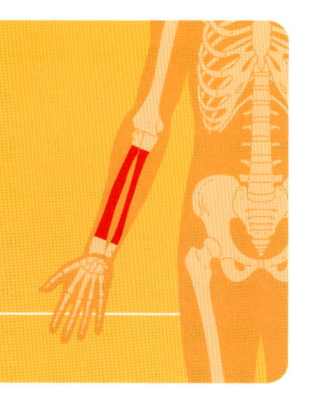

VIII 前腕骨骨幹部骨折
fracture of the radius and ulna

概要 general remarks

　前腕骨骨幹部骨折は，橈骨と尺骨が同時に骨折するもの，どちらか一方が骨折するもの，脱臼を伴うものと様々な骨折形態がある．成人の骨折では直達外力によるものが多く，小児では介達外力によるものが多い．小児の遠位骨幹部の骨折では，ある程度の転位が存在しても自然矯正されるが，成人では解剖学的な整復が行われない場合には，前腕の回旋制限を残しやすい．さらに，骨幹部は細く血行が乏しいため遷延治癒や偽関節を生じることがある．

　直達外力による橈骨と尺骨の骨折では，両骨の骨折部位が同程度の高位になることが多く，転倒で手を突くなどの介達外力による場合は，骨折部位の高位が異なるとされている．また，その骨折部位の高位により特徴的な転位形態になるとも報告されている VIII-1 VIII-2 ．開放骨折や，神経や血管の損傷，急性コンパートメント症候群を伴うこともある． Warp!! 急性コンパートメント症候群（p. 13），急性コンパートメント症候群に至らない状態（p. 14）

　本骨折の分類は，AO/OTA 分類[1]を用いることが多い． Warp!! AO/OTA 分類と長管骨の骨幹部，近位部，遠位部の分類（p. 4）

　尺骨の骨幹部骨折に近位橈尺関節で橈骨頭の脱臼を伴うものを Monteggia 骨折 VIII-3 という．また，類縁損傷として橈骨頭の脱臼ではなく，橈骨頭骨折や頸部骨折を伴うこともある．この骨折の分類には Bado の分類[2]が用いられる．また，橈骨骨幹部遠位1/3付近の骨折に，遠位橈尺関節で尺骨頭の脱臼を伴うものを Galeazzi 骨折 VIII-4 といい，三角線維軟骨複合体（TFCC: triangular fibrocartilage complex）の損傷を伴うことが多い脱臼骨折である．この骨折には Walsh の分類[3] 表6 が用いられる．

　麻生[4]は，Monteggia 骨折や Galeazzi 骨折が起こる原因として，強靱な骨間膜に比べ橈尺関節を支持する靱帯組織が弱いため，橈骨か尺骨の一方の骨折に伴い，近位または遠位の橈尺関節の脱臼を伴いやすいとしている．

---

[1] Fracture and dislocation compendium. J Orthop Trauma. 1996; 10（supple 1）: 14-21.
[2] Bado JL. Clin Orthop. 1967; 50: 71-86.
[3] Walsh HPJ, et al. J Bone Joint Surg. 1987; 69-B: 730-3.
[4] 麻生邦一．骨折脱臼．改訂第2版．冨士川恭輔，他編．南山堂; 2018. p. 575-89.

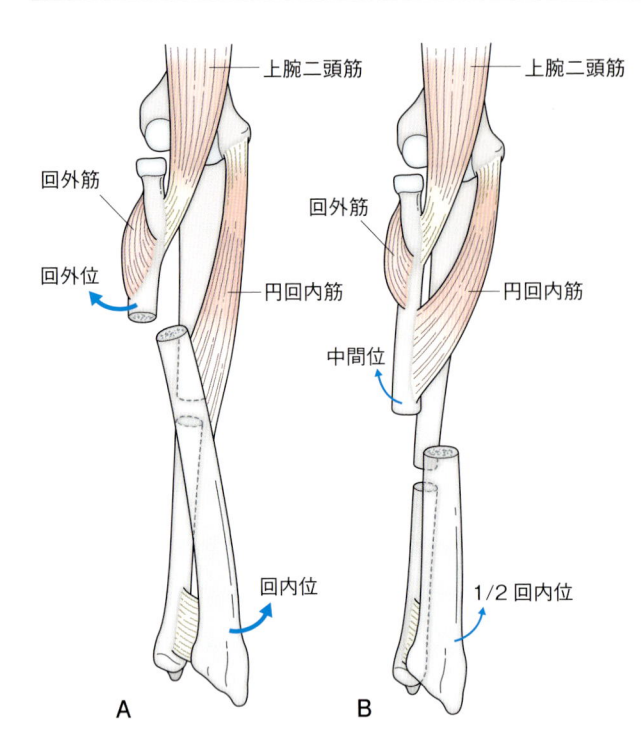

Ⅷ-1 前腕骨骨折の特徴的な転位 文献❺より

A： Kapandji❺は，橈骨が，近位 1/3 の高さ（回外筋と円回内筋の間付近）で骨折する場合，近位骨片は上腕二頭筋と回外筋の作用で回外し，遠位骨片は円回内筋と方形回内筋の作用により回内するとしている．

B： 円回内筋より遠位で骨折すれば，近位骨片は円回内筋の作用で中間位となり，遠位骨片は方形回内筋の作用により 1/2 回内位をとるとしている．

整形外科的治療 ● orthopedic procedure

❶ 両前腕骨骨幹部骨折

　10 歳未満の小児では保存療法が選択されることが多く，整復後にギプス固定が 4～6 週程度行われ，その後に数週間のシャーレやシーネによる固定が行われることが多い．尺骨骨幹部骨折で 20°未満の角状変形であれば，リモデリングが期待でき機能障害を残さないとされている❻．

　10 歳以上の完全骨折で保存療法が選択された場合は，6～8 週間と固定期間が長期化する傾向にある．白井は角状変形の許容範囲は 10°未満としている❼．

　成人の両前腕骨骨幹部骨折 Ⅷ-2 は不安定な骨折であり，プレートや髄内釘などを用いた手術療法が選択されることが多い．転位のある骨折，近位と遠位の関節に亜脱臼がある骨折，開放骨折，両前腕骨骨折で橈骨が 10°以上の角状変形がある場合，尺骨の単独骨折で 10°以上の角状変形がある場合は手術療法の適応とされている❹．尺骨の固定は回旋変形の予防を目的とし，髄内釘ではなくプレートによる強固な固定が推奨されており，術後は固定性がよければ外固定をすることなく積極的な運動療法を行うことができる．

　両前腕骨骨幹部骨折で保存療法が適応となるのは，転位がほとんどなく良好な整復位が得られた場合にのみ行われる．通常は上腕から MP 関節近位までのギプス固定が行われ，10～12 週の長期にわたる固定期間が必要な場合もある．また単独骨折の保存療法

❺ Kapandji IA. 関節の生理学 Ⅰ上肢. 医歯薬出版；1986. p. 128-9.
❻ Fuller DJ, et al. J Born Joint Surg Br. 1982；64：364-7.
❼ 白井久也. 臨整外. 2005；40：155-62.

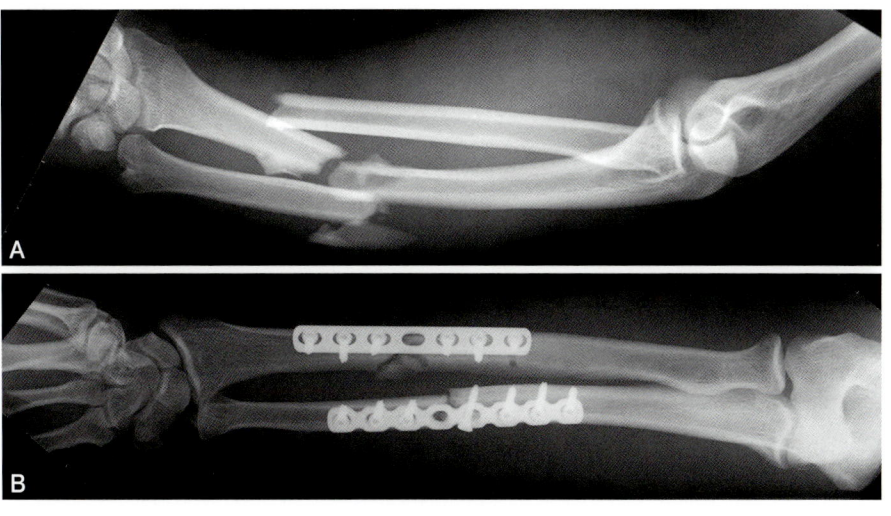

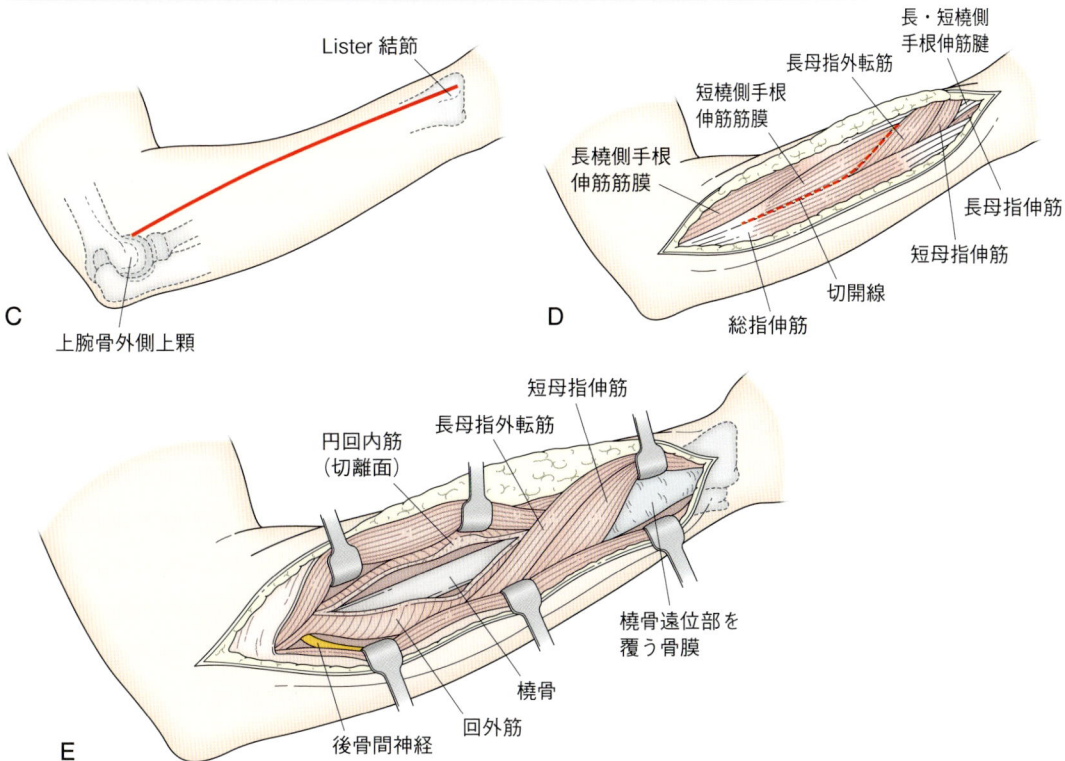

Post-Fracture Rehabilitation Master Book 149

Ⅷ-2 右両前腕骨骨幹部骨折例

A： 受傷時　文献❽より
円回内筋より遠位での骨折であるため，近位骨が中間位，遠位骨が回内位になり短縮している Ⅷ-1B．

B： 手術後　文献❽より
橈骨，尺骨ともプレートによる固定が行われた．

CDE： 橈骨後方へのアプローチ（Thompsonの進入路）

C． 上腕骨外側上顆よりLister結節の間で皮膚切開を行う．（文献❽より）

D． 短橈側手根伸筋と総指伸筋の間で展開する．

E． 回外筋と円回内筋の付着部付近で縦切し骨膜へ達する．また，短母指伸筋と長母指外転筋の近位縁と遠位縁を切開することで橈骨の遠位部背側へのアプローチが可能とされている．

❽松本正知. 骨関節理学療法学. 奈良　勲, 監修. 医学書院; 2013. p. 19-50.

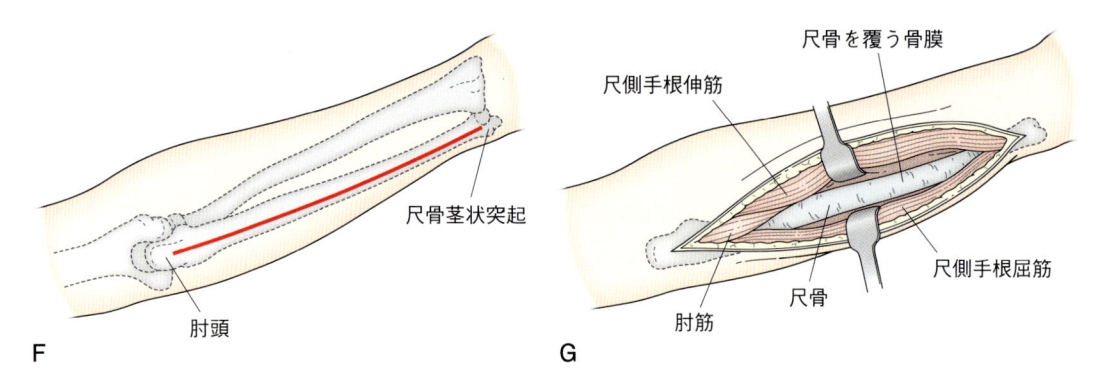

F G：尺骨骨幹部へのアプローチ
F．尺骨を背側より触診しつつ皮膚を切開する．
G．尺側手根伸筋と尺側手根屈筋の間を展開し，骨膜に達し剥離する．

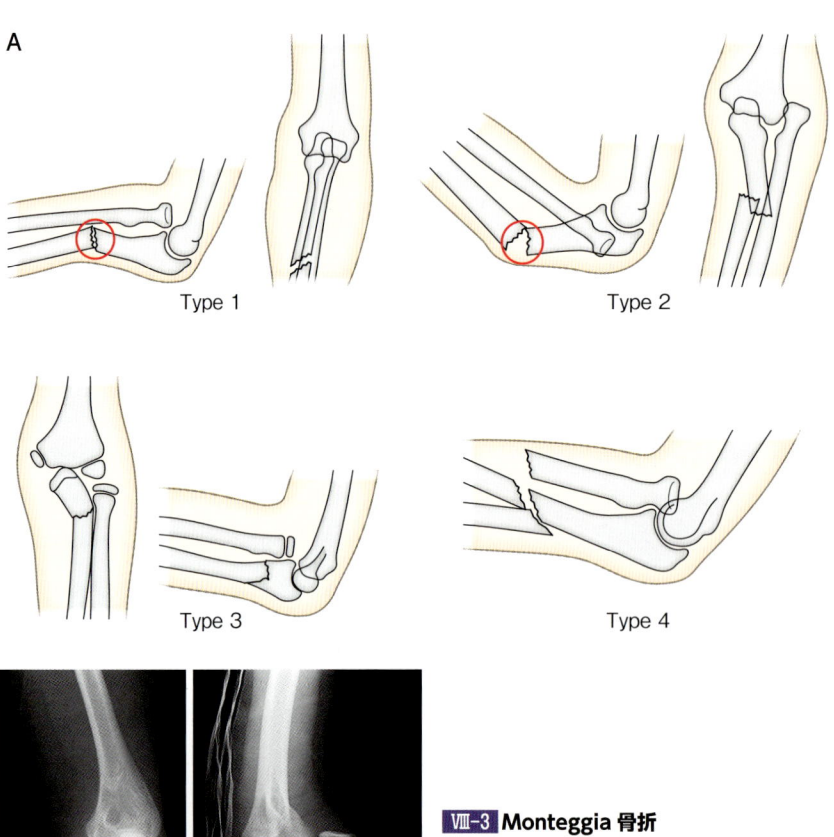

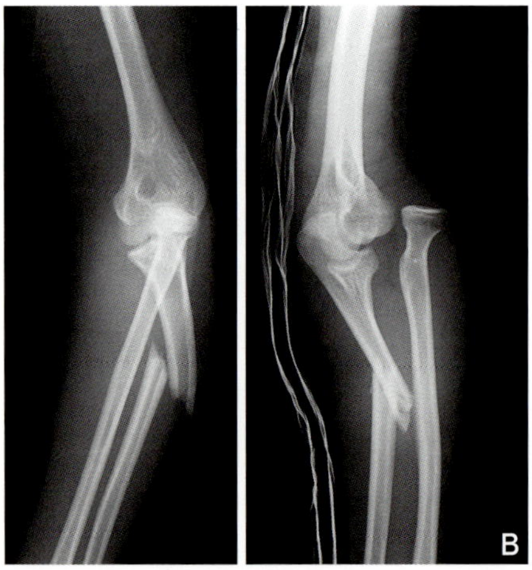

VIII-3 Monteggia 骨折

A：Bado の分類　文献⑨より
Type 1：前方への角状変形を伴う尺骨骨折と橈骨頭の前方脱臼（60％）
Type 2：後方への角状変形を伴う尺骨骨折と橈骨頭の後方または後外側脱臼（15％）
Type 3：尺骨の骨幹端部骨折と橈骨頭の外側または前外側脱臼（20％）
Type 4：橈骨と尺骨の近位 1/3 の骨幹部骨折と橈骨頭の前方脱臼（5％）
B：Type 1 骨折例

⑨三木堯明．骨折と外傷　分類・診断基準・評価基準・定義．改訂2版．金芳堂；2005．p.847-50．

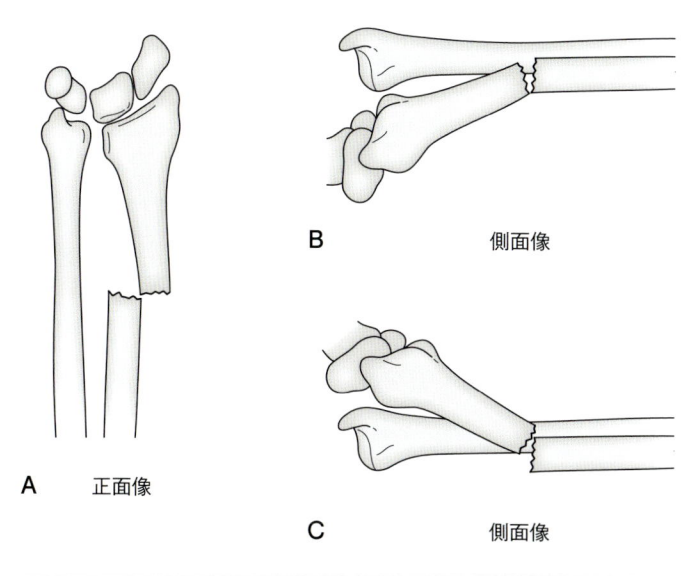

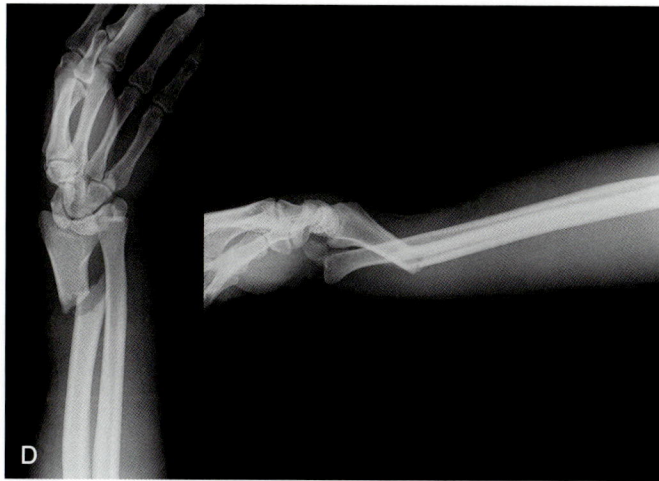

Ⅷ-4 Galeazzi 骨折

A B C：Galeazzi 骨折模式図
A．正面像
B．側面像　前方（掌側）転位
C．側面像　後方（背側）転位
D：Galeazzi 骨折例
　　橈骨の骨幹部遠位 1/3 付近での骨折と，遠位骨片が後方（背側）へ転位している．

表6　Walsh の分類

1．橈骨の遠位 1/3 の骨折と遠位骨片が前方（掌側）へ転位したもの
2．橈骨の遠位 1/3 の骨折と遠位骨片が後方（背側）へ転位したもの
3．橈骨の中央 1/3 と遠位 1/3 の境界で骨折し，遠位骨片が前方へ転位したもの
4．橈骨の中央 1/3 と遠位 1/3 の境界で骨折し，遠位骨片が後方へ転位したもの

橈骨遠位骨片の転位方向と，橈骨骨折の高位で4型に分類している．

の基準は，角状変形が 10°以下で整復位が安定しているものとされている．

❷ Monteggia 骨折

　小児の場合，尺骨の骨折型が完全骨折，若木骨折，急性塑性変形と多種にわたる骨折形態となる．多くは，整復後のギプス固定にて良好な成績が得られるとされているが，回旋変形が懸念される若木骨折や完全骨折，粉砕骨折の場合は K-wire やプレートにて固定される．
　成人の保存療法は限定的で，徒手整復が可能でその整復位保持が可能なものに行われる．橈骨頭の脱臼を防止するために Bado の分類で Type 1 は肘関節を屈曲 100°，Type

2では伸展位，Type 3では屈曲90°とし前腕回外位でギプス固定が行われる．しかし，固定中やその除去後に橈骨頭の脱臼が認められた場合は，手術療法へ移行するとされている．

手術療法は，尺骨の解剖学的な整復と強固な固定を目的として行われ，橈骨頭の安定性の獲得にも寄与する．尺骨の内固定は，骨長の維持や回旋障害の予防のためにプレートによる固定を推奨する報告が多い．また，橈骨頭の脱臼が整復されない場合や容易に脱臼してしまう場合には，橈骨神経の嵌頓，外側側副靱帯や輪状靱帯の断裂，もしくは靱帯が腕橈関節に嵌入し整復位の保持を妨げていることがあり，その場合には観血的な整復や縫合が行われる．

③ Galeazzi 骨折

橈骨の骨折が整復されると，遠位橈尺関節は整復されることが多いとされている．整復位が保持されているようであれば保存療法となり，保持できない場合は手術療法となる．また，三角線維軟骨複合体が損傷されている場合は，再建が行われることがある．

本章も小児の骨折が運動療法の対象となることは少ないため，成人の骨折後の運動療法を中心に解説する．

評価 evaluation of the fracture

肘関節と手関節に対し基本項目を評価する． **Warp!!** 評価の基本項目（p. 43）

画像評価から軟部組織の損傷を推察するとともに，前腕の正面像と側面像より橈骨と尺骨の角状変形の有無を確認する．健側が同時に撮影されている場合は，健患差を評価することも重要である．特に，保存療法の場合は転位の有無や，その進行について運動療法の経過とともに観察が必要である．また，Monteggia骨折やGaleazzi骨折では，骨折部に注目しやすく橈骨頭や尺骨頭の脱臼が見逃されることがある．橈骨や尺骨の単独骨折と診断された場合は，手関節から肘関節まで含んで撮影されているかを確認するとともに，臨床所見を丁寧に観察し異常があれば主治医に連絡する．

両前腕骨骨幹部骨折 Ⅷ-2 で手術療法が行われた場合は，必ずその固定性を主治医に確認し，運動療法の立案の参考とする．また，整復と固定が行われた進入路を確認し，筋間の癒着の発生や滑走性の低下を予測する．Monteggia骨折では輪状靱帯を含めた外側側副靱帯複合体の損傷，Galeazzi骨折では三角線維軟骨複合体や橈骨・尺骨手根靱帯，骨間膜をどのように手術で処置したかについて，手術記録や主治医より確認する．また，保存療法が行われた場合は，画像所見から損傷の可能性のある組織を推察する．

外固定が行われた場合の運動療法評価は，肩関節や手指の可動域，筋力，感覚，疼痛などを確認する．外固定が行われない場合や外固定の除去後は，肘関節と手関節に対し基本項目を評価する．

Warp!! 評価の基本項目（p. 43），外側側副靱帯複合体と手術後の輪状靱帯について（p. 145）

前腕骨骨折では回旋制限が問題となりやすいため，その評価は重要である．特にMonteggia骨折では前腕の回旋角度を，肘関節を最大屈曲位，中間位，最大伸展位として測定を行う．また，保存療法が行われ外固定が除去された後は，骨癒合が脆弱

Knowledge セメス ワインスタイン モノフィラメント テストって？

　セメス ワインスタイン モノフィラメント テスト（SWME: Semmes Weinstein monofilament examination）は触圧覚を段階尺度として半定量的に評価できる検査とされています．末梢神経損傷ではこの検査により，どの神経がどのレベルで損傷しているかを予測することができます．絞扼性神経障害では，2点識別検査より早期に神経の変化を捉えることができるため早期診断に有用とされています Ⅷ-5．

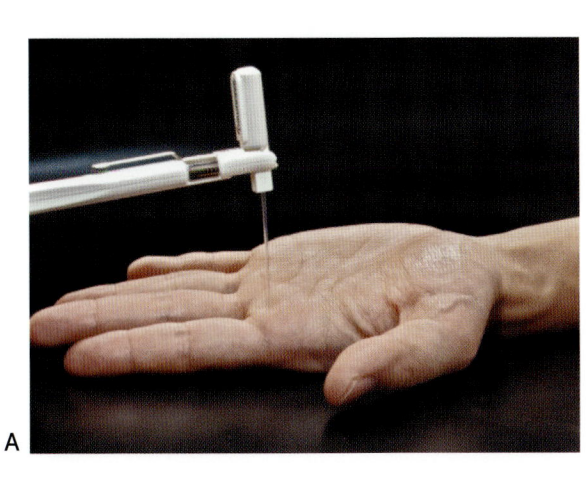

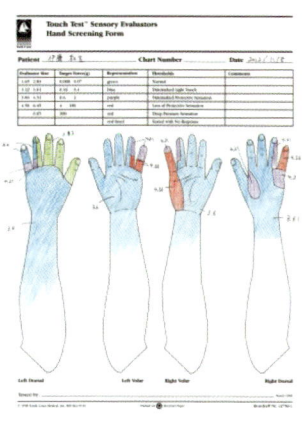

Ⅷ-5 セメス ワインスタイン モノフィラメント テスト
A：**SWMEによる検査法**　太さの異なるフィラメントで刺激する．
B：**SWMEによる検査例**　感じることのできたフィラメント番号に応じて指定されたカラーでマッピングを行う．定期的に観察することで神経の回復状態を観察することができる．

な場合があり自動運動のみで回旋角度を測定した方が良い．Galeazzi 骨折では，TFCC 周囲への炎症の波及が予測されるため，運動療法の経過において，その柔軟性を健患差にて評価する Ⅷ-9CD． Warp!! 前腕の回旋可動域測定のコツ（p. 145）

　骨折部周囲は，正中，尺骨，橈骨神経が走行しているため，支配神経領域の筋収縮と感覚を評価する．Monteggia 骨折では橈骨神経の嵌頓に伴う麻痺を合併することがあるため，その領域に注意を払う．特に，その運動枝である後骨間神経の麻痺は，感覚障害がなく下垂指（drop finger）が特徴的であるため見逃してはならない．セメス ワインスタイン モノフィラメント テスト Ⅷ-5 は，触圧覚を半定量的に評価できるため，その変化を捉えるのに有用である．手指の浮腫はほぼ必発するため，適切に対処する必要がある Ⅸ-16 Ⅸ-17．骨幹部骨折に筋損傷が合併すると急性コンパートメント症候群を併発することも多いため，前腕の各筋に対する圧痛所見や伸張性の確認，腫脹の程度を常に評価しておく必要がある．特に，背屈可動域の制限には長母指屈筋と深指屈筋，浅指屈筋が影響し，掌屈可動域の改善には示指伸筋が影響することが多い． Warp!! 急性コンパートメント症候群（p. 13），急性コンパートメント症候群に至らない状態（p. 14）

Knowledge　回旋制限は，橈骨と尺骨のどれくらいの変形で起こるの？

　前腕骨の特徴として，尺骨骨幹部は三角柱に近い形をしており，通常であればレントゲン側面像で尺骨の後縁（背側）は直線となっています Ⅷ-6．また，橈骨は中央部付近で背側凸，橈側凸の弯曲を有しており Ⅷ-7．これらの形状により回旋運動が可能になるとされています．これらを基にレントゲンの正面像と側面像より弯曲や角状変形を確認します．

　前腕を安定させる靱帯は，輪状靱帯，方形靱帯，斜索（Weitbrecht 靱帯），骨間膜，背側と掌側の橈骨尺骨靱帯，三角線維軟骨複合体から構成されています．斜索は，尺骨粗面の内側で滑車切痕の真下から橈骨粗面の真下へ向かって斜めに走行し，回外時に緊張します．また，骨間膜は，強靱な腱様部と膜様部より構成され，腱様部は斜索と反対方向に約 21°の角度で走行し，斜索と同様に回外時に緊張し橈尺間を安定させています Ⅷ-7．

　回内・回外の運動は約 180～190°あり，橈尺関節で 130～140°，手関節で約 50°とされており[10]，特に回内運動においては，最大回外位から回内 45°まではほぼ回転運動が行われ，回内 45°から最大回内位までは，回旋運動が減少しほぼ並進運動が生じるとされています[11]．

　さて，整形外科的治療の項で角状変形が 10°という言葉が出てきました．この数字は何を意味するのでしょうか？　回旋障害の原因は，変形などによる骨性要素と骨間膜の拘縮などによる軟部組織性の要素からなります．整形外科的な治療の順番は，骨性アライメントを整え，それでも回旋制限が残存する場合に遠位橈尺関節包や骨間膜などの軟部組織に対する処置が行われます．では，骨性の制限はどの方向に何度変形すれば制限となるのでしょうか？

　石突[12]は上腕から前腕までの骨靱帯標本を用い，橈骨と尺骨の掌屈と背屈の角状変形を 10°ずつ強めていき，それぞれにおける前腕の回旋角度を測定しました．もちろん，筋など軟部組織は除去されてはいますが非常に有用な報告です．その中では，10°程度の変形ではほとんど制限は起こらず 20°以上の変形で回旋制限が起こるとしています．

　この論文から 10°の意味を理解でき，骨性の回旋制限の推測をする論文として参考にしています．

運動療法 therapeutic exercise

1　両前腕骨骨幹部骨折

　　　　外固定中は，肩関節ならびに手指の可動域を維持するとともに，手指に発生する浮腫の軽減を行う Ⅸ-16 Ⅸ-17．痛みを指標としながら，深指屈筋，長母指屈筋，示指伸筋，長母指伸筋，短母指伸筋，長母指外転筋の等尺性収縮練習を通して，骨間膜と筋付着部との間の瘢痕化を可能な限り予防する Ⅷ-8．

　　　　外固定を除去した後は，肘関節ならびに手関節可動域の改善を行う．回旋可動域の改善は，仮骨形成の確認とともに主治医と協議の上，自動運動・自動介助運動・他動運動など，適応となる運動方法を決定する．

　　　　他動運動が許可されてからは Ⅶ-8 に示す改善法に加え，回内に際しては 45°以上では尺骨に対し橈骨が並進運動をするように操作し，回外時には橈骨や三角骨に対し尺骨を持ち上げるように操作すると効果的である Ⅷ-10CF．

---

[10] 中村俊毅．日手会誌．1990; 7 (3): 555-8.
[11] Nakamura T, et al. Clin Biomec. 1999; 14: 315-20.
[12] 石突正文．臨整外．2005; 40 (2): 133-8.

Knowledge　少しだけ小児の急性塑性変形（acute plastic bowing）について

　小児の転位を伴う橈骨や脛骨の骨折後に，尺骨や腓骨が骨折せず弯曲することがあります．これを，急性塑性変形（acute plastic bowing）Ⅷ-6といい，小児期では骨膜が成人に比べ厚く弾性に富むためこのような現象が起こるとされています．

　Lincoln[14]らは，尺骨に弯曲があればそれを ulnar bow sign と呼び，さらに肘頭と尺骨の遠位骨幹端を結ぶ線を基準線とし，弯曲の最突部までの距離を MUB（maximum ulnar bow）としました．正常であれば，その平均は 0.01±0.1 mm であり，1 mm を超えることはなかったと報告しています．

　小児の橈骨骨折で近位や遠位橈尺関節に脱臼が認められない場合や，橈骨頭の単独脱臼がある場合は，この現象を疑ってみてください．

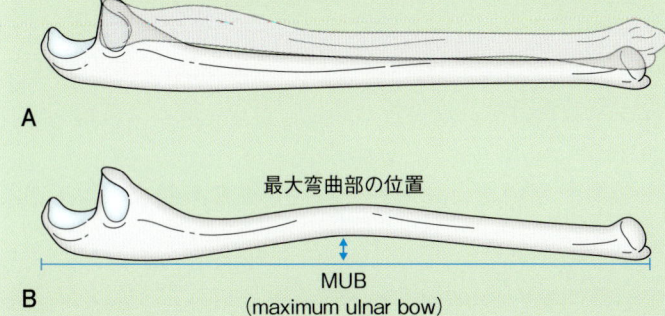

A

B　最大弯曲部の位置
　MUB
　（maximum ulnar bow）

Ⅷ-6　尺骨の特徴と急性塑性変形
A：通常，尺骨の後縁（背側面）は一直線となっている．（文献⑬より）
B：MUB（maximum ulnar bow）

輪状靱帯
斜索
骨間膜腱様部
骨間膜膜様部
橈骨
尺骨
TFCC

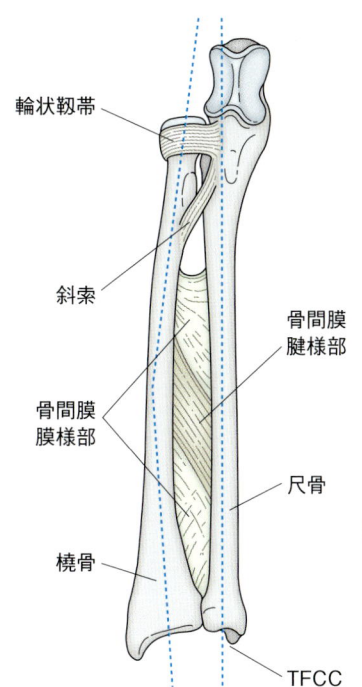

Ⅷ-7　橈骨の特徴と前腕を安定させる靱帯組織
橈骨は，中央部付近で背側凸，橈側凸の弯曲を有している．
骨間膜は，腱様部（central band），膜様部（membranous portion），斜索（oblirque cord, Weitbrecht lignment）より構成される．

⑬坂井健雄，監訳．プロメテウス解剖学アトラス．医学書院；2007．
⑭Lincoln TL, et al. J Pediattr Orthop. 1994; 14: 724-7.

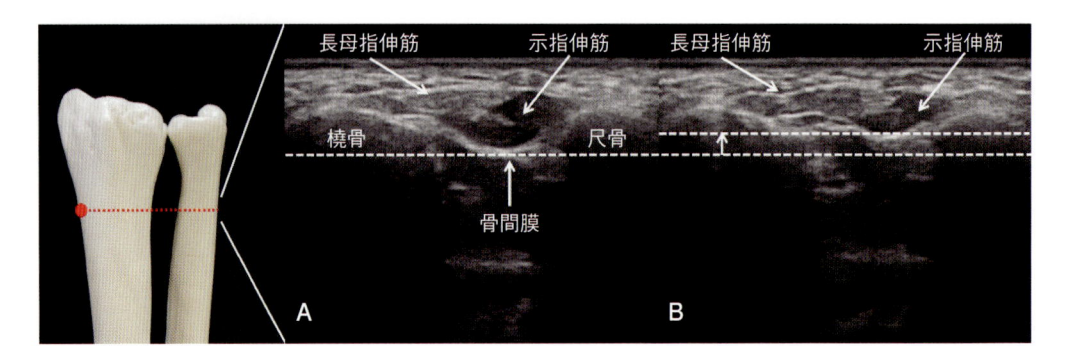

Ⅷ-8 骨間膜に付着する筋の等尺性収縮に伴う骨間膜の変化

右肘関節90°屈曲位，前腕回内位，手関節中間位とし，手関節から4cm程度中枢側の背側からのエコー像
A：示指伸筋と長母指伸筋が弛緩した状態で撮影した．
B：同肢位にて，示指伸筋と長母指伸筋の等尺性収縮を行わせ撮影した．収縮に伴う張力により約2mm，骨間膜が背側牽引される現象が確認された．

また，骨折部の安定性に不安が残る場合は，近位骨と遠位骨とが一塊として動くように注意を払い回旋可動域を改善する．

徒手的な操作に加え Ⅷ-10 ，装具を用いた自動運動や持続伸張も有効な手段である Ⅷ-11 ．

2 Monteggia 骨折

Monteggia 骨折における回旋可動域の改善の留意点として，手術療法の場合は輪状靱帯を含めた外側側副靱帯がどのように処置されたかについて，主治医に確認するとともに，回旋可動域の開始時期を協議の上で決定する．保存療法の場合は，靱帯の修復がある程度安定する6週までは肘関節と手関節の可動域の改善を優先し，それ以降は瘢痕により安定した輪状靱帯の伸張性を改善し，回旋可動域の増大を期待する．その際，肘関節を最大屈曲位，中間位，最大伸展位で回旋角度を評価し，各々の回旋角度を改善する．

その他は，両前腕骨骨幹部骨折に対する運動療法に準じる．

3 Galeazzi 骨折

本骨折では，遠位橈尺関節の脱臼を伴っており，TFCC や橈骨・尺骨手根靱帯，骨間膜 Ⅷ-9AB が損傷されている可能性があり，回旋制限に加え手関節の可動域制限が問題となる場合が多い．回旋制限に関しては，遠位橈尺関節を構成する靱帯組織の治癒過程を考慮した治療が必要となる．手関節の可動域の改善については，前腕骨遠位部骨折の章で述べる． Warp!! 前腕骨遠位部骨折（p. 165）

Skill 前腕の回旋可動域改善のコツ①

　前腕の回旋可動域は，約180〜190°とされており，橈尺関節で130〜140°，手関節で約50°を担うとされています[15]．ここで「手関節で約50°」に着目してみましょう．通常，手関節は手根中央関節，橈骨手根関節，遠位橈尺関節から構成されると説明されます．さて，いつも疑問に思うのですが，尺骨と手根骨の間にも関節があり，なぜかその関節の名前を聞いたことがありません．同部は月状骨と三角骨，尺骨の間に三角線維軟骨複合体（TFCC：triangular fibrocartilage complex）Ⅷ-9 があり，回旋可動域だけではなく，手関節の掌屈と背屈，尺屈と橈屈に影響を与えます．本書では便宜上，この関節を尺骨手根関節と表します．

　第2・3中手骨と遠位手根列は，強固に靱帯により結合されています．そして，手根中央関節は一軸性の関節であるため，回旋運動の多くは橈骨手根関節と尺骨手根関節が担うことになります．橈骨手根関節と近位手根列は靱帯性の結合だけですが，尺骨手根関節にはTFCCがあり，三角線維軟骨（disc proper，triangular fibrocartilage：TFC），掌側と背側の遠位橈尺靱帯，尺側側副靱帯，尺側手根伸筋の腱鞘（床），meniscus homologueから構成されます Ⅷ-9B [16]．ここで，meniscus homologueに着目してみましょう．日本語に訳しますと「半月板相同物」となります．「相同物」は，岩波書店　広辞苑　第六版では，「異種の生物の器官で，外見上の相違はあるが発生的および体制的に同一であること」と説明されています．簡単にいえばmeniscus homologueは，「半月板によく似た物」となります．膝関節の半月板には，衝撃吸収と安定化機能がありますから尺骨手根関節でも同様の役割を担う可能性があります．そのためにTFCCには柔軟性が必要と考えられます．Galeazzi骨折や橈骨遠位端骨折では，骨折による損傷，炎症の波及，手術侵襲，長期の固定によりTFCCの柔軟性が失われる可能性があります．よって，前腕の回旋可動域や手関節の可動域練習に先立ち，TFCCの柔軟性を獲得することが，可動域改善のコツの1つと考えています Ⅷ-9CD．

　柔軟性の獲得練習の開始時期は，行われた治療法に依存するため，修復過程を考慮し主治医と協議し開始しましょう．

---

[15] 中本俊毅, 他. 日手会誌. 1990; 7 (3): 555-8.
[16] Palmer AK. J Hand Surg. 1981; 6: 153-62.

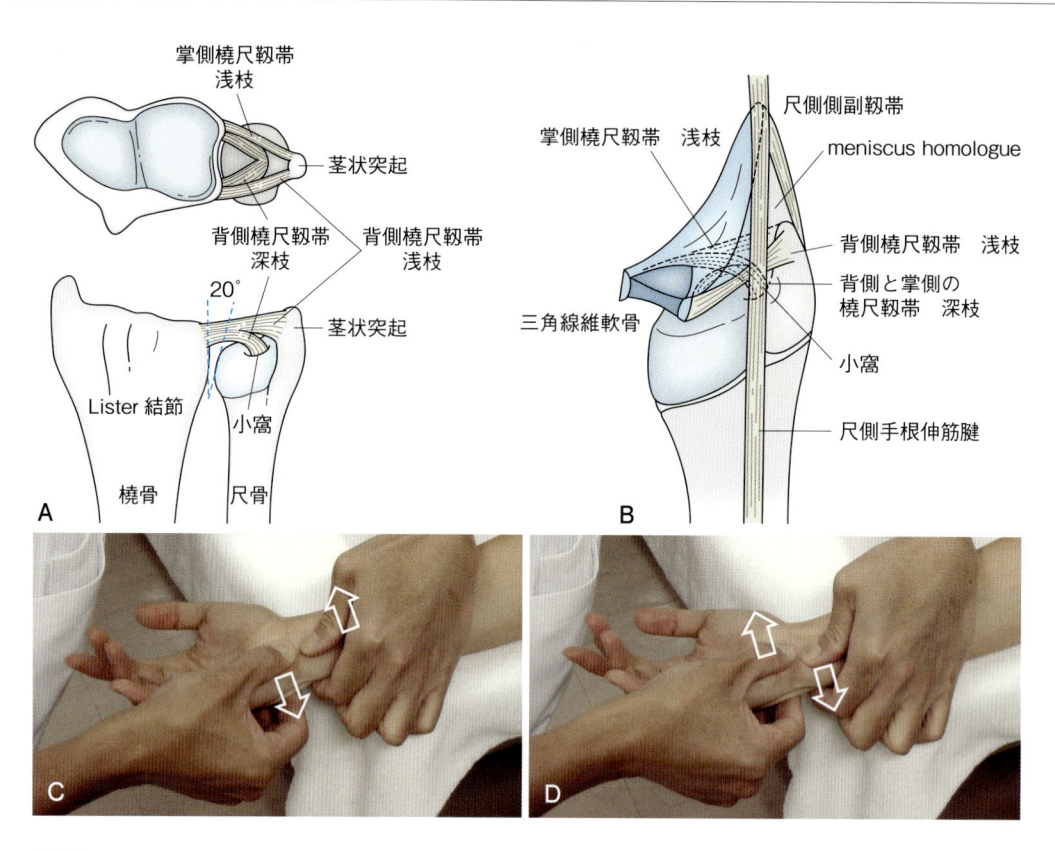

Ⅷ-9 三角線維軟骨複合体（TFCC）の構造と柔軟性の評価と改善法

A：遠位橈尺関節の模式図
Kleinman[17][18]は，遠位橈尺関節の安定化機構に重要な役割を果たす靱帯を，掌側と背側の橈尺靱帯と述べている．遠位橈尺関節には前額面において約20°の傾斜がある．

B：三角線維軟骨複合体（TFCC：triangular fibrocartilage complex）の模式図
三角線維軟骨複合体は，三角線維軟骨，掌側と背側の遠位橈尺靱帯，尺側側副靱帯，尺側手根伸筋の腱鞘，meniscus homologue から構成される[19]．

C，D：TFCC の柔軟性の評価と獲得練習
一方の手で三角骨と豆状骨を把持し，もう一方の手で尺骨頭を把持する．TFCC に剪断力を加えるように操作し，柔軟性の評価を行う．同様の操作を繰り返すことで，柔軟性の改善を目的とした運動療法にもなる．これらの操作を，回内位と回外位で行う．

---

[17] Kleinman WB. Stability of the Distal Radioulnar Joint. Fractures and Injuries of the Distal Radius and Carpus. 2009; p. 259-74.
[18] Kleinman WB. J Hand Surg. 2007; 32-A: 1086-106.
[19] Palmer AK. The triangular. J Hand Surg. 1981; 6: 153-62.

Skill 前腕の回旋可動域改善のコツ②

　次に，遠位橈尺関節（DRUJ：distal radioulnar joint）について考えてみましょう．構成要素は橈骨と尺骨，TFCC です．坂田[20]らは，遠位橈尺関節の前額面において尺骨頭の関節面は，橈骨の関節面に対し約 20°傾くとし Ⅷ-9A ，水平面では橈骨の関節面と尺骨の関節面の円周は異なると述べています Ⅷ-10A ．さらに，これらの関節構造が，橈骨の弯曲を補正し回旋運動を可能にしているとも述べています．しかし中村[21]は，この橈骨と尺骨の円弧の違いが不適合性を生じる原因の 1 つとしています．つまり関節の構造上，遠位橈尺関節は前腕の回旋可動域の制限や痛みを起こしやすいと予測されます．この円弧の違いをコントロールしスムースな回旋運動を可能にする安定化機構の 1 つが TFCC Ⅷ-9 であり，掌側と背側の橈尺靱帯とされています[17,18,22,23]．掌側と背側の橈尺靱帯は，尺骨茎状突起から起始する浅枝と，尺骨小窩から起始する深枝（三角靱帯）に区別され，対称的な構造として報告されてきました[17,18]．そして，回内時には背側の橈尺靱帯浅枝と掌側の橈尺靱帯深枝が緊張し，回外時には掌側の橈尺靱帯浅枝と背側の橈尺靱帯深枝が交互に緊張し，前腕の回旋運動を制御されてきました[17,18,24] Ⅷ-10B ．しかし，2020 年 Saya ら[25]は，3 Tesla の MRI と micro-CT を使用して，同靱帯の非対称で立体的な交差構造を示しました．オープンアクセスですので，ご一読ください．（URL：https://onlinelibrary.wiley.com/doi/full/10.1111/joa.13275）

　残念ながら Galeazzi 骨折や橈骨遠位端骨折後に，これらの組織が元通りに修復されることはありません．セラピストができることは，痛みを出さないように健側に近い遠位橈尺関節の動きを再現することであり，これが可動域改善の 2 つめのコツと考えています．

　特に終末域の改善は難しく，回内制限に対しては中村[26]の報告を参考に，尺骨を固定することで尺骨頭の背側偏位と橈骨が並進運動をするように操作します Ⅷ-10C ．回外方向は，林ら[27]や中村の報告[21] Ⅷ-10ADE を参考に，橈骨ならびに三角骨に対し尺骨を掌側へ持ち上げるように操作し，可動域の改善を行い Ⅷ-10F ，同時に橈骨と尺骨，手根骨間の靱帯の伸張も期待します．

　肘関節の肢位で回旋可動域は変化しますので，必ず最大屈曲位と伸展位の双方で可動域を改善する必要があります．

---

[20] 坂田悍教．MB Orthop．1997；10（2）：9-16．
[21] 中村俊康．別冊整形外科．2004；46：72-7．
[22] Nakamura T, et al. J Hand Surg Br. 1996; 21 (5): 561-6.
[23] Bain GI, et al. J Wrist Surg. 2015; 4 (1): 9-14.
[24] Hagert CG. Handchir Mikrochir Plast Chir. 1994; 26: 22-6.
[25] Horiuchi S, et al. J Anat. 2020 doi: 10.1111/joa.13275. Online ahead of print.
[26] Nakamura T, et al. Clin Biomec. 1999; 14: 315-20.
[27] 林　典雄，他．日本整形外科超音波研究会会誌．2010；22（1）：34-41．

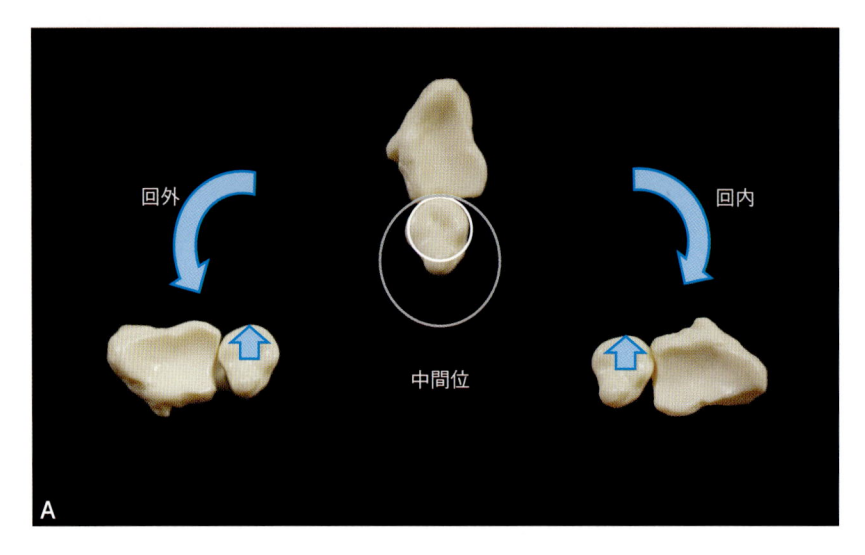

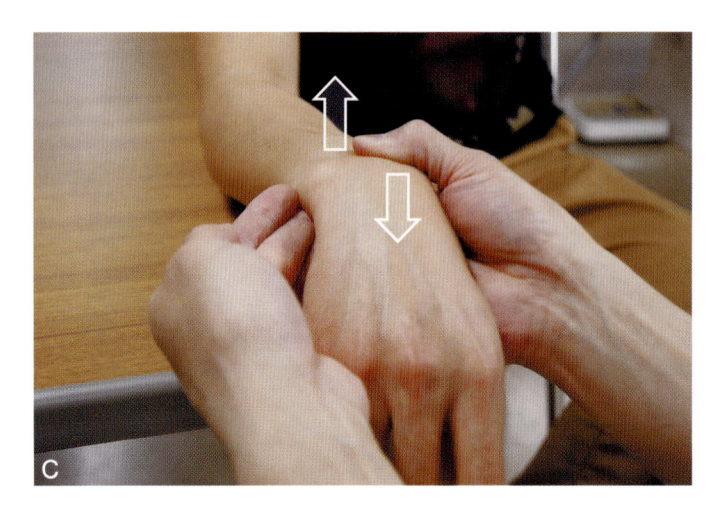

Ⅷ-10 回旋誘導のコツ

A：回内外運動に伴う橈骨と尺骨の位置関係（右橈尺関節の冠状面）
中村によれば，橈骨尺骨切痕と尺骨頭の円弧の違いにより不適合性が生じ，このために回内位では尺骨頭は背側へ，回外位では尺骨頭が掌側へ偏位するとしている．

B：回内外運動に伴う橈尺靱帯の緊張変化
回内時には背側橈尺靱帯浅枝と掌側橈尺靱帯深枝が緊張し，回外時には掌側橈尺靱帯浅枝と背側橈尺靱帯深枝が交互に緊張し，前腕の回旋運動を制御しているとされる[17,18]．

C：回内終末域の改善法
尺骨を下方より持ち上げ，橈骨を床に対し垂直方向に押すように操作し，尺骨頭の背側への偏位と橈骨の並進運動を再現し回内可動域の改善を図る．

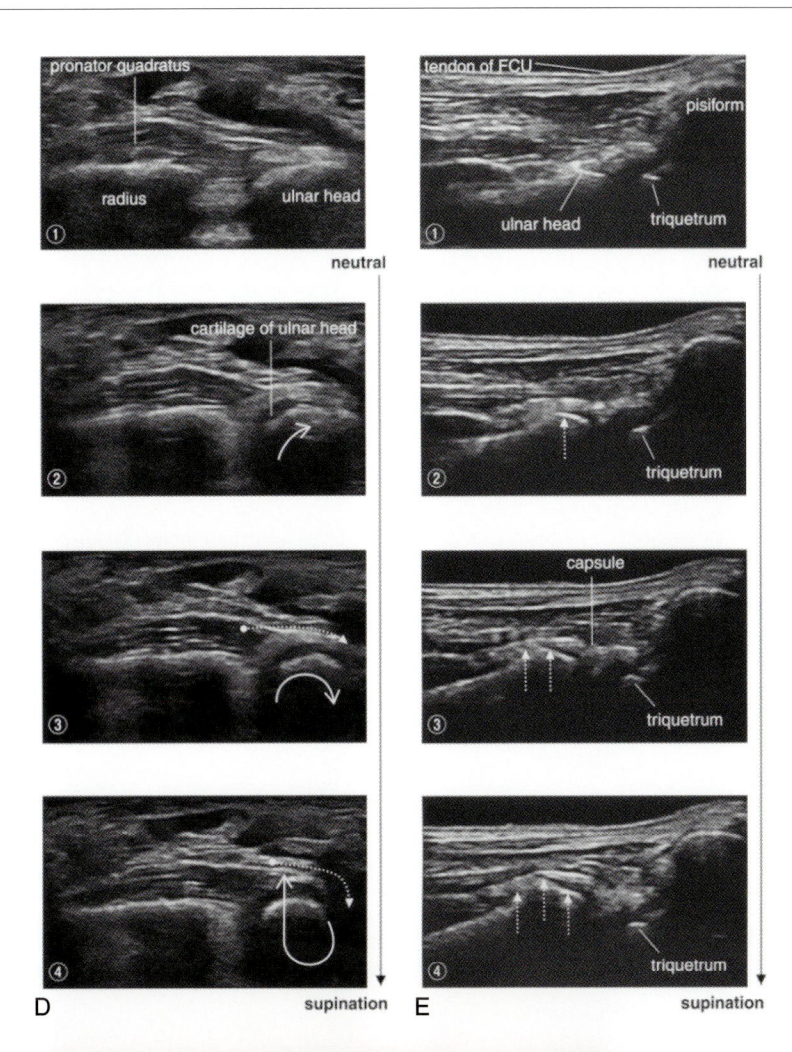

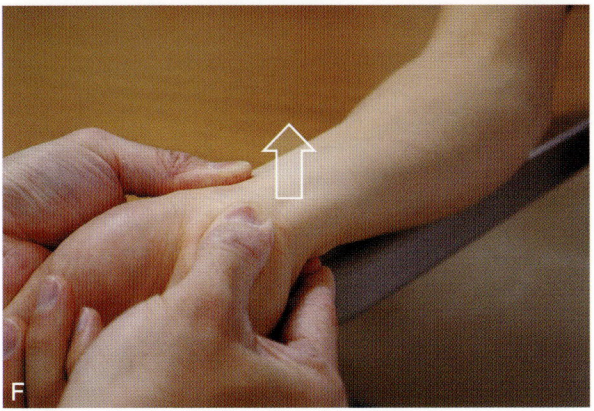

| Post-Fracture Rehabilitation Master Book | **161** |

Ⅷ-10 つづき

D：エコーによる遠位橈尺関節における尺骨頭の動態観察[27]
　　健常成人18名36肢を対象とし，橈骨の掌側にプローブを固定し橈骨を基準とした尺骨の動態と移動距離を観察している．①から④は，中間位から回外位への動態を示しており，尺骨が方形回内筋を巻き取るように回内し，尺骨頭は平均3.6 mm掌側へ移動したとされている．

E：エコーによる三角骨に対する尺骨頭の動態観察[27]
　　Dと同じ対象を用いて，三角骨を掌側より撮影しそれを基準とし尺骨頭の動態と移動距離を観察している．①から④は，中間位より回外位への動態を示しており，尺骨頭は平均4.1 mm掌側へ移動したと報告している．

F：回外終末域の改善法
　　左手の母指で橈骨を固定し，右手の母指で豆状骨を介して三角骨を固定する．回外に伴い，尺骨を上方へ押し上げるように操作し回外可動域の改善を図る．

Break through　ダイナミック回旋装具の開発

　著者らは，2007年日本義肢装具学会にて前腕の回旋制限に対するダイナミックな装具療法を報告しました Ⅷ-11 [28]．

　それまでの装具は持続伸張により可動域の改善を図ろうとしたものが多く，我々は軟部組織の柔軟性や伸張性，滑走性の改善には，筋収縮を伴った装具が効率的であると考えたためです．本回旋装具の開発コンセプトは，生理的な自動運動による回旋運動と他動的な伸張による可動域の改善です．

　生理的な回旋運動を行わせるためには前腕の回旋軸が重要で，一般的に橈骨頭から尺骨頭の中心を通るとされています．橈骨頭は楕円形をしており，尺骨頭も真円形ではないためその回旋軸は一定ではなく常に移動していることとなります．骨折後にはある程度の角状変形が残存する場合もあり，なおさら回旋軸は一定ではありません．

　しかし，ある程度の基本軸を設定しないわけにもいきません．本装具は肘関節が屈曲位にある場合は，第3中手骨がその軸になるというCastaing[29]らの報告を参考にしました．

　実際の使用法は，肘関節を90°屈曲位で前腕上腕カフに固定し，前腕が回旋リングの中心付近に位置するように，第3指挿入用ホールと高さ調節用バンドを用いて調節し運動軸を定めます Ⅷ-11AB ．この状態で，回旋運動を行わせ違和感があるようであれば，第3指挿入用ホールを用いず運動を行わせます．

　次に，手関節バンドを装着させ Ⅷ-11C 輪ゴムにて回旋リングと連結します．回旋リングは2重構造となっており，外側はパイプフレームと連結しています．外側のリングはリングロック用ネジにて前後に調整することが可能となっています．

　また，内側リングは360°の回旋が許容されており，任意の回旋位置に固定することができるため，適度な張力を前腕に伝えることができます Ⅷ-11D ．

　回外方向の改善を目的とする場合は，内側のリングを回外方向に回転させ内側リングロック用レバーで固定し適度な張力を前腕に加えます．張力に抗して等張性収縮後に等尺性収縮を行わせ，ゴムの張力による他動伸張で可動域の改善を図ります．

　回内方向は，この逆を行えばよいですし，従来の装具のように持続的な伸張も可能です．

---

[28] 篠田信之, 他. 日本義肢装具学会誌. 2007; 23（3）: 229-34.
[29] Castaing J, et al. 図解 関節・運動器の機能解剖　上肢・脊柱編. 協同医書出版社; 1992. p. 43-67.

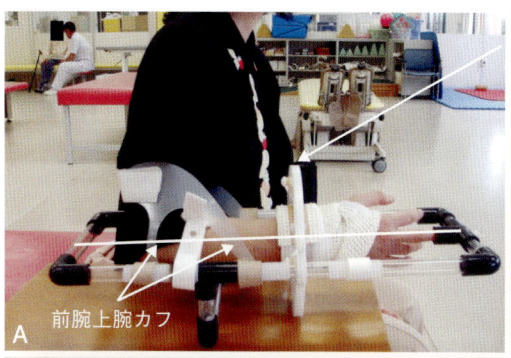

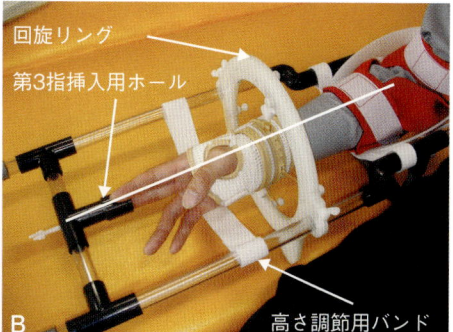

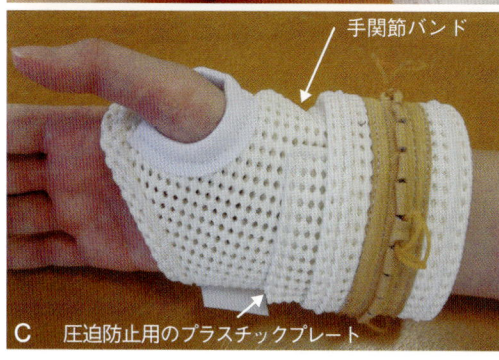

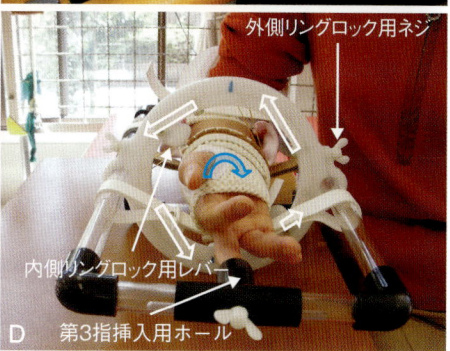

Post-Fracture Rehabilitation Master Book

Ⅷ-11 回旋可動域改善のための装具療法

A B：肘関節を90°屈曲位とし前腕上腕カフに固定する．第3指挿入用ホールに中指を挿入し前腕が回旋リングのほぼ中心を通るように，高さ調節用バンドでその位置を定める．

C：滑り止め効果が高い抗菌メッシュ材にて手関節バンドを作成し，輪ゴムを利用して回旋リングと連結する．湾曲のある圧迫防止用のプラスチックプレートを挿入することで，血流低下を防ぐことができる．

D：内側の回旋リングは360°の回旋が許容されており，外側はパイプフレームと連結された2重構造となっている．リングロック用ネジにて内側は任意の位置に固定することができ，適度な張力を前腕に加えることができる．

（装具についての問い合わせ先：名光ブレース　ホームページ　http://www.meikoubrace.co.jp/MeikouBrace.Co.Ltd/Welcome.html）

Skill & Knowledge　プレート固定による回内制限

　40代後半の女性，近位1/3と遠位1/3の2カ所の尺骨骨折を伴うMonteggia骨折の症例を提示します Ⅷ-12A ．尺骨は，尺骨骨幹部へのアプローチにて橈側からロングプレートで固定されました．尺骨の整復と固定に伴い橈骨頭の脱臼が整復されたため，腕橈関節は保存療法が選択されました Ⅷ-12B ．3週間の外固定の後に，可動域練習を開始しましたが，4カ月を経過しわずかな回内制限が残存しました Ⅷ-12C ．マイクロコンベックスプローブを使用し，橈骨粗面付近を観察すると回内に伴い同部がプレートに近づく様子が観察されました．もう一度，プレート固定後のレントゲン側面像を見直すと，尺骨の整復位がわずかに背側凸ではありますが，橈骨中央から橈骨粗面付近にかけての掌側凸の湾曲が，通常より大きいように観察されます．側面像は，回外位で撮影されていますから，回内に伴い橈骨粗面付近の最凸部は，尺骨をかすめる可能性があります．参考までに同部の湾曲の少ない骨模型で，回外位から回内に伴う同部の位置関係を確認しても，橈骨粗面付近の最凸部は尺骨をかすめていました．橈骨粗面には，上腕二頭筋が付着します．これ以上の可動域練習は，同筋に何らかの影響を及ぼす可能性があるため，回内方向の可動域練習は終了としました．近位1/3の尺骨骨折に対し橈側よりプレート固定が行われている場合は，注意が必要な場合があります．レントゲン像とエコー像のマッチングの重要性を再認識した症例でした．

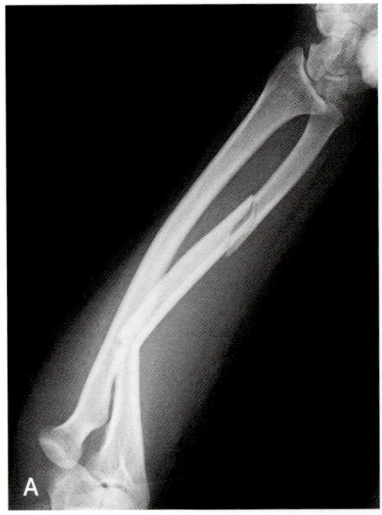

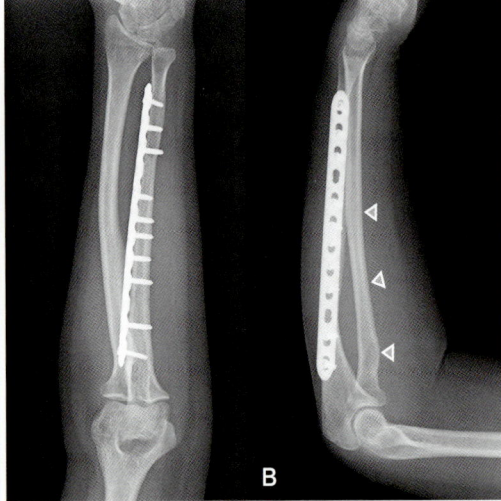

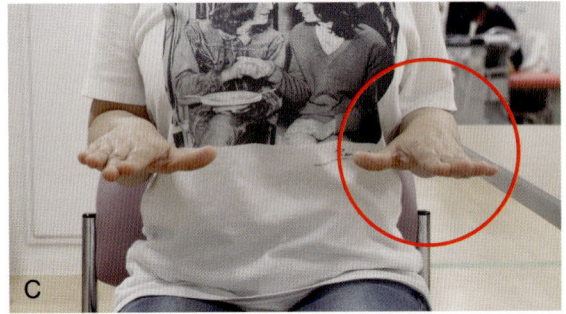

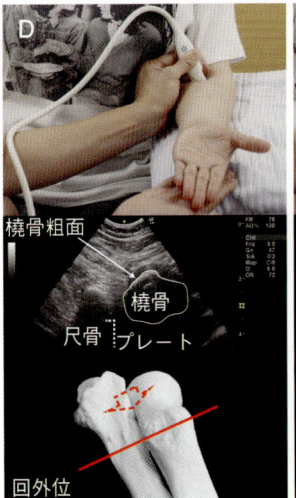

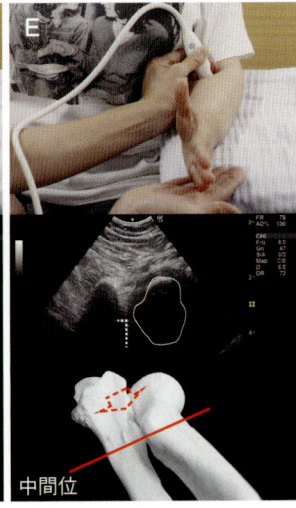

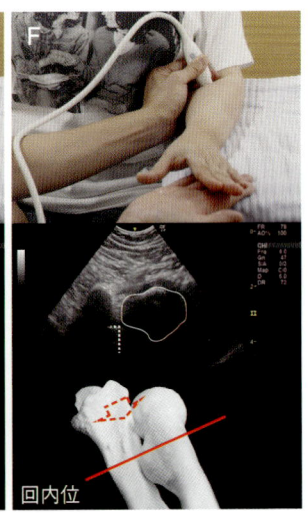

Ⅷ-12 プレートによる回内制限が疑われた症例

A: 近位 1/3 と遠位 1/3 の 2 カ所の尺骨骨折を伴う Monteggia 骨折
B: 橈側からのロングプレートにて骨折部が固定された．
　白三角は，橈骨中央から橈骨粗面付近にかけての掌側凸の弯曲を示す．
C: 術後 4 カ月が経過し，回内制限が残存した．
D: 回外位でのマイクロコンベックスプローブによるエコー像
　赤点線矢印は，観察方向を示している．赤実線は，観察高位を示す．
E: 中間位のエコー像
F: 回内位のエコー像
　回内に伴い，プレートと橈骨粗面付近の最凸部が近づくように観察され，上腕二頭筋に影響を及ぼす可能性が考えられた．

X 前腕骨遠位部骨折
fracture of the distal forearm

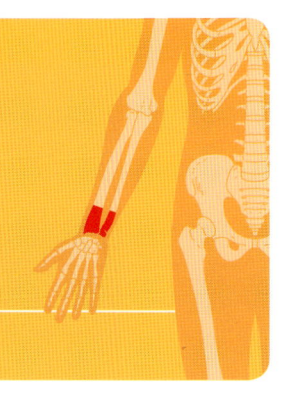

概要 general remarks

　前腕遠位部の骨折は，全骨折の1/6を占めるといわれるほど頻度の高い骨折である．橈骨遠位端骨折として有名であるが，尺骨の茎状突起骨折を伴うことも少なくない．女性の発生率が男性に比べ約3倍程度高い[1]．高齢者では，転倒時に手をついて受傷するといった低エネルギー外傷が多く，骨粗鬆症を基盤とした骨脆弱性骨折の1つとされている．小児の場合は，転落などで受傷し若木骨折となることが多い IX-1．成人では交通事故やスノーボードなどの高エネルギー外傷で起こるとされている．

　大別すると関節外骨折には，遠位骨片が背側に転位するColles骨折と，掌側へ転位するSmith骨折（逆Colles骨折）がある．転位の方向は，背側への転位が多いとされている[1]．関節内骨折は，遠位骨片が手根骨と共に背側へ転位するBarton骨折（背側Barton骨折），掌側へ転位する逆Barton骨折（掌側Barton骨折），橈骨茎状突起が骨折するChauffeur骨折がある IX-2．粉砕骨折 IX-4 となることも多い．また，TFCCを介した張力が作用して生じる尺骨の茎状突起骨折を伴うこともまれではなく，合併率は51.8〜65.9%とされている[2]．

　一般的にFrykmanの分類，斎藤らの分類[3]，AO/OTA分類が用いられ，関節内骨折の分類としてMeloneの分類[4]が用いられることが多い．**Warp!!** AO/OTA分類と長管骨の骨幹部，近位部，遠位部の分類（p.4）

　合併症として尺骨突き上げ症候群（ulnocarpal abutment syndrome），舟状骨月状骨間離開，月状骨三角骨間離開，正中神経損傷，腱断裂（長母指伸筋，長母指屈筋），CRPS type1，靱帯損傷などが挙げられる．

整形外科的治療 orthopedic procedure

　小児の骨折は，若木骨折や骨端成長軟骨板の損傷になりやすい．整復位が得られやすく自家矯正力が高いため保存療法が原則となる．

　青壮年者や高齢者では骨折の状態により治療法が選択される．粉砕骨折がなく転位の少ないColles骨折やSmith骨折，Chauffeur骨折などの単純関節内骨折は，保存療法が

---

[1] 日本整形外科学会，他監修．橈骨遠位端骨折診療ガイドライン2017．南江堂；p.10-1．
[2] 日本整形外科学会，他監修．橈骨遠位端骨折診療ガイドライン2017．南江堂；p.31．
[3] 斎藤英彦．MB Orthop. 1989; 13: 71-80．
[4] Melone CP. Orthop Clin North Am. 1984; 15: 217-36．

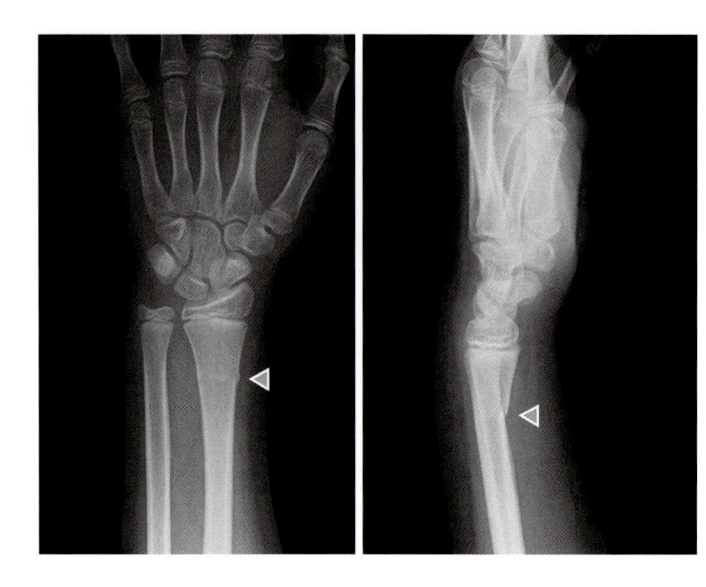

Ⅸ-1 若木骨折（greenstick fracture）

不完全骨折に分類される．小児期は骨膜が厚いため完全骨折に至ることは少ない．
圧迫が加わる側の皮質骨は屈曲（掌側）し圧縮され，反対側の皮質骨は破断していることが多い．

選択されることが多い．Colles 骨折の整復は，手関節を最大掌尺屈位，前腕回内位とする Cotton-Loder 肢位にて行われる．固定は，先の肢位から軽度の掌尺屈位へもどされ肘関節を 90°屈曲位とし，ギプス包帯などで 2〜3 週間固定される．その後，前腕ギプスへ変更されることが多い Ⅸ-3．近年は，背屈位固定でも良好な成績が報告されている[5]．

手術療法は，整復位が保持できない場合，粉砕骨折，不安定型骨折 表7 [6]等に行われる．関節外骨折において，青壮年者や活動性の高い高齢者の不安定型骨折に対し手術療法は保存療法に比べ有効とされているが，活動性の低い高齢者においてはその限りではない[7]．また，転位のある関節内骨折では，手術療法は有用とされている[8]．治療法は数多く報告されており，Kapandji 法などの Kirschner 鋼線を用いた整復と固定 Ⅸ-5，canulated screw などを用いたスクリュー固定，ロッキングプレートによる固定，創外固定器を単独または複合的に使用した固定等が行われる．ロッキングプレートは，掌側ロッキングプレート（volar locking plate：VLP）Ⅸ-4 Ⅸ-8 の使用が多く，早期の運動療法が可能となっている．また，骨欠損が認められた場合は，自家骨や骨補填剤が充填される Ⅸ-5．

近年，鏡視下手術が行われることが多くなり，関節内骨折の整復や，TFCC 損傷の修復（特に，尺骨の小窩に付着する三角靱帯の再建 Ⅷ-9 [9]）を目的に行われる．

[5] 高畑智嗣．関節外科．2009；28（9）：1042-8.
[6] 佐々木孝，他．日手会誌．1986；3：515-9.
[7] 日本整形外科学会，他監修．橈骨遠位端骨折診療ガイドライン 2017．南江堂，p 34-6.
[8] 日本整形外科学会，他監修．橈骨遠位端骨折診療ガイドライン 2017．南江堂，p. 37-8.
[9] Nakamura T. Hand clinics. 2011; 27（3）：281-90.

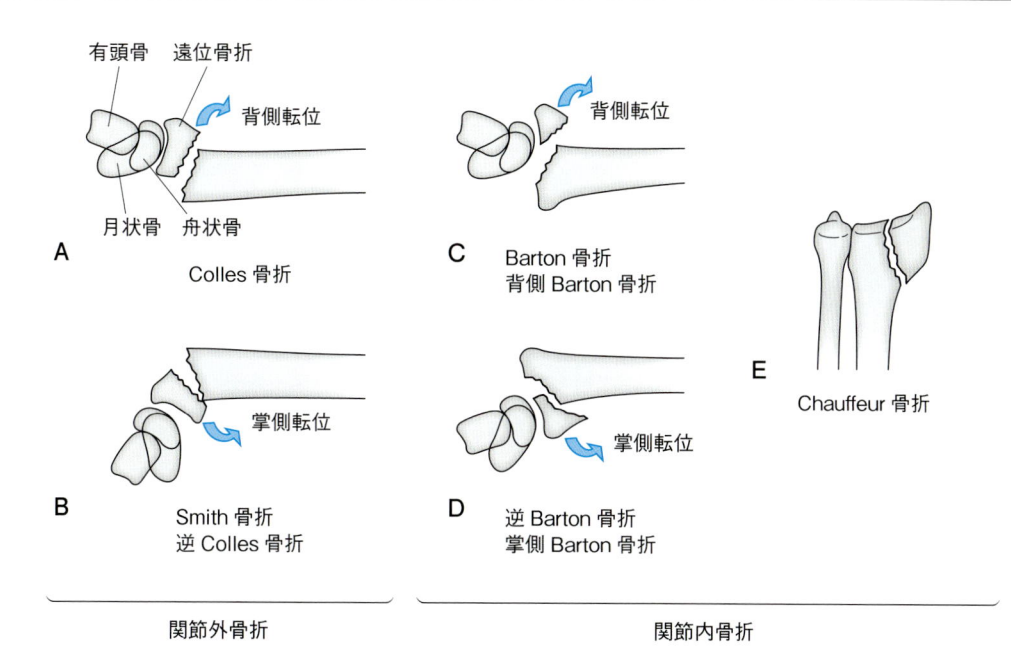

図中ラベル:
- A: Colles 骨折（有頭骨、遠位骨折、背側転位、月状骨、舟状骨）
- B: Smith 骨折／逆 Colles 骨折（掌側転位）
- C: Barton 骨折／背側 Barton 骨折（背側転位）
- D: 逆 Barton 骨折／掌側 Barton 骨折（掌側転位）
- E: Chauffeur 骨折

関節外骨折 ／ 関節内骨折

IX-2 前腕骨遠位部骨折

A：**Colles（コーレス・コリス・コリーズ・カルス）骨折**
手関節背屈位，前腕回内位で手を突いたときに起こるとされている．

B：**Smith（スミス）骨折**
古くは手関節掌屈位で手背を突いて受傷すると考えられていたが，オートバイや自転車の乗車中にハンドルを握ったまま衝突したり，手関節背屈位，前腕回内位で後方に転倒し手を突いた際に，手掌が固定され前腕遠位部に剪断力や内旋力が加わり受傷するとも考えられている．

C：**Barton（バートン）骨折**

D：**逆 Barton 骨折**

E：**Chauffeur（ショフール）・運転手骨折**
橈骨舟状骨靱帯や舟状骨月状骨靱帯の損傷を合併する可能性がある．

表7 佐々木らによる不安定型骨折の分類

1．不安定型 Colles 骨折 　a．粉砕型で転位があり，本来不安定な骨折 　　①整復時に整復位を保つには十分な安定性がない 　　②関節内に及ぶ高度な粉砕がある 　　③高度な転位（dorsal tilt≧20°，radial shortening≧10 mm）があり，ギプス固定では整復位の保持困難が予測されるもの 　b．粉砕型でギプス固定後，dorsal tilt≧5°あるいは，radial shortening≧5 mm の再転位を生じたもの
2．高度な粉砕の Smith 骨折
3．両側例，同側上肢の多発骨折例

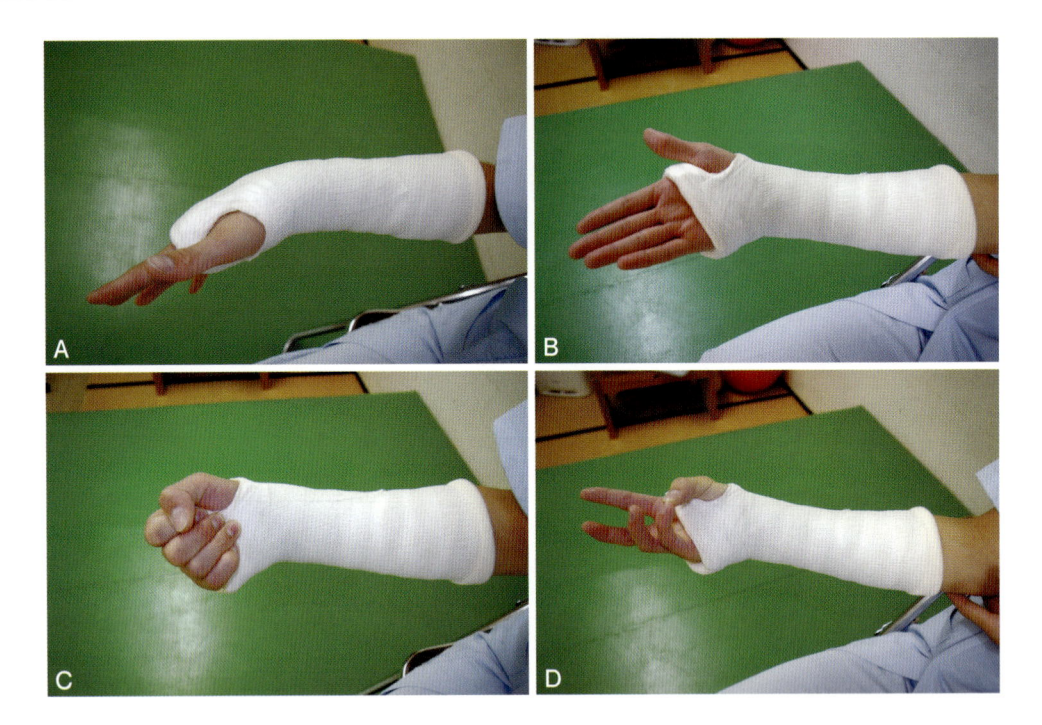

IX-3 前腕ギプス
A：側面より　B：掌側より　C：手指の掌握動作　D：手指の対立動作

軽度掌屈・尺屈位により固定される．Cotton-Loder 肢位での固定は MP 関節の伸展拘縮や手根管症候群の発生が懸念されるため行われることは少ない．通常は MP 関節の運動を許した状態でギプス固定が行われる．手指の掌握，対立動作が可能であり，早期の腫脹減退や拘縮を予防するのが目的である．

Knowledge　ギプスを巻いたとき，巻きかえ時の注意点

　骨折後のギプス固定は，患部が腫脹した状態で巻かれます．また，巻きかえは腫れが軽減し弛みが出てきた時点で行われます．適度な圧迫力で巻く作業は難しく，巻いたときには痛くないのですが，その夜に痛みが出現することがあり注意が必要です．痛みが認められたら速やかに切れ目を入れるか，巻き直す配慮が必要です．
　特に，切れ目を入れることを医療業界では"割（喝）を入れる"といいます．

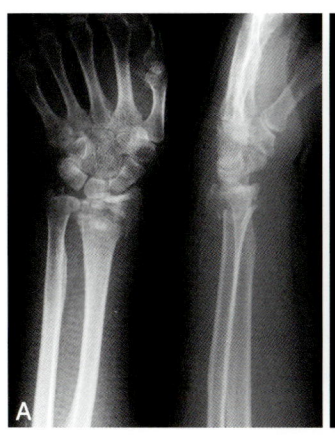

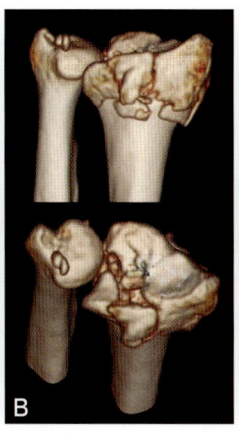

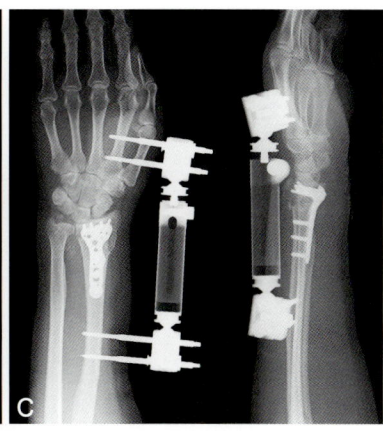

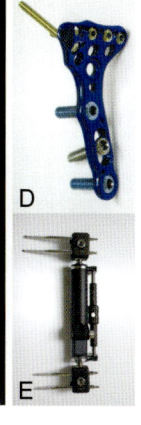

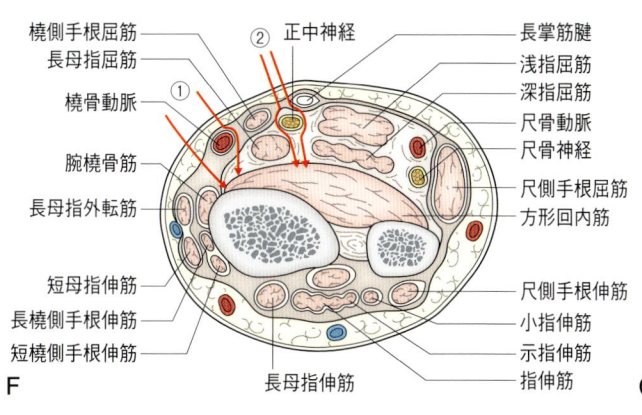

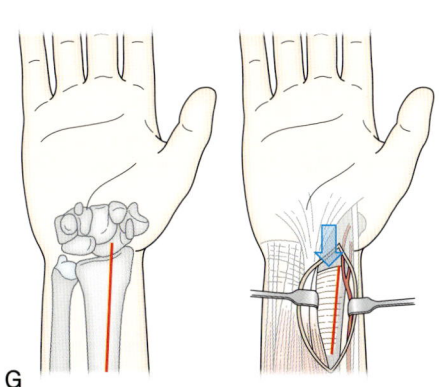

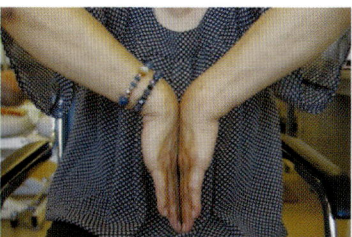

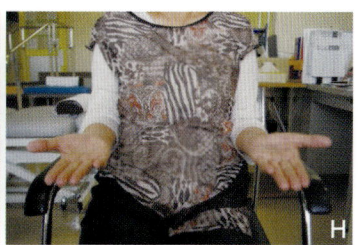

Post-Fracture Rehabilitation Master Book   169

IX-4 左手関節粉砕骨折にロッキングプレートと創外固定が行われた例

A B：受傷時
橈骨の関節面で背側に転位した多骨片と，尺骨頭の裂離骨折を認める（AO/OTA 分類：橈骨 2R3C3.1, 尺骨 2U3A1.1）．

C： 創外固定により整復位を保ち，ロッキングプレートによる固定がなされた．
良好なアライメントにある．

D： 使用されたロッキングプレート

E： 使用された創外固定器

F： 橈骨遠位部への進入法　文献❿より改変
①橈骨遠位 1/3 への前方進入法，Henry 変法掌側進入法
②正中神経　展開のための進入法
などが用いられる

G： 橈骨遠位 1/3 への前方進入法　文献⓫より改変
橈側手根屈筋の橈側（外側）に沿って皮膚切開を行う．橈骨動脈を橈側（外側）へよけ，方形回内筋へ達し橈骨付着部から切離反転する．橈骨動脈の橈側（外側）より進入する方法もある．また，方形回内筋を温存する場合は，遠位より滑り込ませることもあり，正中神経　展開のための進入法により行われることもある．また，関節鏡視下にて関節面を整復することもある．本症例では，方形回内筋を切離，反転し整復と固定が行われた．切離された方形回内筋は再縫合された．

H： 術後 6 カ月後の成績

❿長野　昭，編．整形外科手術のための解剖学―上肢―．メジカルビュー社；2004. p. 209.
⓫田中　正，監修．AO 骨折治療法．医学書院；2008. p. 370.

IX　前腕骨遠位部骨折

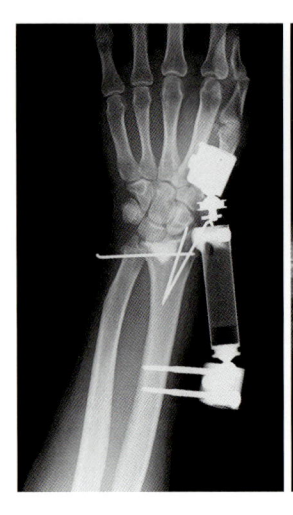

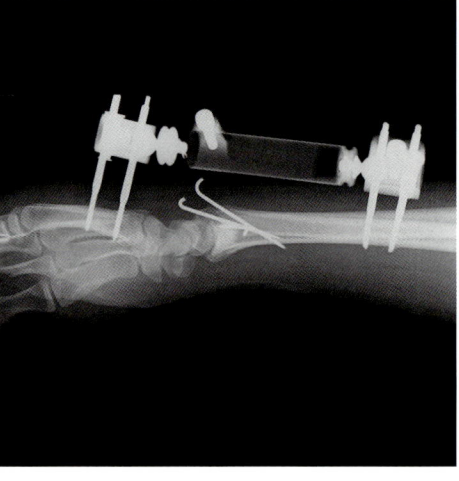

Ⅸ-5 整復後（Kapandji 法・Intrafocal pinning 法）の Kirschner 鋼線による固定

Kirschner 鋼線による固定では不安定であったため，創外固定が追加された．骨欠損があり骨補填剤が充填された．

評価 evaluation of the fracture

創外固定や外固定が行われた場合は，肩関節や肘関節の評価と共に，手指の可動域，筋力，感覚，疼痛などを評価する．外固定が行われない場合やその除去後は，先の評価に加え手関節に対し基本項目を評価する． **Warp!!** 評価の基本項目（p. 43）

画像所見からは，骨折型を確認するとともに radial length, radial tilt, ulnar variance, volar（palmar）tilt **Ⅸ-6AB** を確認することで，可動域制限や機能的な予後を推測する．月状骨窩の掌側（volar lunatefacet：VLF）は，荷重伝達に重要な役割を果たすため[12]観察のポイントとなる．また，その支持を目的とした遠位設置型の VLP も開発されている **Ⅸ-8B**．骨折部が鋭利な場合は，同部と腱との摩擦により腱断裂の可能性があるため，骨折部周辺の解剖を十分に確認し，運動療法中も慎重な経過観察が必要である．月状骨窩背側の骨片（die punch fragment：DPF）やリスター結節周辺は，背側部での骨折の好発部位である **Ⅸ-4B** [13]．DPF 付近は総指伸筋が走行し，リスター結節周辺は長母指伸筋が走行し滑車機能を有する．よって，その周辺の骨片には注意を払うと共に，第 2～4 指の MP 関節での自動伸展や母指 IP 関節の自動伸展が可能であるかを経過とともに評価する．

手術療法が選択された場合は，手術記録などから進入路を確認し，主治医に術中所見と骨折部の安定性について確認する．それらの情報から，その後生じる癒着の発生部位を予測する **Ⅸ-4FG**．エコーにてその状態を観察することも有効である **Ⅸ-7**．VLP が用いられた場合は，方形回内筋の修復や温存は，早期の機能回復に有用とされ[14]，その処置については必ず確認しておく **Ⅸ-4G**．また，VLP の設置状態には注意が必要であり，

---

[12] Majima M, et al. J Hand Surg Am. 2008; 33（2）: 182-8.
[13] 金城養典，他. 関節外科. 2019; 38（8）: 25-38.
[14] 日本整形外科学会，他監修. 橈骨遠位端骨折診療ガイドライン 2017. 南江堂; p. 101-2.

プレートの遠位端が Watershed line IX-8A を超えている場合，または接している場合，プレートが橈骨より浮き上がっている場合 IX-8E ，橈骨の背屈転位が残存したままで固定された場合には，プレートと長母指屈筋腱との摩擦による後発的な腱断裂が報告されており，運動療法の経過と共に経過観察が必要である．同部の観察におけるエコーの有用性は高いとされており[15]，可能であればエコーによる評価を行う IX-9 ． Warp!! Watershed line と遠位・近位設置型の掌側ロッキングプレート（p. 175）

　尺骨の茎状突起骨折が認められた場合は IX-4ABC ，TFCC への炎症の波及が予測されるため，運動療法の経過の中で，その柔軟性を健患差にて評価する VIII-9CD ．

　可動域の測定においては，まず上腕骨を床に対し垂直にすることを忘れてはならない．その上で，前腕の回旋角度や手関節の可動域を測定する．特に掌背屈運動では，手根中央関節と橈骨・尺骨手根関節により行われるため，これらの関節運動を理解した上で通常の可動域測定に加え，手根中央関節の可動域を測定する IX-14 ． Warp!! 手関節の運動① 手関節の自動背屈運動（p. 176），手関節の運動② 手根中央関節と橈骨・尺骨手根関節の運動方向（p. 178）また，掌背屈だけでなくリバース・ダーツスロー・モーションを利用した橈尺屈の可動域を評価することで，橈骨手根関節の可動性を評価する IX-15 ．背屈制限には長母指屈筋，深指屈筋，浅指屈筋が制限因子となりやすく，掌屈制限には示指伸筋が制限因子となりやすい．これら筋群の他動伸張性の確認は必須事項である IX-18GH ． Warp!! 手関節の可動域の測定法（p. 180）

　不動に伴う二次的な手内筋の短縮も少なくない．筋短縮テストとして，母指の内転筋拘縮の評価のために，橈側外転と掌側外転の可動域を評価する．また，示指から小指では，intrinsic minus position IX-16D を利用し評価する．

　感覚検査では，骨片の影響により骨折時や遅発性に正中神経麻痺が出現することがあり，支配領域の感覚評価と筋力検査を経時的に行う．

---

[15] 日本整形外科学会, 他監修. 掌側ロッキングプレート固定に合併する腱損傷の診断に対して，超音波検査は有用か？．橈骨遠位端骨折診療ガイドライン 2017. 南江堂; p. 101-2.

Knowledge radial length, radial tilt, ulnar variance, volar (palmar) tilt について

radial length Ⅸ-6A ①：手関節正面像を用い橈骨長軸に対し橈骨茎状突起の先端の高さと尺骨頭関節面で垂線を引きます．この間の距離を radial length といい，正常では 9〜11 mm とされています．健側に比べ 4 mm 以上の短縮で機能予後は不良となり，1 mm 以内の整復が目標とされているようです[16]．

radial tilt Ⅸ-6A ②：radial inclination, radial deviation ともいわれ，橈骨長軸の垂線に対する橈骨関節面の傾斜角をいいます．正常は，13°〜30°程度で平均 23°〜24°とされています．

ulnar variance Ⅸ-6A ③：橈骨遠位関節面に対する尺骨遠位関節面の高さの相違を尺骨偏位（ulnar valiance）といい，正常ではほぼ同じ高さ（±2 mm）にあります[17]．橈骨に対し尺骨が長い場合を ulnar plus variance，短い場合を ulnar minus variance と表現し，尺骨突き上げ症候群（ulnocarpal abutment syndrome）の指標とされます．

volar (palmar) tilt Ⅸ-6B ④：手関節側面像にて橈骨長軸の垂線に対する橈骨遠位関節面の角度をいいます．正常は 7°〜13°程度で，平均 10°〜11°とされています．

南野[18]らは，橈骨遠位端骨折後の経過観察にて，整復後に再転位を起こしやすい時期とその割合，危険因子，治療成績について報告しました．再転位は volar tilt, radial tilt, ulnar variance で認められ，約 70% が整復後 1 週間以内に再転位を起こすとしました．危険因子は初診時と整復 1 週間後の volar tilt と radial tilt の低値，ulnar variance の高値，橈骨背側部の粉砕が挙げられ，初診時の volar tilt が−20°以下，radial tilt が 5°以下，ulnar variance が 5 mm 以上，橈骨背側部の粉砕が認められた例では再転位を起こし成績が不良と述べています．

上記で述べたレントゲン計測には，このような意味があるようです．また，臨床でレントゲン写真を見ていますと，正常と思われる手関節の形状は非常にばらつきが多く，可能であれば健患差にて正常を判断すべきと考えます．

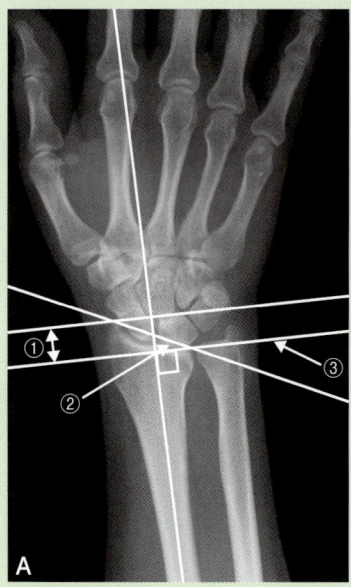

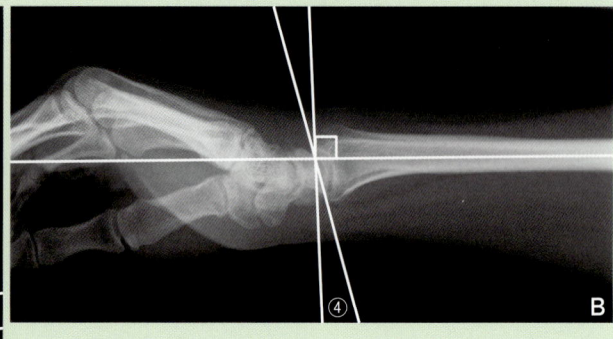

Ⅸ-6 radial length, radial tilt, ulnar variance, volar (palmar) tilt
A：①radial length, ②radial tilt, ③ulnar variance
B：④volar (palmar) tilt

---

[16] 整形外科リハビリテーション学会. 整形外科運動療法ナビゲーション　上肢. メジカルビュー社; 2008. p. 178-81.
[17] 田嶋　光. 橈骨遠位端（部）骨折. 骨折脱臼　改訂第 2 版. 冨士川恭輔, 他編. 南山堂; 2018. p. 590-639.
[18] 南野光彦. 関節外科. 2009; 28 (9): 1049-54.

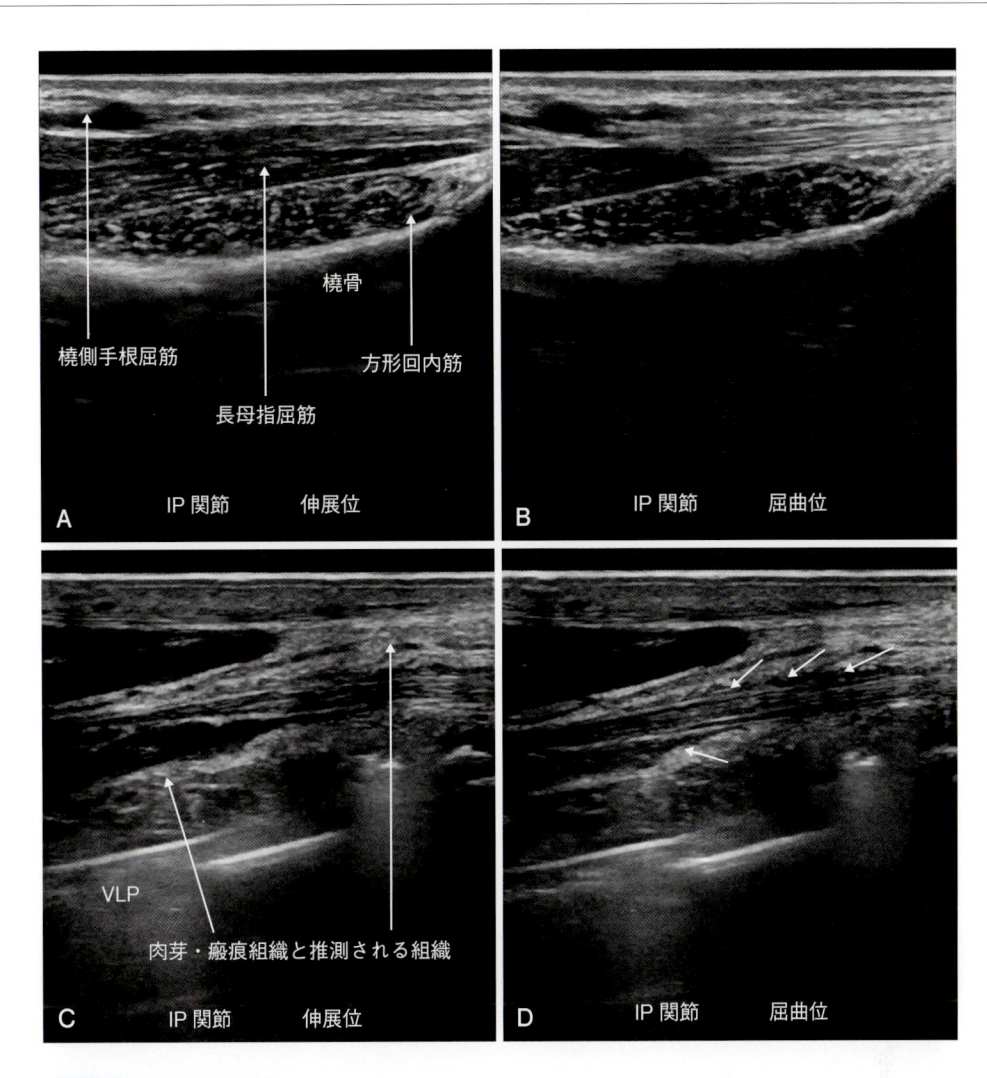

Post-Fracture Rehabilitation Master Book 173

（図中ラベル）
A: 橈側手根屈筋　橈骨　長母指屈筋　方形回内筋　IP関節　伸展位
B: IP関節　屈曲位
C: VLP　肉芽・瘢痕組織と推測される組織　IP関節　伸展位
D: IP関節　屈曲位

IX-7 癒着の発生部位の予測

　術後6日の橈側手根屈筋，長母指屈筋，方形回内筋のエコー像を示す．同部は，VLP挿入のための進入路となる IX-4F ．手関節とMP関節を中間位とし，自動運動にてIP関節の屈曲-伸展を交互に行わせ撮影した．
AB：健側の母指IP関節の伸展位と屈曲位
CD：患側の母指IP関節の伸展位と屈曲位
　健側に比べ，橈側手根屈筋は，腫れている．長母指屈筋の滑走性は低下し，その周辺に肉芽組織や瘢痕組織と推測される組織が観察され，屈曲に伴い長母指屈筋にまとわりつく様子が観察された（矢印）．

IX 前腕骨遠位部骨折

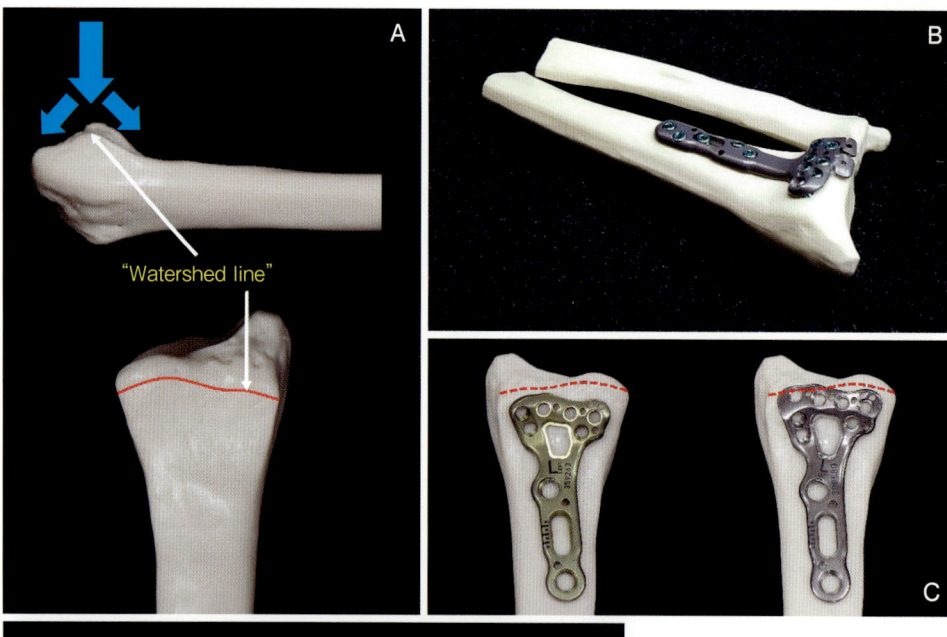

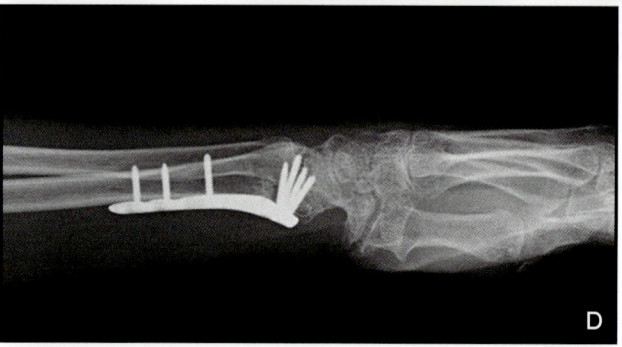

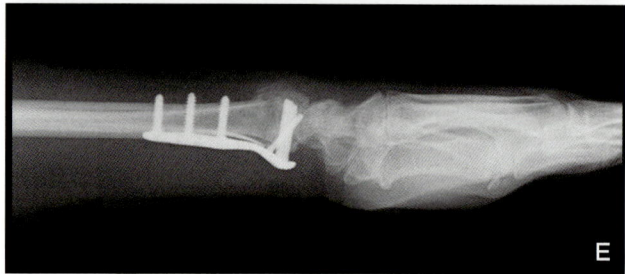

IX-8 Watershed line と遠位・近位設置型の掌側ロッキングプレート

A: 側面と掌側より見た Watershed line
B: 遠位設置型の VLP 例
　　Zimmer Biomet 社製　DVR Crosslock タブ付きプレート
　　タブは，月状骨窩の掌側のバットレスプレートの役割をする．
C: 左　近位設置型の VLP 例，右　遠位設置型の VLP 例
　　赤点線は，Watershed line を示す．
　　日本メディカルネクスト社製　Acu-Loc® 2 Proximal Plate
D: 近位設置型の VLP の通常設置例
　　Watershed line の近位に VLP の遠位端が位置する
E: 橈骨より VLP の浮き上がりが確認された例

Knowledge　Watershed line と遠位・近位設置型の掌側ロッキングプレート

　Watershed は分水嶺を意味し，Orbay[19]は，Watershed line を「the transverse ridge that limits the concave surface of the volar radius」と定義し，この線を VLP の遠位部が乗り越えたり，接したりしない設置方法が屈筋腱損傷の防止につながるとしました **IX-8A**．しかし，Watershed line の引き方には議論があり，コンセンサスの得られた引き方は定まっていないようです[20]．
　近年は，数多くの VLP が販売されており，Watershed line を越えて設置するプレートを遠位設置型，その近位部に設置するものを近位設置型と呼ぶことが多いそうです[21]．

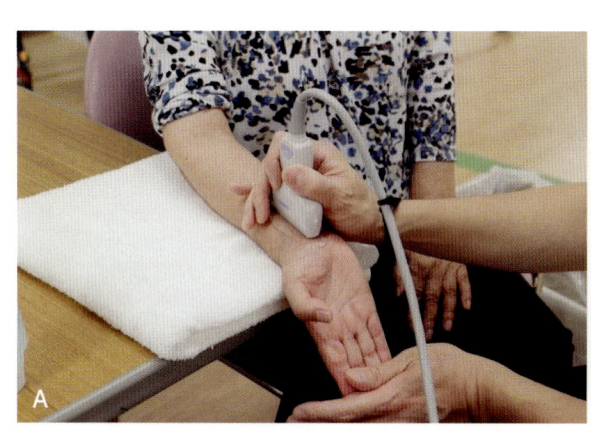

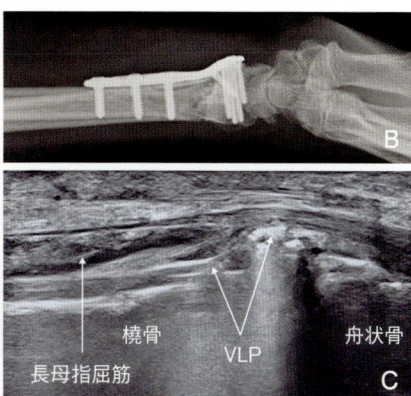

IX-9 VLPと長母指屈筋の干渉

A：エコーの撮像
当院では，近位設置型と遠位設置型にかかわらず，プレートの遠位端が Watershed line を越えている場合や接している場合，プレートが橈骨より浮き上がっている場合，橈骨の背屈転位が残存したまま固定された場合には，エコーにて経過観察を行っている．

B：レントゲン像
遠位設置型のプレートが Watershed line を越えて設置されている．

C：エコー像
前腕回外位，背屈45°にて長母指屈筋を撮像した．プレートの遠位端で同筋と干渉している様子が観察された．

---

[19] Orbay J. Hand Clin. 2005; 21（3）: 347-54.
[20] Bergsma M, et al. J Wrist Surg. 2020; 9（3）: 268-74.
[21] 近藤秀則, 他. 関節外科. 2019; 38（8）: 13-24.

Knowledge　手関節の運動①　手関節の自動背屈運動

　自動運動にて掌屈位→中間位→背屈位の順で撮影した著者の手関節 3DCT 像を示します IX-10 . これだけを見ても「こんな風に動くんだ～」としか感じません. これらの掌屈位からの背屈運動を, 運動の発現, 手根中央関節の運動, 橈骨・尺骨手根関節の運動に分けて 3 段階で考えてみましょう. あくまで, 運動療法に必要な大まかな考え方ですので, 詳細は専門書や報告をご覧ください.
　Lichtman ら[22]は, 手根骨を橈側（大菱形骨・舟状骨・月状骨）と尺側（有鉤骨・三角骨・月状骨）の可動性のある環（radial link と ulnar link), つまり楕円形の輪（oval ring）と考えました. Lichtman らの報告を基に背屈運動を考えます IX-11 .
　①運動の発現：第 2, 3 中手骨と遠位手根列とは, 骨性にも靱帯性にも強固に結合し, 遠位手根列間も強固に結合しています. 第 2, 3 中手骨底に停止を持つ長・短橈側手根伸筋と第 5 中手骨底に付着がある尺側手根伸筋に張力が伝わり, 背屈運動が開始されます.
　②手根中央関節の運動：遠位手根列が背屈し, 手根中央関節の運動が起こります.
　③橈骨・尺骨手根関節：radial link と ulnar link を介して, 橈側では舟状骨より月状骨へ力が伝わり, 尺側では三角骨を通じ月状骨への力の伝達が起こり, 橈骨と尺骨手根関節での運動が起こります.
　 IX-10AB の中間位を見ると, 確かに手根中央関節で先に背屈運動が起きているように見えます. また, IX-10C の背屈位を見ると, 月状骨で支点形成が行われているように見えます. 掌屈運動においても, 同様に考えることができますが, これらの力の伝達経路において靱帯 IX-21 の存在は欠かせません. 靱帯が拘縮を起こしてしまうと制限因子となる可能性もあります.
　支点形成に関してですが, 手を突いた時など荷重下の背屈位では, 舟状骨と舟状骨窩での接触圧が高まるようです[12].
　この手根骨のお話は, 監修をして頂いていた林典雄先生から学生時代に教えて頂いた内容で, 特に心に残っています. その内容を「運動器疾患の機能解剖学に基づく評価と解釈」として岸田敏嗣先生と共に執筆されました. 是非, ご一読ください.

[22] Lichtman DM, et al. J Hand Surg Am. 1981; 6(5): 515-23.

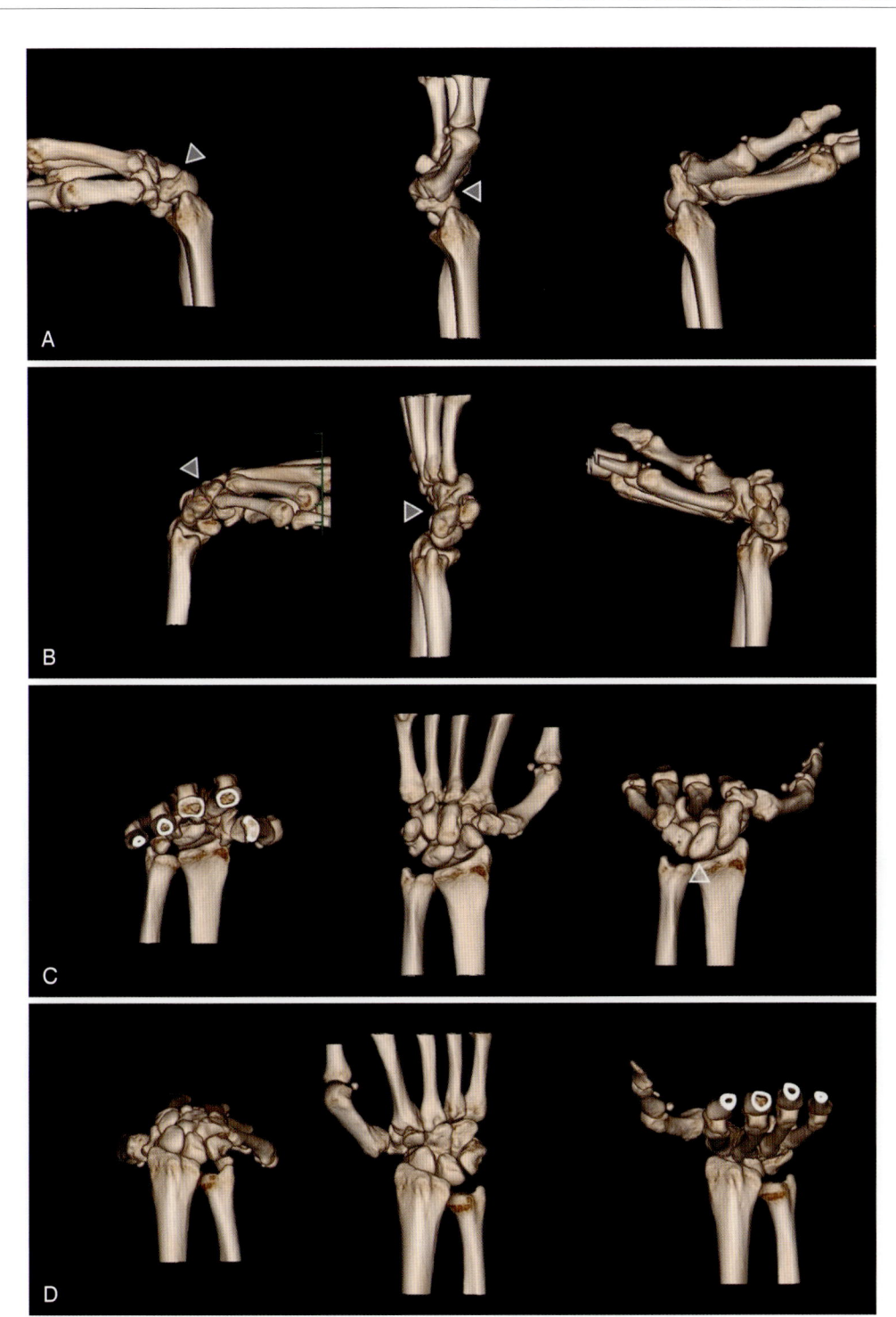

Ⅸ-10 自動運動にて撮影した掌屈位，中間位，背屈位の手関節 3DCT 像

前腕を中間位として，掌屈位，中間位，背屈位の順で撮影した．
A：橈側より　B：尺側より　C：掌側より　D：背側より

右前腕中間位　背側より

radial link ③

ulnar link ③

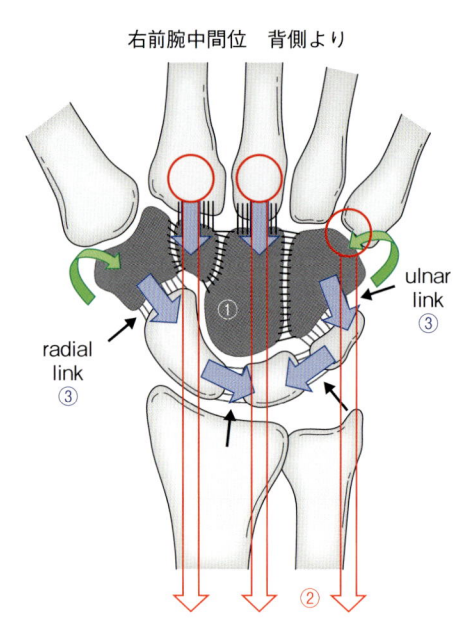

IX-11 Lichtman らの radial link と ulnar link に基づく背屈運動の考え方

Knowledge　手関節の運動②　手根中央関節と橈骨・尺骨手根関節の運動方向

　次に，手根中央関節の運動方向と，橈骨・尺骨手根関節の運動方向についてです．森友ら[23]は，手根中央関節の基本運動を「橈掌側から尺背側へ向けて45°斜めに走る回転軸を長軸とする楕円球の運動」と述べました **IX-12**．また，Crisco[24]らも，「前腕を回内30°や45°の角度で橈背屈から掌尺屈するダーツスロー・モーション **IX-13A** を行った場合は，橈骨手根関節はほとんど動かなくなり，手根中央関節の単独運動となる」と述べました．大まかに言えば，手根中央関節の運動方向は，前腕を回内45°とし橈背屈方向から掌尺屈方向へ動く一軸性の関節のようです．

　そして，橈骨・尺骨手根関節の運動方向についてです．前腕を回内45°とし，最大の橈背屈位に続き最大の掌尺屈位でダーツスロー・モーションを再現し3DCTを撮影しました．確かに，有鉤骨鉤は橈背屈位でも掌尺屈位でも運動方向を向いているため，手根中央関節は前述した動きをしているように見えます．しかし，橈骨・尺骨手根関節の月状骨の動きに着目すると，一目瞭然で同関節は動いていました．2007年の国際手の外科学会委員会にて「ダーツスロー・モーションは，橈背屈から掌尺屈時に起こる機能的な斜め方向の運動として定義された．ダーツスロー・モーションは，非常に多くの手根中央関節が運動に駆使（utilize）されている」[25]と述べられており，橈骨手根関節の関与が示唆されています．また後の研究で，ダーツスロー・モーションでは近位手根列の動きが最小限になる[26]と報告されました．ここに，橈骨・尺骨手根関節の動きを紐解くヒントがあります．手根中央関節は，橈背屈から掌尺屈しかできない不器用な関節です．それも，運動範囲が狭いのです．ですから，その残りの動きをあらゆる方向へ橈骨・尺骨手根関節で，近位手根列が動き調節・順応（adjust）させていると考えられます．詳細な手根骨の動きに関する報告は，沢山ありますので，それらをご覧ください．

[23] 森友寿夫．整形外科リハビリテーション学会誌．2009；12：37-40．
[24] Crisco JJ, et al. J Bone Joint Surg. 2005; 87A: 2729-40.
[25] Moritomo H, et al. J Hand Surg Am. 2007; 32 (9): 1447-53.
[26] Cooney WP. The Wrist. 2nd. Lippincott Williams & Wilkins, 2010; p. 77-118.

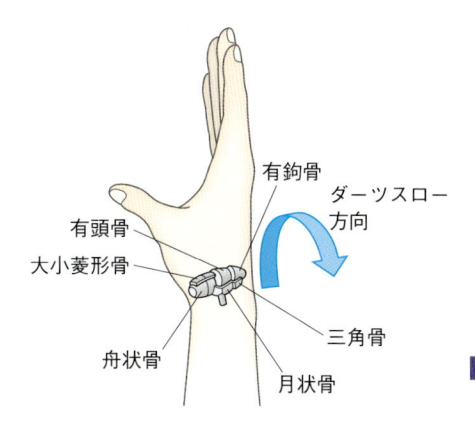

図IX-12 ダーツスロー・モーション　文献27より

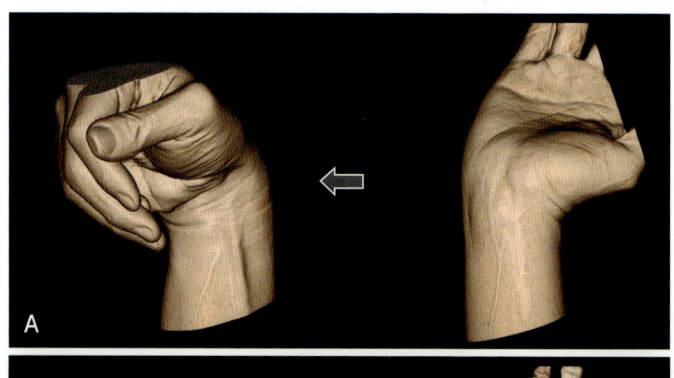

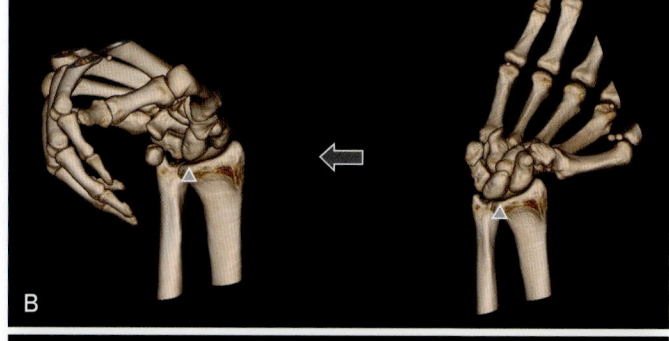

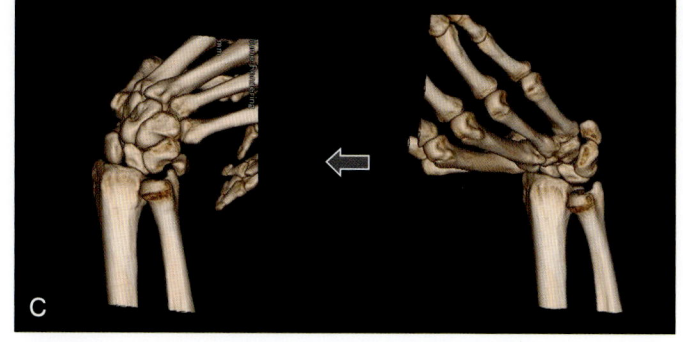

図IX-13 3DCTによるダーツスロー・モーション
前腕45°回内とし最大橈背屈位を撮影し，次に最大掌尺屈位を撮影した．
A：ダーツスロー・モーション
B：掌側より見た骨のダーツスロー・モーション
　　ダーツスロー・モーションに，橈骨手根関節の関与が見て取れる（三角）．
C：背側より見た骨のダーツスロー・モーション

27 森友寿夫. MB Orthop. 2006; 19（13）: 17-23.

Skill 手関節の可動域の測定法

　掌背屈の可動域の測定において，手根中央関節の可動域測定と，通常の測定の2種類を行うことで，手根中央関節と橈骨・尺骨手根関節のどちらに可動域制限が優位に起こっているかを明確化しています．

　まず，手根中央関節について紹介します[28]．測定肢位は，上腕骨を床に対し垂直とし，肘関節90°屈曲位，前腕45°回内位，手関節を中間位にします IX-14A ．橈骨手根関節と近位手根列を固定するために，右手の場合は，母指にて橈骨背側とタバコ窩付近で舟状骨の近位を触知し，掌側では大菱形骨の近位部にある舟状骨結節を触知します IX-14B ．次に，中指にて掌側より月状骨を触知し，環指にて豆状骨近位部の三角骨を触知し，これらで橈骨と近位手根列を固定します IX-14C ．他動的に橈背屈方向へ誘導し前腕を中間位に戻し，基本軸を前腕の中央線，移動軸を第2中手骨と規定して可動域を測定し IX-14D ，背屈方向の手根中央関節の可動域とします．同様の方法で，掌屈方向も測定します IX-14E ．

　橈骨手根関節のみの可動域を測定することは困難ですから，前腕を中間位として通常の手関節の可動域を測定し，そこから手根中央関節の可動域を差し引くことで，橈骨手根関節の可動域としています．

　さて，本測定の平均値と信頼性ですが，手関節に既往歴のない健常成人16例32手（男性8例，女性8例，年齢39.9±10.9歳）を対象とし，普段より本法を用いて評価を行っている作業療法士1名，理学療法士2名を検者としました．連続した2日間で測定を行い，平均値と標準偏差，信頼性を調査しました．検者内と検者間の信頼性はone-way random effects, absolute agreement, single measurement（ICC（1.1））とtwo-way random effects, absolute agreement, single measurement（ICC（2.1））で求めました．

　可動域の平均値は，掌屈で31.3±4.6°，背屈で27.2±7.4°で，検者内の信頼性は，掌屈で0.96〜0.98，背屈で0.94〜0.95でした．また，検者間の信頼性は，掌屈で0.71〜0.75，背屈で0.44〜0.46でした．FleissのICC分類[29]を用いれば，poor：0.00〜0.40, fair to good：0.40〜0.75, excellent＞0.75となり，我々の測定の検者間信頼性は，fair to goodに相当します．我々は，臨床において本測定の信頼性をこの程度であると念頭に置き使用しています．しかし，この程度の信頼性でも手根骨の触診ができ本測定に慣れている検者が行った結果です．手根骨の触診ができないセラピストが行えば，これらの数値は低下する可能性があります．

　本測定でも触診は重要です．

[28] 小牧亮介, 他. 整形外科リハビリテーション学会誌. 2018；120：27-30.
[29] Fleiss JL. The design and analysis of clinical experiments. John Wiley and Sons；1986.

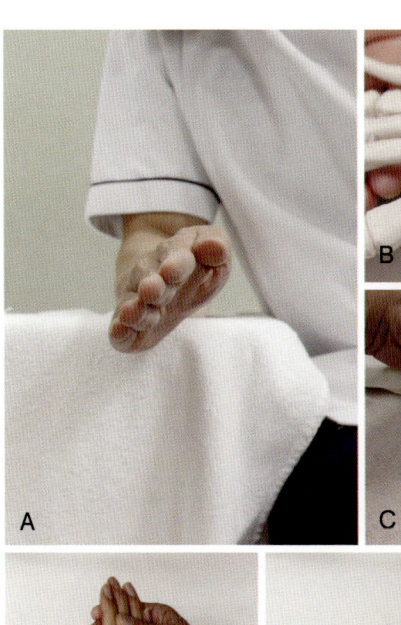

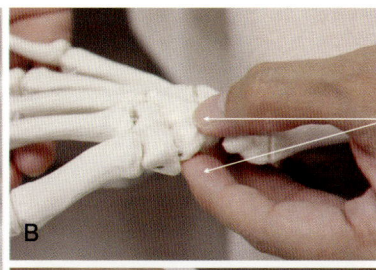

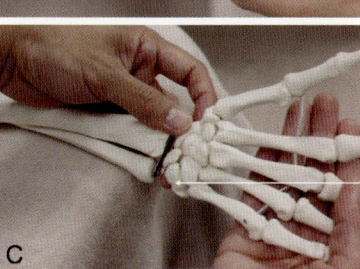

掌側と背側から
舟状骨を触知し
固定する

豆状骨の近位部で
三角骨を触知し
固定する

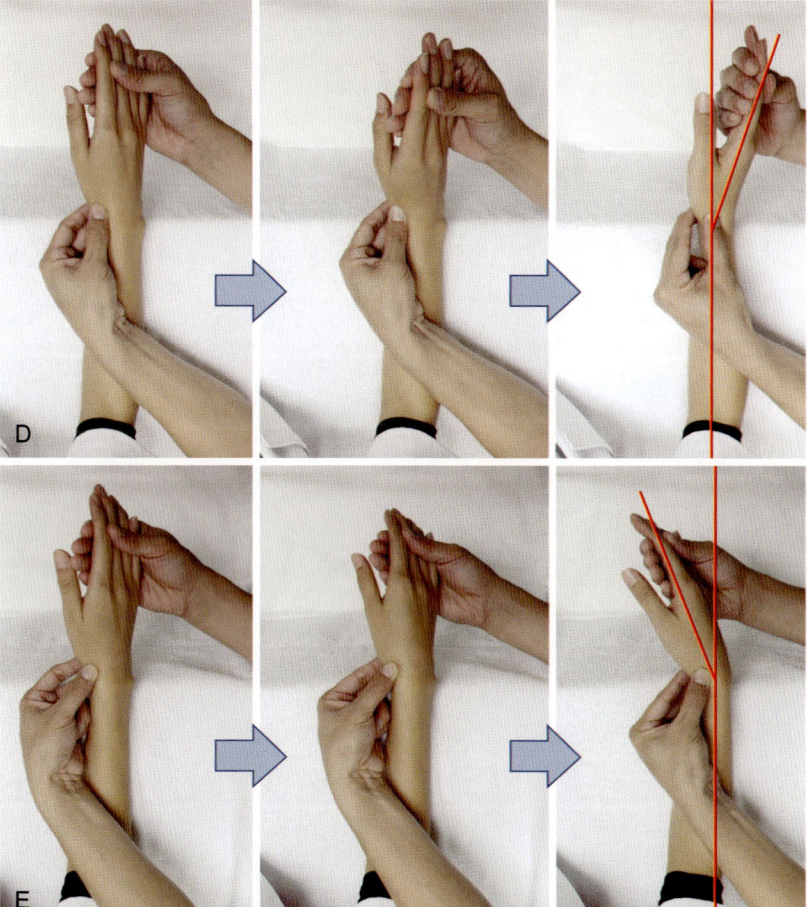

IX-14 手根中央関節の可動域測定

A：測定肢位　　BC：橈骨手根関節と近位手根列の固定
D：手根中央関節での背屈可動域の測定
　　橈骨・尺骨手根関節と近位手根列を固定し橈背屈させ，そのまま前腕を中間位とする．基本軸を前腕の中央線，移動軸を第2中手骨と規定して可動域を測定する．
E：同様の方法で，掌屈方向の可動域も測定する．
　　通常の手関節の可動域を測定し，手根中央関節の可動域を差し引くことで，橈骨・尺骨手根関節の可動域とする．

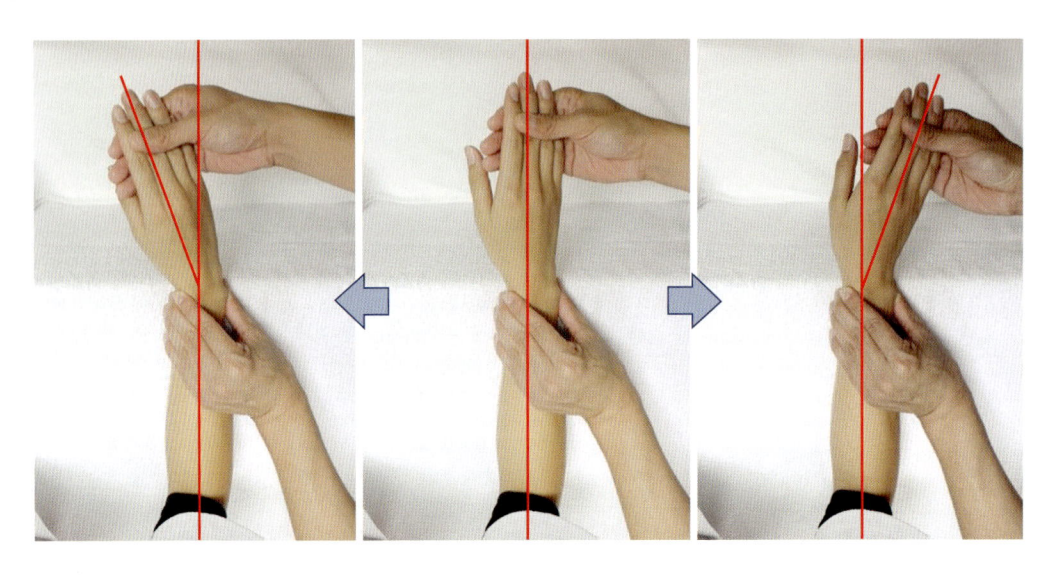

Ⅸ-15 リバース・ダーツスロー・モーションによる可動域測定

リバース・ダーツスロー・モーションは，ダーツスロー・モーションに直交する運動で，尺背屈から橈掌屈への運動方向となる．手根中央関節の動きが少なく，橈骨手根関節の運動に大きく依存すると考えられている[29,30,31,32]．この動きを利用した可動域の測定は，橈骨手根関節の可動性を示す可能性がある．測定肢位は，手根中央関節の評価と同様の肢位とし，基本軸を前腕の中央線，移動軸を第2中手骨と規定して尺背屈と橈掌屈への可動域を評価する．同様の運動を繰り返すことで，橈骨手根関節の可動域練習にもなる[32]．

運動療法 therapeutic exercise

外固定中は，手指の浮腫を軽減し，手内筋・手外筋に対し筋収縮練習や手指の可動域練習を行い，拘縮を予防する Ⅸ-16 ．Warp!! 筋収縮練習とストレッチングのコツ1（p.36），2（p.187）

外固定が行われない場合やその除去後は，手指に加え手背部と手関節の浮腫の軽減を試み Ⅸ-17 ，同時に手外筋に対する筋収縮練習を開始する．特に深指屈筋と浅指屈筋，長母指屈筋，示指伸筋は可動域の制限に関与することの多い筋肉である Ⅸ-18 Ⅸ-19 ．方形回内筋が再縫合されている場合は，術後3週間は回外方向の最終域までの可動域練習を行わないようにしている．

また，癒着が存在する場合は，腱長軸に対して短軸方向のストレッチングと長軸方向への伸張との組み合わせが効果的である．

手関節の靱帯性の拘縮に対するアプローチは，筋の柔軟性や伸張性，滑走性を得た後に行う．橈骨手根関節や尺骨手根関節をまたぐ靱帯の伸張性の獲得と共に Ⅸ-20 ，手根中央関節 Ⅸ-22 と，橈骨・尺骨手根関節 Ⅸ-23 Ⅸ-24 とを区別し，運動方向を再現するように可動域練習を行うと効果的である．Warp!! 手根中央関節の可動域改善のコツ（p.189），橈骨手根関節と尺骨手根関節の可動域改善のコツ（p.191）

[30] 粕渕賢志．他．理学療法学．2020; 47 (1): 1-9.
[31] Moritomo H, et al. In vivo three-dimensional kinematics of the midcarpal joint of the wrist. J Bone Joint Surg Am. 2006.
[32] 桂 理，他．日本手外科学会雑誌．2012; 28: 578-81.

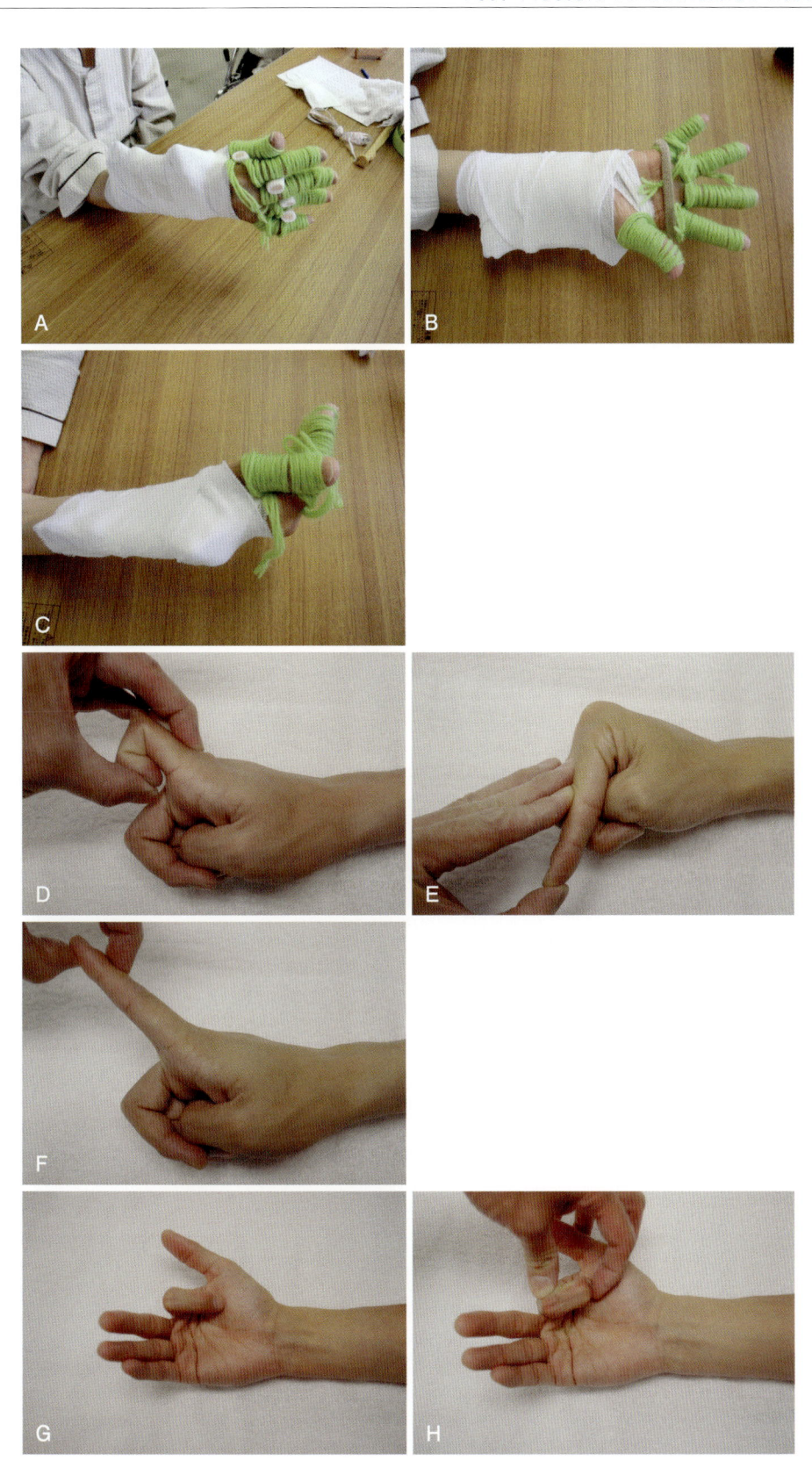

Post-Fracture Rehabilitation Master Book　183

前腕骨遠位部骨折

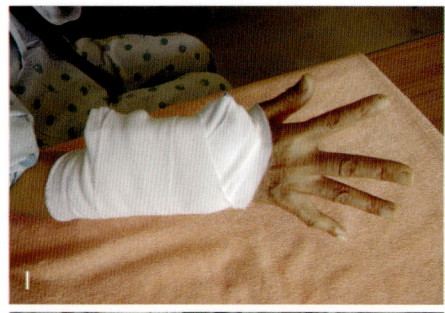

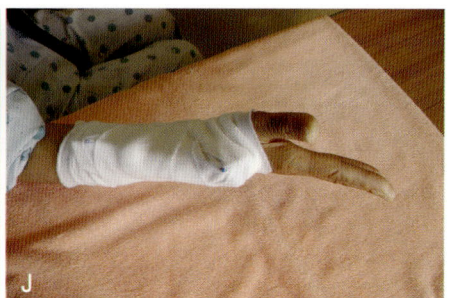

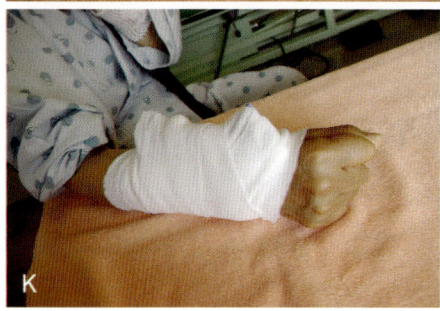

IX-16 外固定中の浮腫の軽減と可動域・筋収縮練習

A：掌側骨間筋の収縮練習
指に毛糸を巻いた状態で指間にパットを挟み手指の内転運動を行う．母指内転筋や掌側骨間筋の筋収縮練習を通して，浮腫の除去を行う．

B：背側骨間筋の収縮練習
ゴムバンドを利用した手指の外転運動を行わせ，背側骨間筋の筋収縮練習を行う．

C：虫様筋の収縮練習
IP 関節を伸展位とし MP 関節を屈曲させ，虫様筋の筋収縮練習を行う．

DE：手内筋のストレッチングと手指の可動域練習
D．手内筋の筋収縮練習後に，intrinsic minus position を利用しストレッチングを行う．同時に MP 関節の伸展と IP 関節の屈曲可動域練習を行う．
また，橈側外転と掌側外転にて母指内転筋のストレッチングを行い，内転拘縮を予防する．
E．MP 関節の屈曲と IP 関節の伸展可動域練習を行う．

F：浅指屈筋と深指屈筋のストレッチング
DIP 関節，PIP 関節，MP 関節を同時に伸展させ，浅指屈筋と深指屈筋のストレッチングを行う．

GH：MP 関節，PIP 関節，DIP 関節の可動域練習のコツ
指関節の屈曲を行う場合は，単に屈曲させるだけでなく（F），右側であれば MP 関節を反時計回りに捻りながら屈曲させる（G）ことが可動域改善のコツである．PIP 関節・DIP 関節も同様である．左側の場合は，時計回りとなる．

IJK：創外固定時の注意点
創外固定が行われた場合は，ピンの刺入のため示指の MP 関節は若干制限を伴いやすいが，それ以外は健側と同程度の可動域を目標とする．

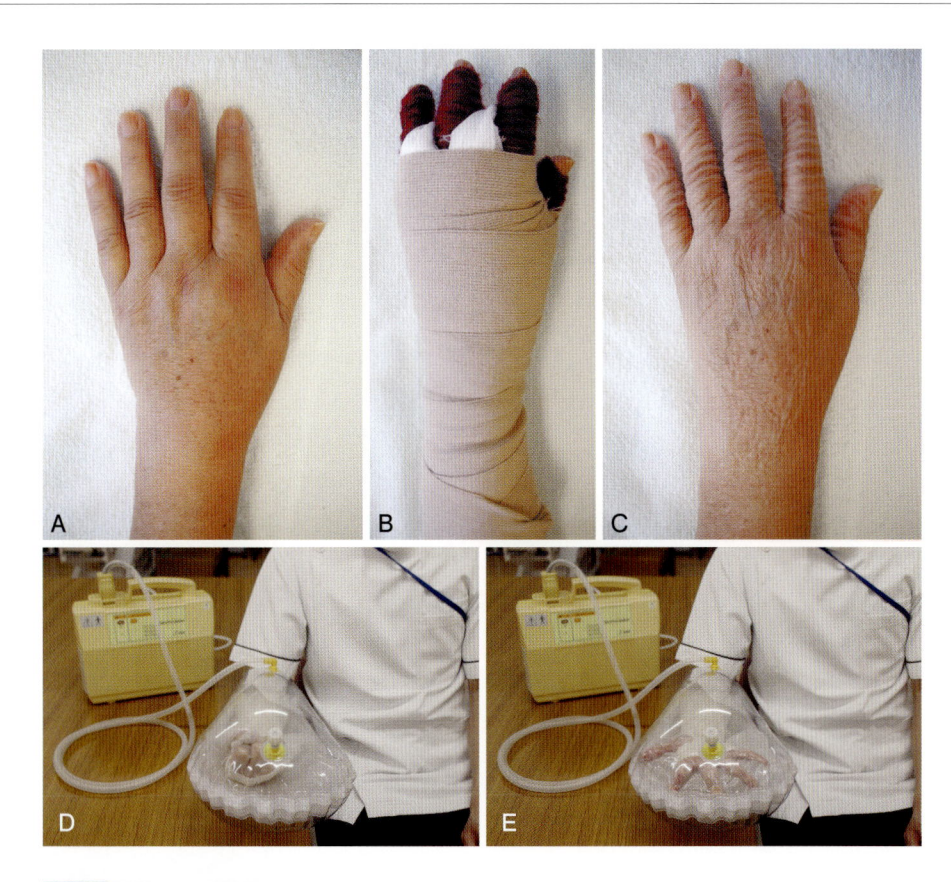

IX-17 手指の浮腫軽減例

　当院では，患者さんの好みに合わせて毛糸と弾性包帯による浮腫の軽減と，Hand Incubator を使用した浮腫の軽減を行っている．

ＡＢＣ：毛糸と弾性包帯による浮腫の軽減

Ａ：手背，手指に浮腫が存在する．

Ｂ：指には毛糸を巻き，手背にはガーゼを置き弾性包帯にて圧迫し，20～30分自動運動を行わせる．毛糸は，強く締め付けるのではなく置く程度に巻くことがコツである．手指の血流を考慮し，30分以上は毛糸を巻き続けないようにしている．

Ｃ：浮腫軽減後

ＤＥ：Hand Incubator による浮腫の軽減

　MP 関節付近までをストッキネットで覆い，5秒間ずつ把握と外転を伴った伸展を痛みのない範囲で力強く繰り返し行わせる．可能であれば20分程度行っている．

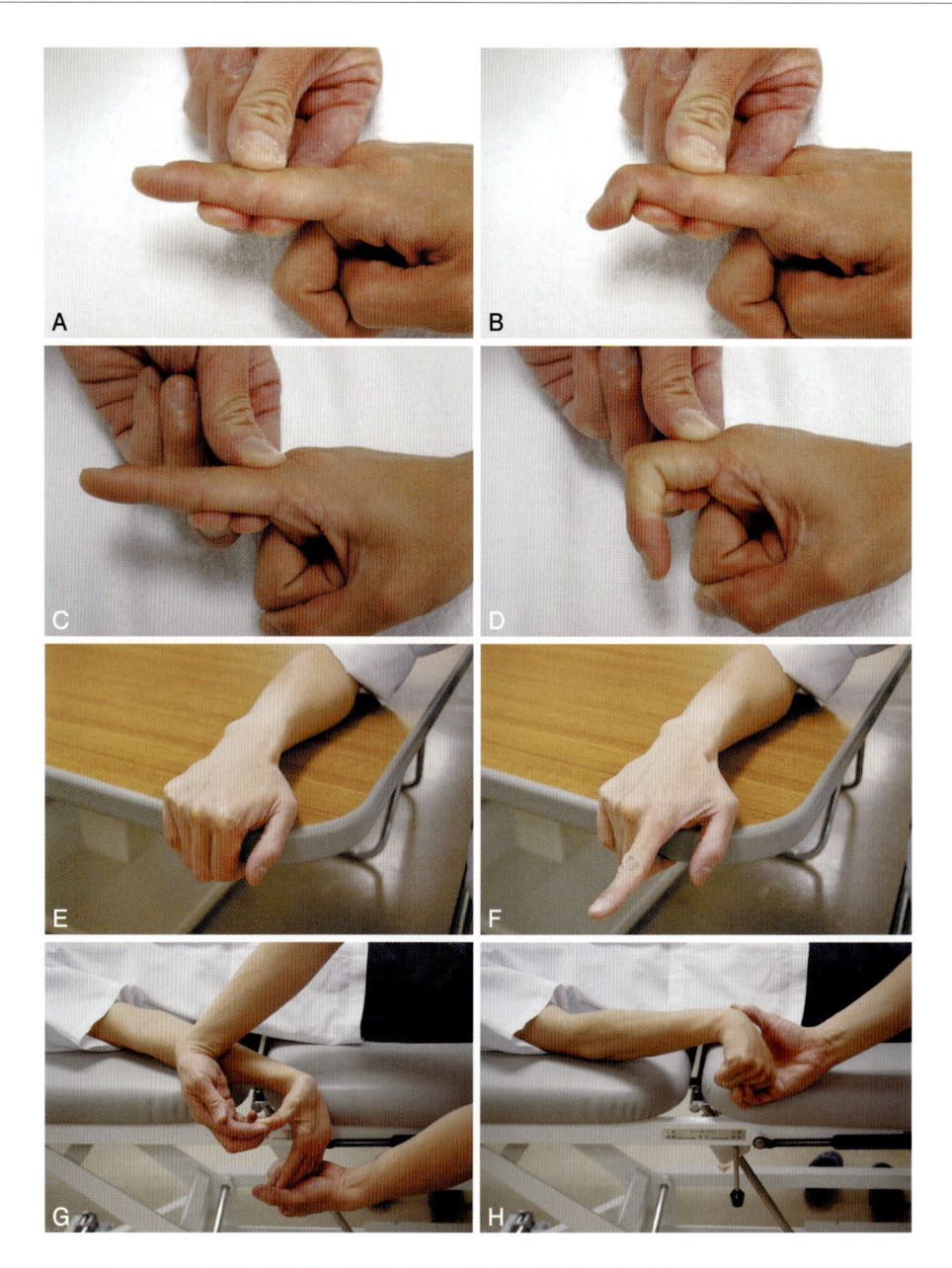

Ⅸ-18 深指屈筋，浅指屈筋，示指伸筋の筋収縮練習とストレッチング

ＡＢ：深指屈筋の筋収縮練習
　　深指屈筋は末節骨底に停止するため，PIP 関節を固定し DIP 関節単独の屈曲運動を行わせる．この運動を示指～小指のそれぞれに対し選択的に収縮練習を行う．

ＣＤ：浅指屈筋の筋収縮練習
　　浅指屈筋は中節骨底に停止するため，PIP 関節単独の屈曲運動を行わせる．示指～小指それぞれに対し筋収縮練習を行う．

ＥＦ：示指伸筋の筋収縮練習
　　中指～小指は机の端などを握ることで総指伸筋腱を腱間結合とともに固定し，この状態から示指を伸展させると選択的に示指伸筋が収縮する．

Ｇ：長母指屈筋，深指・浅指屈筋のストレッチング
　　肘関節を伸展位とし手関節の最大背屈位で，MP・IP 関節の伸展ができることを目標とする．

Ｈ：総指伸筋を含む示指伸筋のストレッチング
　　肘関節を伸展位とし手関節の最大掌屈位で，MP・IP 関節の屈曲とともに握り込めることを目標とする．

Skill 筋収縮練習とストレッチングのコツ 2

　長母指屈筋を例に，筋収縮練習を行っている動態をエコーで観察 IX-19 します．
　観察肢位は，前腕回外位，手関節中間位，母指の MP 関節を 0°とし，前腕の遠位部で方形回内筋が一定の位置に見えるようにプローブを置きます IX-19A．
　IP 関節を伸展位 IX-19B から等張性収縮にて屈曲させ IX-19C，屈曲位で等尺性収縮を行わせます IX-19D．等張性収縮を行っている最中 IX-19C は，近位方向への筋の滑走と若干の膨隆が観察されます．長母指屈筋は，筋膜と周囲組織との間で滑走する必要があり，それらの間に存在する結合組織もその滑走性を許容するだけの伸張性が必要であることを意味します．さらに，屈曲位で等尺性収縮を行わせた際 IX-19D には，等張性収縮では観察されなかった筋腱移行部が見られることから，より多くの滑走距離が必要なことがわかります．また，この時の筋の厚さも安静時の約 2 倍に達しています．つまり等尺性収縮では，滑走距離，膨隆の量ともに大きくなり，筋膜やその周辺の結合組織もこれらを許容するだけの伸張性が必要ということになります．
　観察結果は，母指の IP 関節を屈曲させただけの単関節性の変化を捉えています．実際の治療に際しては MP 関節や手関節の肢位を考慮しつつ，起始と停止を可能な限り近づけるように大きく収縮させることが，収縮練習を行うコツとなります．また，可能であれば骨折周辺で生じる癒着の発生前に開始することが，より良い成績を得る上でのポイントです．

relation 筋収縮練習とストレッチングのコツ 1（p. 36），fascia の定義と構造（p. 25）

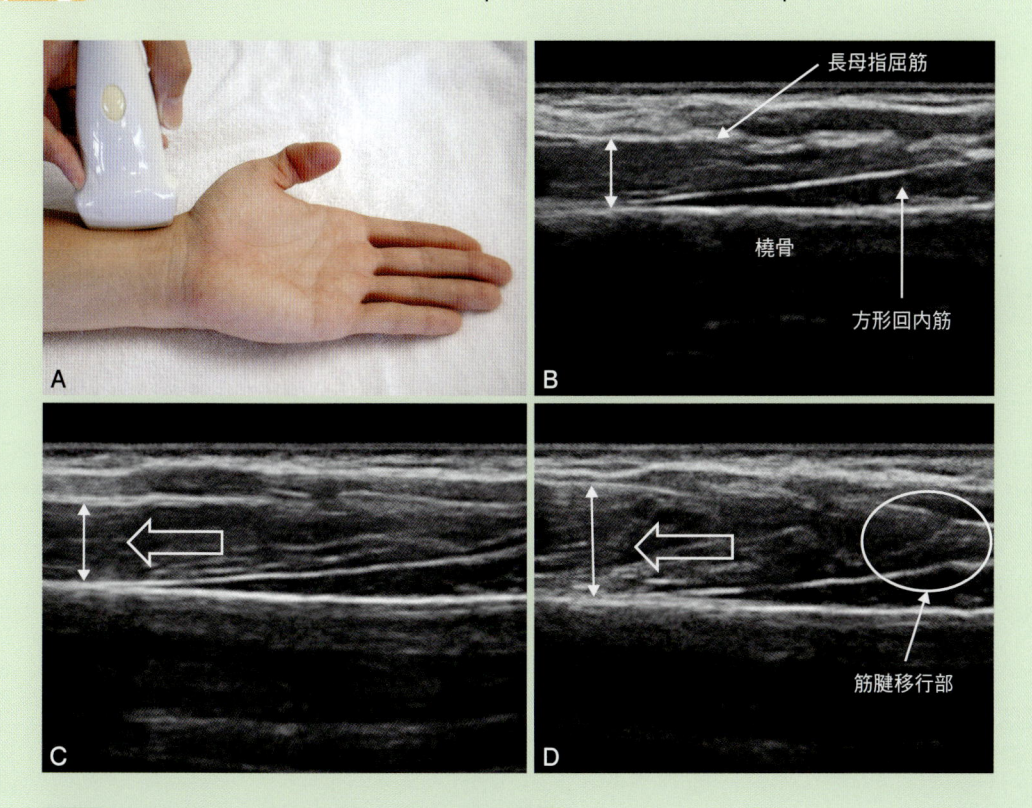

IX-19 長母指屈筋による等張性収縮と等尺性収縮の観察
A：母指 IP 関節を伸展位から，MMT3 レベルで自動屈曲させたときのエコー像を観察する．
B：IP 関節を伸展した状態のエコー画像．長母指屈筋が弛緩した状態を観察している．橈骨に対し方形回内筋が確認できなくなる矢印の位置で，長母指屈筋の厚みを確認する．
C：IP 関節を自動屈曲させているその瞬間を示す（等張性収縮）．
　近位方向への滑走と若干の筋の膨隆を観察することができる．
D：IP 関節を最大屈曲位とし MMT3 レベルで等尺性収縮をさせている状態を示す．長母指屈筋はさらに近位方向へと滑走し筋腱移行部が観察される．また，筋の厚さが約 2 倍に拡大している．

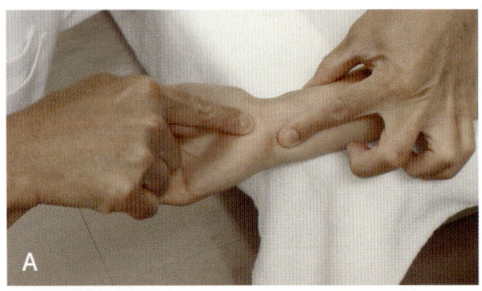

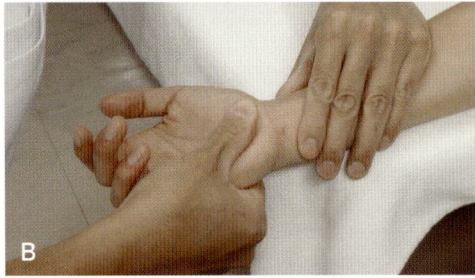

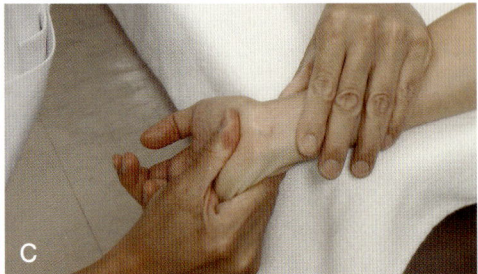

IX-20 靱帯の伸張性の獲得練習

尺骨頭と月状骨を繋ぐ尺骨月状靱帯 IX-21 を例として示す．

A：尺骨頭と月状骨を触診する．月状骨は，遠位橈尺関節の延長線上にある IX-6 IX-21 ．
B：対象とする靱帯が，緩んだ肢位を開始肢位とする．
C：尺骨月状靱帯の走行方向にあわせ，弛緩と伸張とを繰り返す．また，持続伸張を行うことで，靱帯の伸張性の再獲得を期待する．

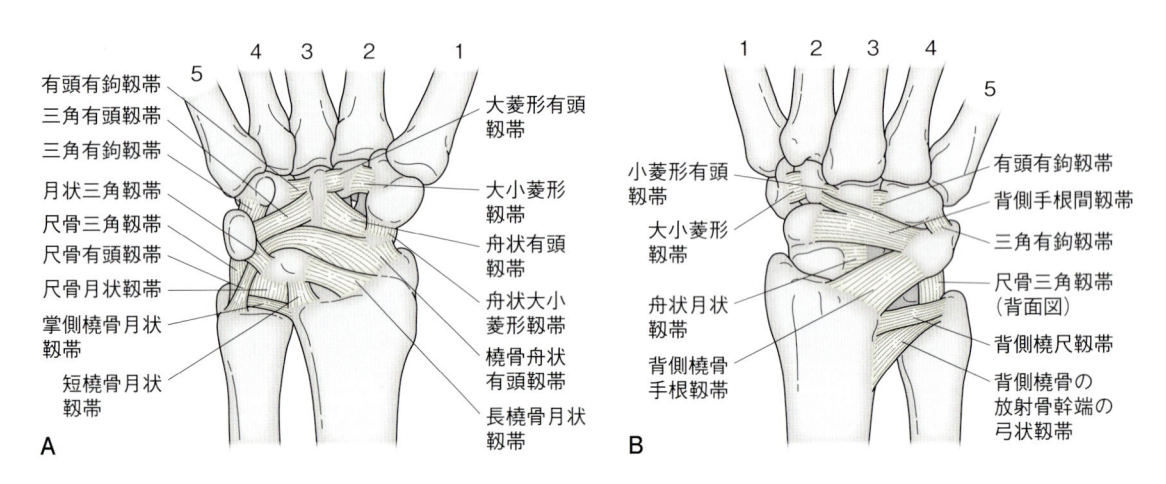

IX-21 手関節の解剖　　文献⑬より改変

A：掌側の主要な靱帯の走行
有頭骨を頂点にΛ字型をしている．特に長・短橈骨月状靱帯や尺骨月状靱帯など単関節性の靱帯性拘縮の改善は背屈改善に重要である．

B：背側の主要な靱帯の走行
三角骨を中心とした横Ｖ字型をしている．掌屈の改善には，背側橈骨手根靱帯等の靱帯性拘縮の改善も重要である．

Skill 靱帯と関節包の伸張性獲得のコツ IX-20

　骨折後の手関節をまたぐ靱帯や関節包の損傷は，受傷時の画像所見よりある程度想像することができます．時間の経過と共に損傷された組織は修復されますが，周辺組織は癒着や瘢痕組織など不均質な dense irregular connective tissue（密で不規則な結合組織）に起因した拘縮が発生すると推測されます．ここに靱帯や関節包の伸張性を改善するコツがあると考えます．癒着や瘢痕の程度は均質ではないと推測されるため，徒手的に緩めたときと張らせたときの張力差により，それらの弱い部分の剥離や剪断を期待することができます．さらに，この操作を繰り返すことで，新たに弱い部分ができることも期待できます．したがって，弛緩と伸張とを繰り返すことが靱帯や関節包の伸張性の獲得には重要な一法と考えます．加えて，痛みのないことを確認するとともに，対象とする靱帯付近に伸張感があることを確認し，持続伸張を行うことも有効と考えます．徒手的な持続伸張の時間は，20秒以上行うようにしています[33][34][35]．

　また，せっかく得られた可動域ですから，患者さんにその可動域を使わせる教育も必要でしょう．

IX 前腕骨遠位部骨折

[33] 渡辺博史, 他. 厚生連医誌. 2013; 22（1）: 34-8.
[34] 梨本智史, 他. スポーツ傷害. 2012; 17: 37-9.
[35] 板場英行. 理学療法. 2004; 21: 1439-47.

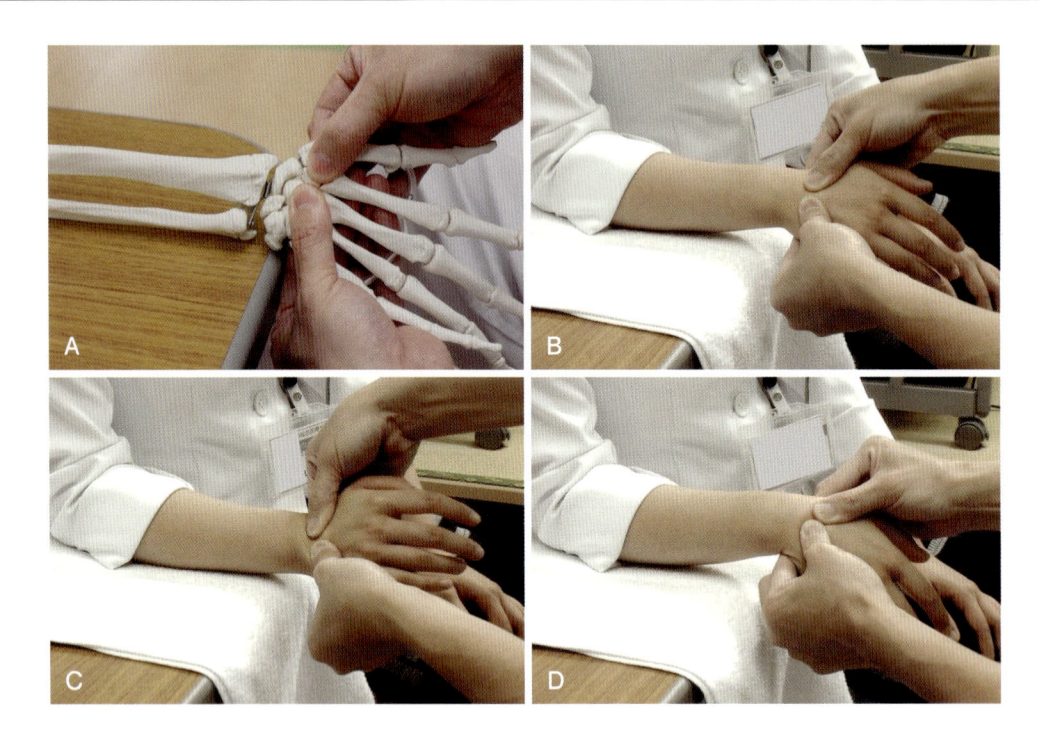

Ⅸ-22 手根中央関節の可動域練習

ＡＢ：遠位手根列の把持
　　一方の手で大菱形骨と小菱形骨，第2中手骨底を把持する．もう一方の手で有頭骨と有鉤骨を把持する．
Ｃ：橈背屈方向への可動域練習
　　上腕骨を床に対し垂直とし，前腕を回内45°とする．健側を参考に，手根中央関節で橈背屈方向に遠位手根列を誘導する．
Ｄ：掌尺屈方向への可動域練習
　　手根中央関節で掌尺屈方向に遠位手根列を誘導する．

Skill　手根中央関節の可動域改善のコツ Ⅸ-22

　開始肢位は，評価 Ⅸ-14 と同じです．前腕を回内45°，手関節を中間位とし，一方の手で大・小菱形骨を把持し，もう一方の手で有頭骨と有鉤骨を把持します．橈背屈方向と掌尺屈方向へ，手根中央関節で関節運動を感じ取りながら繰り返し操作し可動域の拡大を試みます Ⅸ-22．特に，大・小菱形骨と舟状骨との間の動きを上手に誘導することがコツです．
　患側の可動域練習を行う前に，健側を評価することを忘れないでください．また，Ⅸ-12 の図，Ⅸ-13 の3DCT像，骨模型で手根中央関節の動きを確認し，動きをイメージすることも有用です．

Skill 橈骨手根関節と尺骨手根関節の可動域改善のコツ

繰り返しになりますが，手根中央関節の動きは，橈背屈と掌尺屈の一軸性の運動です．そして，遠位手根列は靱帯組織が強靱で1つのユニットとして動くと考えます IX-11 ． Warp!! 手関節の運動① 手関節の自動背屈運動（p. 176）

近位手根列間は，いろいろな動きをするのですが，セラピストが近位手根列間の動きを詳細に再現するのは難しいので本来の動きとは異なりますが，こちらも一塊になって動くと仮定します．

背屈時の近位手根列の動きを他動的に再現しようとすれば，前腕回内45°を開始肢位とし IX-23A ，手関節を可能な限り橈背屈させ，手根中央関節の動きと橈骨・尺骨手根関節の動きを終了させます IX-23B ．そこから橈骨・尺骨手根関節を純粋な背屈方向へ回旋させれば，それが背屈方向の近位手根列の動きとなります IX-23C ．逆に，掌屈方向へは掌尺屈を可能な限り行わせた後に IX-23D ，純粋な掌屈方向へ橈骨・尺骨手根関節を反時計回りに回旋させれば，掌屈方向の近位手根列の動きとなります IX-23E ．

実際の掌屈方向の可動域練習は，回内位で可能な限り掌尺屈させた後に，橈骨・尺骨手根関節で純粋な掌屈方向へ向かうように近位手根列を操作します IX-24A ．背屈方向の可動域練習では回外位で可能な限り橈背屈させた後に，橈骨・尺骨手根関節で純粋な背屈方向へ向かうように近位手根列を操作します IX-24B ．

これらの操作の前に，掌側の橈骨月状骨靱帯や背側橈骨手根靱帯など，橈骨ならびに尺骨と手根関節とをつなぐ靱帯 IX-21 の伸張性の獲得と，リバース・ダーツスロー・モーション IX-14 を利用した橈尺屈の可動域練習を行うことも効果的と考えています．

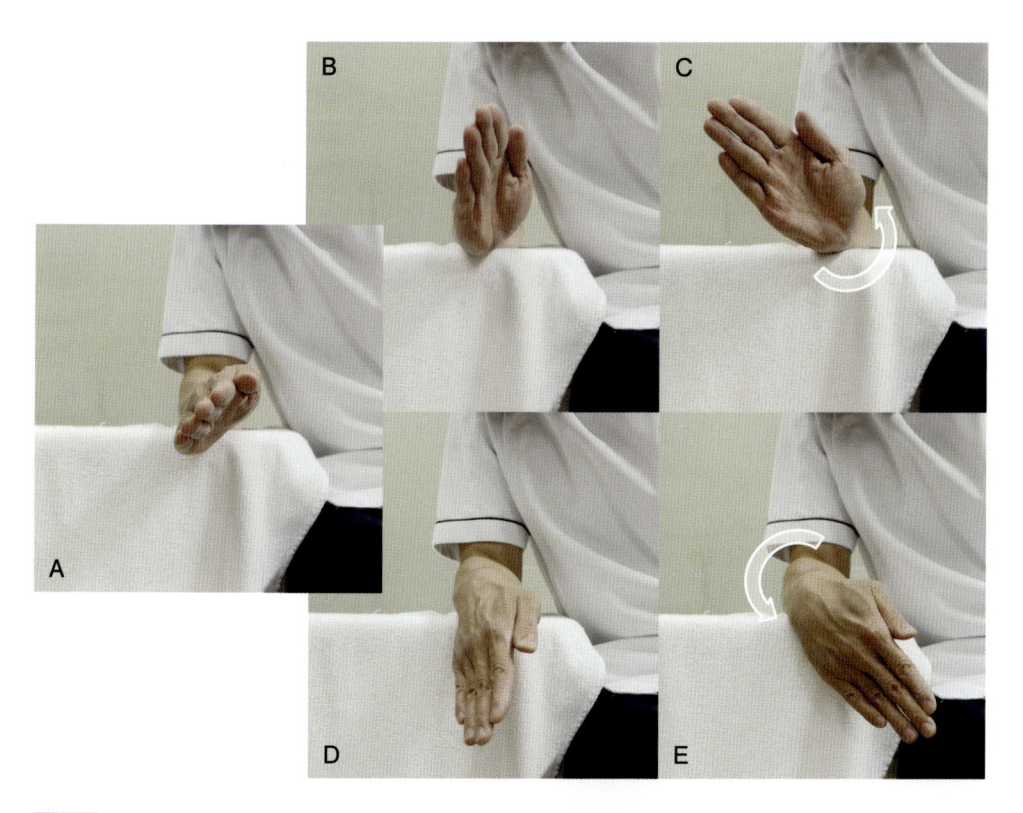

IX-23 ダーツスロー・モーションを応用した掌背屈可動域改善のコンセプト

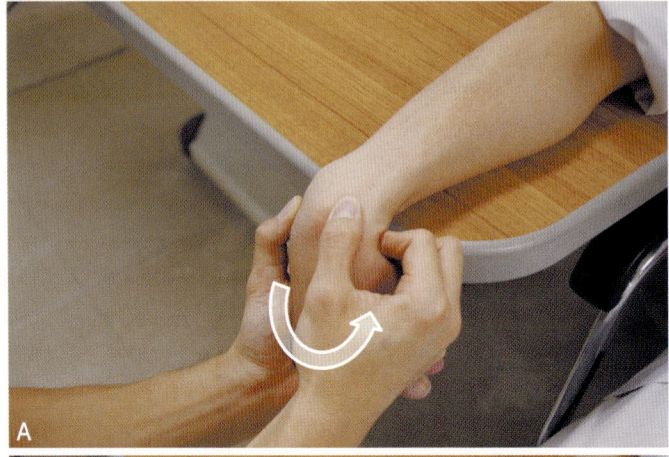

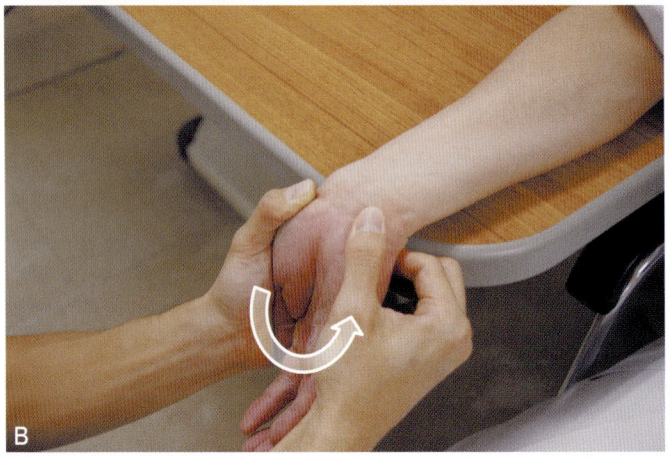

IX-24 掌屈と背屈方向の橈骨・尺骨手根関節の可動域練習

A：掌屈方向の可動域練習
　　回内位で可能な限り掌尺屈を行わせた後に，手関節が掌屈方向へ向かうように近位手根列を操作する．右手で舟状骨，左手で三角骨と豆状骨を把持し，掌屈，橈屈，反時計回りの回旋を複合的に誘導する．

B：背屈方向の可動域練習
　　回外位で可能な限り橈背屈を行わせた後に，手関節を背屈方向へ向かうように近位手根列を操作する．右手で三角骨と豆状骨，左手で舟状骨を把持し，背屈，尺屈，反時計回りの回旋を複合的に誘導する．

Skill 症例提示 どのように運動療法を考えますか？

　最後に，40代後半の男性，橈骨遠位部粉砕骨折AO/OTA分類（橈骨：2R3C2.3，尺骨：2U3C，2U3A3），左尺骨遠位部粉砕開放骨折（Gustilo type Ⅲ A）の症例を提示します[36] Ⅸ-25AB．橈骨は，Synthes社　VA-LCPとコーティカルスクリューにて固定しました．また，尺骨骨幹部は，K-wireとFixsorb meshを巻くようにして固定し，尺骨茎状突起はファイバーワイヤーにてFixsorb meshへ縫着しました．しかし，骨折部は不安定であったため創外固定器も併用しました Ⅸ-25C ．

　さて，創外固定器が術後6週を経過し除去されました Ⅸ-25D ．まだまだ，骨癒合は不十分です．主治医の指示は，愛護的な可動域練習です．さて，今後の可動域練習をどのように考えますか？もちろん，創外固定中に，手指，肘関節，肩関節の可動域練習と可能な限りの筋力練習は行ってきましたので拘縮はありません．

　骨折治療における運動療法で最も重要なことは，骨癒合を妨げないことです．骨癒合を得るためには，ある程度の拘縮は覚悟する必要があります．しかし，その判断は理論的でなければなりません．

　私たちは，主治医と協議し次のように治療計画を立てました．橈骨と尺骨の骨癒合が得られるまでは，手根中央関節の可動域練習を行い，骨癒合の後に前腕の回旋，橈骨・尺骨手根関節の可動域練習を行うことにしました．高い触診技術を必要とする難易度の高い運動療法です． **Warp!!** 手根中央関節の可動域改善のコツ（p. 190），橈骨手根関節と尺骨手根関節の可動域改善のコツ（p. 191）

　実際の経過です．術後6週より，橈骨と近位手根列を固定し，手根中央関節の可動域練習を開始しました．術後4カ月を経過し骨癒合が得られ Ⅸ-25E ，前腕の回旋と橈骨・尺骨手根関節の可動域練習を開始しました．術後5カ月で手根中央関節の可動域の左右差がなくなり Ⅸ-25FG ，術後9カ月で手関節機能評価（Cooneyの評価法の改変）：Excellent，橈骨遠位端骨折の治療成績判定基準：Good，Quick DASHはDisability/symptom：20点，Work：0点，Sports/music：13点となり，握力も健側と同程度となったため運動療法を終了しました Ⅸ-25HIJK ．

　前腕骨遠位部骨折の章では，手根中央関節に対する評価と運動療法が主な改訂点です．本症例の治療経験を通し，同関節の評価と運動療法を発見し，そして本章の改訂ができたと言っても過言ではありません．快く症例提示に同意を頂いたM氏に心より感謝申し上げます．

[36] 小牧亮介，他．バイク事故により前腕遠位部粉砕開放骨折を呈した症例の治療戦略．日本作業療法学会抄録集．2017；100297．

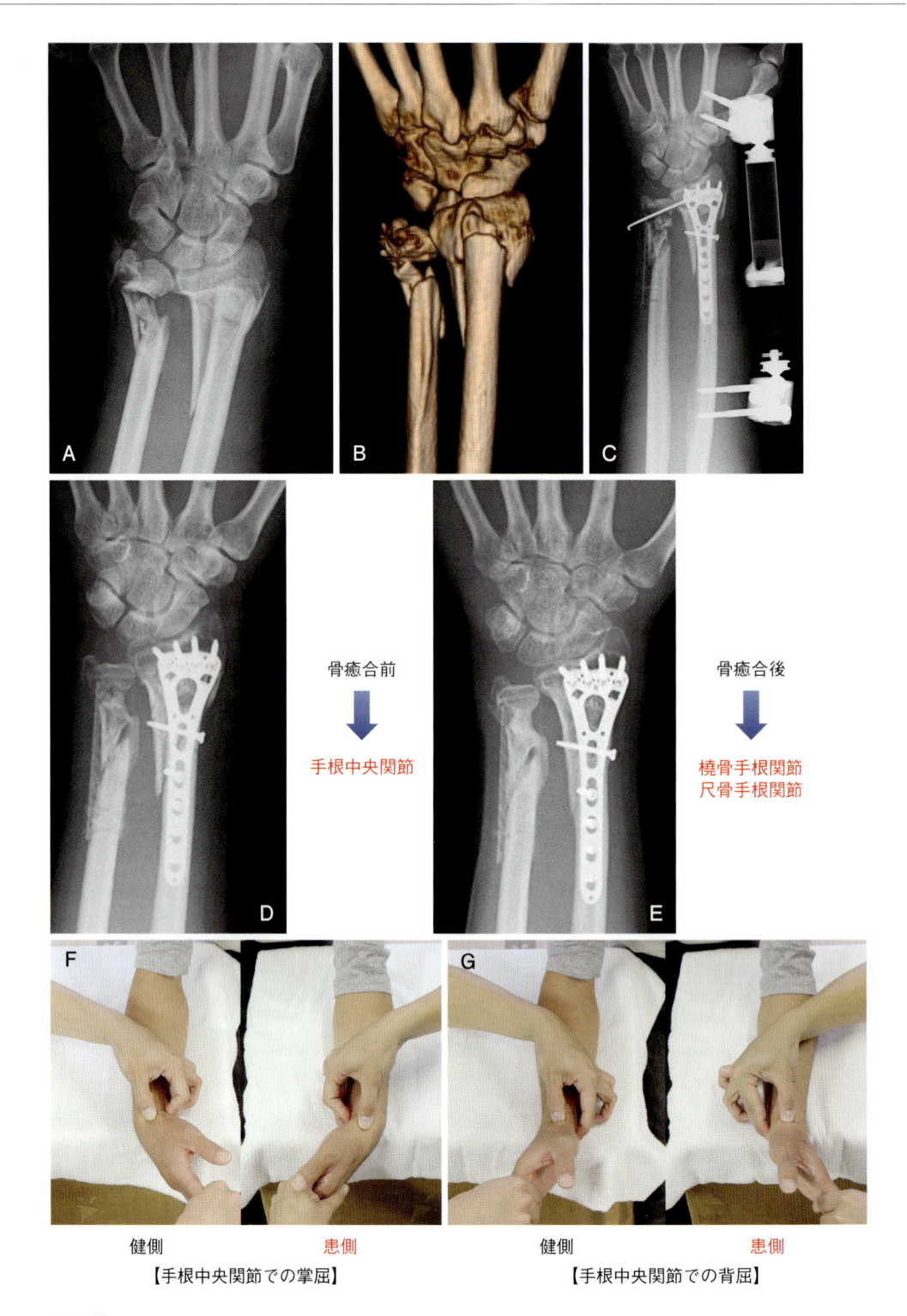

骨癒合前 → 手根中央関節

骨癒合後 → 橈骨手根関節 尺骨手根関節

健側　　　患側
【手根中央関節での掌屈】

健側　　　患側
【手根中央関節での背屈】

IX-25 橈骨遠位端粉砕骨折，尺骨遠位端粉砕骨折例

A：受傷時レントゲン像
B：受傷時 3DCT 像
C：術後レントゲン像
DE：運動療法のコンセプト
FG：術後 5 カ月の手根中央関節の可動域

背屈 67° 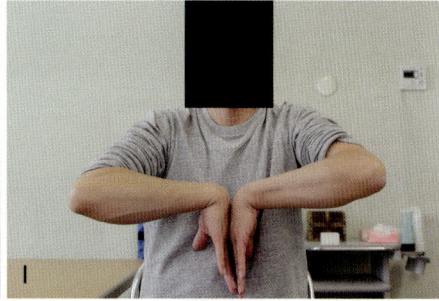　　　　　　　　　　　　　掌屈 73°

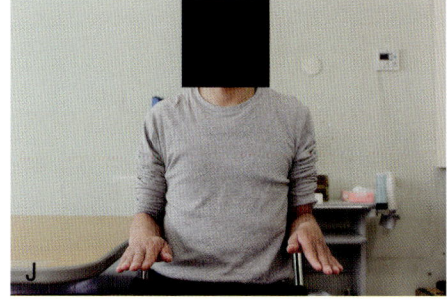

回内 78° 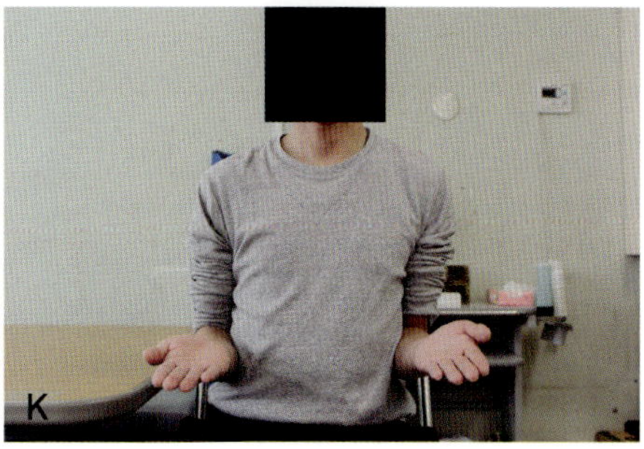　　　　　　　　　　　　　回外 64°

IX-25 つづき
H～K：術後 9 カ月の手関節の可動域

Skill おまけ

　手関節や手指を骨折した方の手指をきれいな状態に保つことは非常に重要で，なによりきれいな手は動くような気がします．
　また，手を洗う動作は左右の手をこすりあわせて行うため，骨折に伴い健側の手も満足に洗うことができなくなり，健側もきれいな状態に保つことも難しくなります．よって，微力ですが健側もきれいな状態に保つお手伝いをさせていただいています．
　"良い方の手も拭いてくれるなんて……"など，信頼関係を獲得するためにも役立ちますよ．

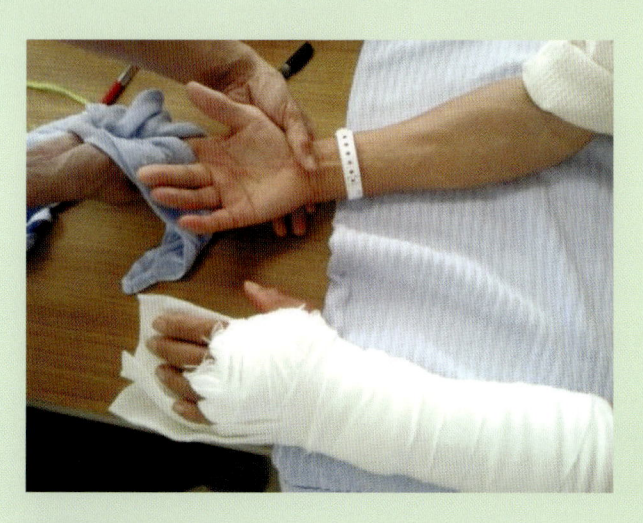

IX-26 健側もきれいに

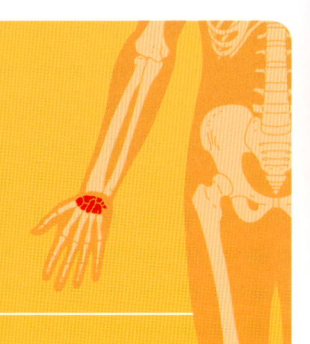

舟状骨骨折
fracture of the calpal scaphoid

概要 ● general remarks

　舟状骨骨折は青壮年に多く見られる骨折で，手根骨の骨折の中で最も発生頻度が高く，80〜90％を占めるとも報告されている．多くは，転倒時に手関節が橈背屈方向に強制されることで受傷する❶．その一方で，見逃されることも多く，放置され遷延治癒や偽関節となることもまれではない．本骨折には，Herbertの分類 **X-1** が用いられることが多い．

　舟状骨は，一般的に近位部，腰部または胴部，遠位部，結節部に分けられる．80％が関節軟骨に覆われ大・小菱形骨，有頭骨，月状骨，橈骨と関節面を形成している．その栄養は，橈骨動脈から伸びる橈骨動脈掌側枝と橈骨動脈背側枝によって行われる **X-2** ．

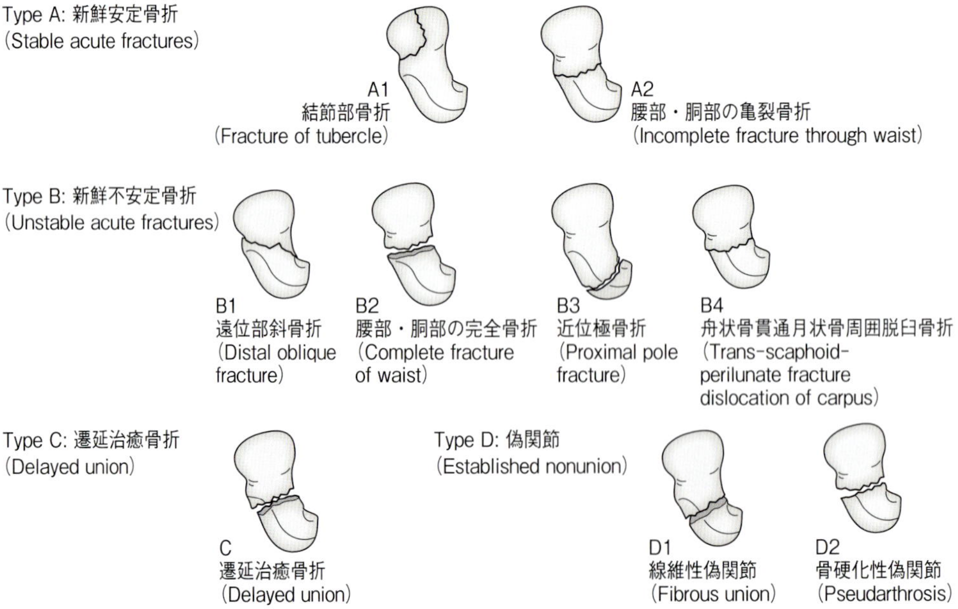

Type A: 新鮮安定骨折
（Stable acute fractures）

A1 結節部骨折（Fracture of tubercle）
A2 腰部・胴部の亀裂骨折（Incomplete fracture through waist）

Type B: 新鮮不安定骨折
（Unstable acute fractures）

B1 遠位部斜骨折（Distal oblique fracture）
B2 腰部・胴部の完全骨折（Complete fracture of waist）
B3 近位極骨折（Proximal pole fracture）
B4 舟状骨貫通月状骨周囲脱臼骨折（Trans-scaphoid-perilunate fracture dislocation of carpus）

Type C: 遷延治癒骨折
（Delayed union）

C 遷延治癒骨折（Delayed union）

Type D: 偽関節
（Established nonunion）

D1 線維性偽関節（Fibrous union）
D2 骨硬化性偽関節（Pseudarthrosis）

X-1 Herbertの分類 文献❷より

- **Type A: 新鮮安定骨折** 不全骨折のようにも見え，骨癒合は早期に得られる．
- **Type B: 新鮮不安定骨折** 外固定をしても転位しやすい．また，遷延治癒となりやすく内固定の適応となる．
- **Type C: 遷延治癒骨折** 骨折線が拡大し骨折線に隣接する囊腫形成があり，近位骨片に骨硬化が認められることが多い．一般的に，受傷後6週間以上の固定を行っても遷延治癒の傾向を示すものをいう．
- **Type D: 偽関節** D1 線維性癒合，D2 骨硬化性の偽関節

❶上羽康夫．手その損傷と治療．金芳堂；1955．p. 148-70．
❷整形外科リハビリテーション学会．整形外科運動療法ナビゲーション　上肢．メジカルビュー社；2008．p. 186．

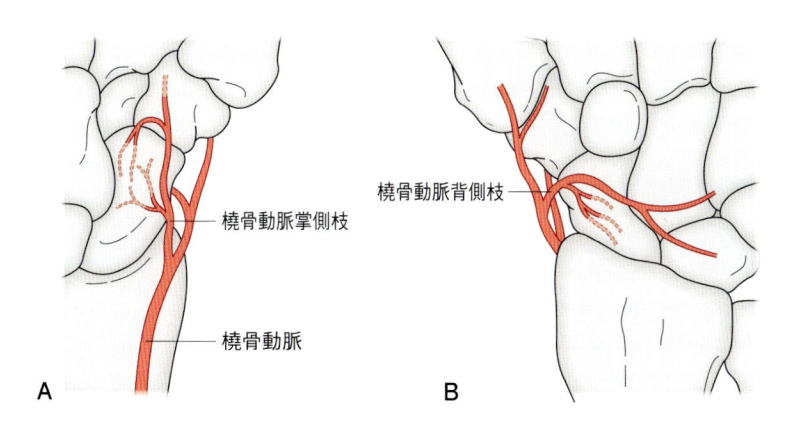

X-2 舟状骨への血行 文献❸より　A：右手掌側より　B：背側より

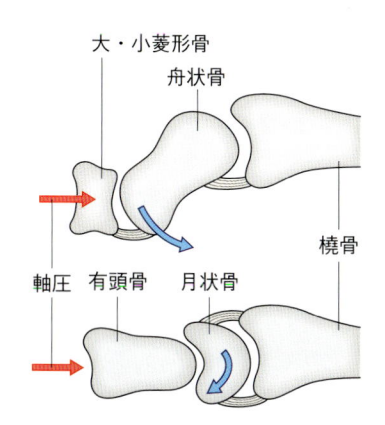

X-3 軸圧が作用した際の舟状骨と月状骨の運動傾向

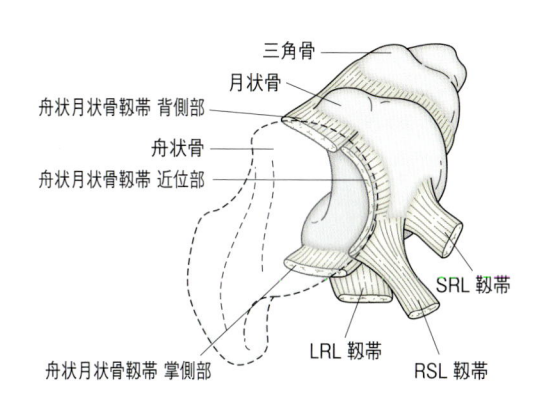

X-4 舟状骨と月状骨を連結する靱帯 文献❸より
これらの他に、掌側腰部には橈骨舟状有頭骨間靱帯が存在し、背側では背側手根間靱帯が存在する．

掌側枝は舟状骨の 20〜30％ しか栄養せず，背側枝が 70〜80％ と多く支配している．特に，近位部の血行は背側枝だけで行われているため，同部の骨折では近位骨片が壊死する可能性が高くなるとされている[4]．

本骨折では手根背屈（DISI：dorsiflexed intercalated segment instability）変形 X-5B をきたしやすく，堀井[5]は，手関節長軸に対し斜めに位置する舟状骨にかかる力学的な特徴として，大・小菱形骨からの軸圧により掌屈しやすい傾向にあるとし，月状骨は，その形状，有頭骨からの軸圧，橈骨の関節面の向きなどにより背屈傾向にあるとしている X-3 ．

舟状骨の腰部と月状骨は舟状月状骨靱帯を介し連結されている．森友[6]らによれば，背側手根間靱帯を含む腰部の靱帯付着部 X-4 より遠位の骨折では，遠位骨片が不安定となり DISI 変形をきたしやすいが，骨折線が靱帯付着部より近位であれば遠位骨片が靱帯により安定化され転位しにくいとしている．

また，偽関節が長期化した場合は，SNAC（scaphoid nonunion advanced collapse）wrist と称される変形性手関節症になることもある．

---

[3] Wolfe SW, et al. Green's Operative Hand Surgery, 5th ed. Churchill Livingstone, an imprint of Elsevier; 2005.
[4] Gelberman RH, et al. J Hand Surg. 1980; 5-A: 508-13.
[5] 堀井恵美子. 関節外科. 2002; 21-10: 62-8.
[6] Moritomo H, et al. J Hand Surg. 2008; 33-A: 1459-68.

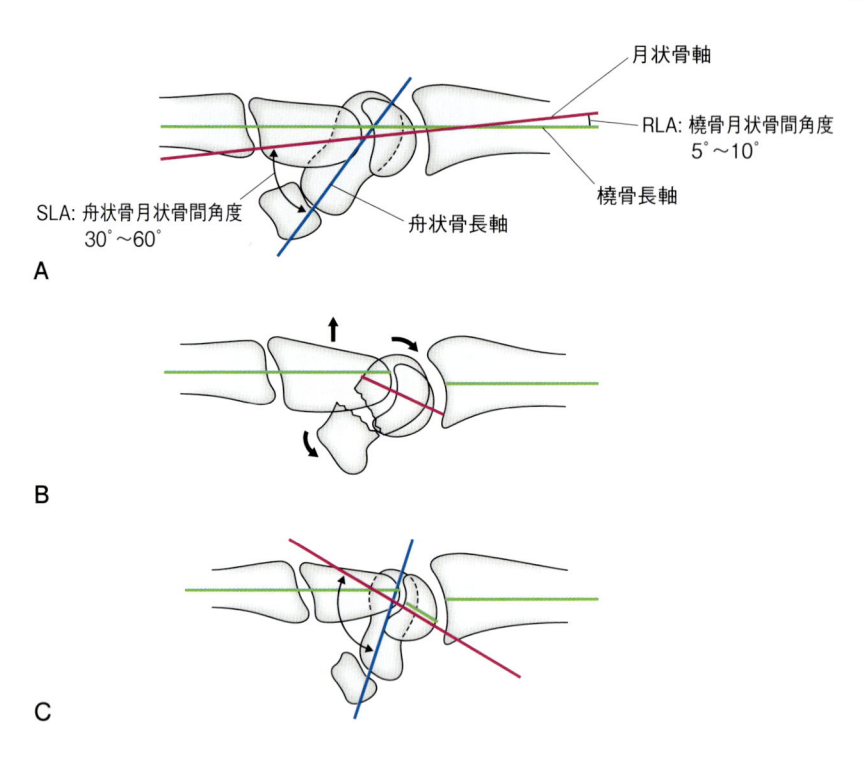

X-5 手根骨のアライメントと舟状骨骨折に伴う DISI 変形

A：手根骨の通常アライメント
通常，SLA：舟状骨月状骨間角度は 30°～60°とされ，RLA：橈骨月状骨間角度は 5°～10°とされている．

B：舟状骨骨折による DISI 変形
舟状骨骨折がある場合は，月状骨と舟状骨近位骨片は正常な位置関係にあるが，遠位骨片が掌屈し，月状骨は背屈する．

C：舟状月状骨間離開による DISI 変形
舟状月状骨間離開では，SLA が 80°以上になるとされている．

Knowledge SNAC wrist と SLAC wrist

　SNAC wrist と SLAC（scapholunate advanced collapse）wrist，カタカナではスナックリストとスラックリストとなります．よく似た名前で，なかなか覚えにくい専門用語ですよね．さて，覚えるのにもコツは必要で，もちろん S は舟状骨を意味します．大事なのは N と L の違いです．N は nonunion：偽関節，L は lunate：月状骨を意味します．つまり SNAC wris は，舟状骨骨折などで"舟状骨が偽関節となり破壊が進んだ手首"という意味になります X-5B．また，SLAC wrist は，舟状月状骨間離開（scapholunate dislocation）X-5C などで，舟状月状骨靱帯（SLIL：scapholunate interosseous ligament）X-4 が断裂し，これら 2 つの骨が離開したために"舟状骨と月状骨間で破壊が進んだ手首"ということになります．治療としては SLIL の修復が必要となり，特に背側部の修復が重要とされています[7]．

　いずれにせよ，これらは月状骨が背側を向きますので DISI 変形を呈します．

---

[7] Szabo RM. J Hand Surg. 2008; 33-A: 1645-54.

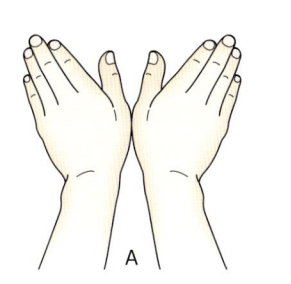

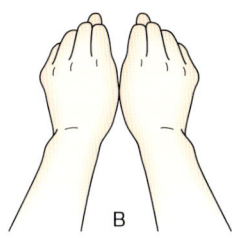

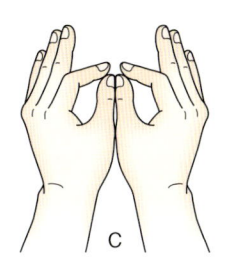

X-6 舟状骨骨折のための撮影法　文献❽より
A：尺屈位での前後像　B：手を握った状態での前後像　C：前腕45°回内位での撮影

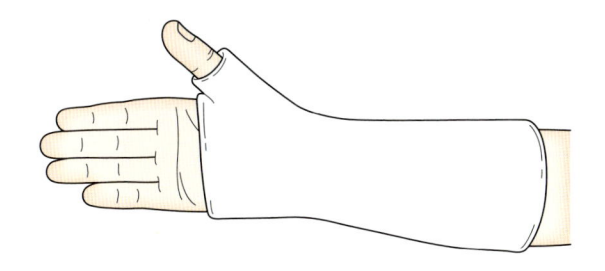

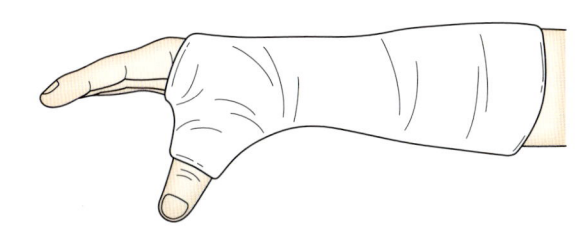

X-7 舟状骨骨折に対するギプス固定
(short arm thumb spica cast, scaphoid cast)
母指は対立位とし，IP関節が可動できる高さまでのギプス固定にする．示指から小指のMP関節は自由に動かせるようにし，2〜5指の可動域制限を予防する．

整形外科的治療 • orthopedic procedure

　見逃されることが多いため偽関節を防止するためには早期の診断が重要である．レントゲン検査は通常の正面像と側面像に加え特殊な撮影法 **X-6** にて行われ，CTやMRIによる診断も重要である．理学所見としては，嗅ぎタバコ窩（anatomical snuff box）の局所的な圧痛や腫脹が診断の一助となる．

　新鮮安定骨折は，保存療法にて治療されることが多く，骨折部位により6〜12週間以上のギプス固定 **X-7** が行われる[9]．

　新鮮不安定骨折 **X-8** では，手術療法が選択されHerbert screw，Acutrak screw，DTJ screw **X-9** などが用いられることが多い．これらのスクリューは，ヘッドレススクリューで遠位部のネジピッチが広く近位部が狭いために，挿入に従い骨折部に圧迫力が加わる機構を有している **X-9B**．手術の多くは，掌側進入により行われるが，近位部の骨折（Type B3）では，背側進入にて行われることが多い．術後に外固定が行われることも少なくない．近年は，早期より低出力超音波を併用することもあり，骨癒合率だけでなく癒合期間も短縮されるとの報告もある[10]．

---

[8] 内田淳正，監修．標準整形外科学．第11版．医学書院．2011. p. 740.
[9] 井上五郎．関節外科．2012; 31-8: 44-51.
[10] 池田和夫．関節外科．2012; 31-8: 59-63.

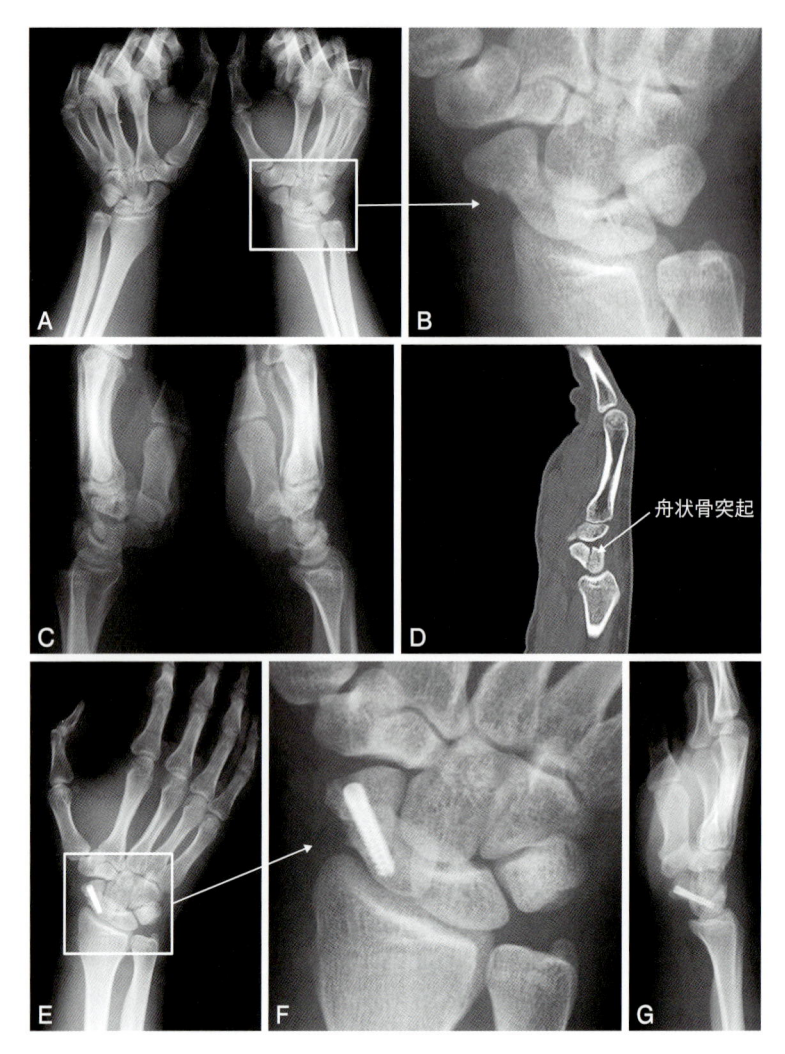

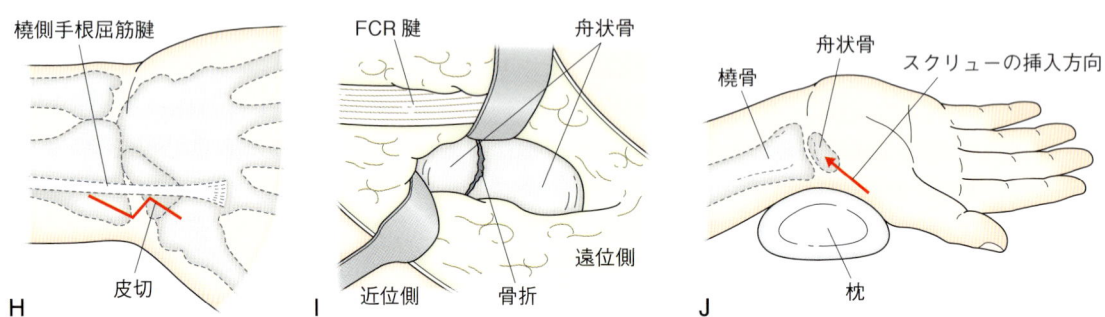

X-8 舟状骨骨折例　新鮮不安定骨折（Type B2）

A：手を握った状態での前後像　B：Aの舟状骨拡大像
C：側面像　DISI変形に至ってはいないが，舟状骨の遠位骨片が掌屈変形をしている．
D：CT側面像　舟状骨突起より遠位部で骨折線が確認され，新鮮不安定骨折（Type B2）と診断された．
EF：術後正面像　G：術後側面像
　不安定性が懸念されたため掌側進入にて，整復とAcutrak screwによる固定がなされた．
HIJ：舟状骨骨折のための掌側進入　文献⓫より
　H．舟状骨結節より橈骨へ橈側手根屈筋（FCR）腱の橈側にて，ジグザグの皮膚切開を行う．
　I．FCRを尺側によけて，橈骨動脈の掌側枝 X-2 を結紮した後に，関節包や靱帯を切開し舟状骨とその骨折部へ達する．
　J．スクリューの挿入方向．レントゲン透視下にて整復と固定を行う．

⓫藤岡宏幸, 他. 関節外科. 2012; 31-8: 69-75.

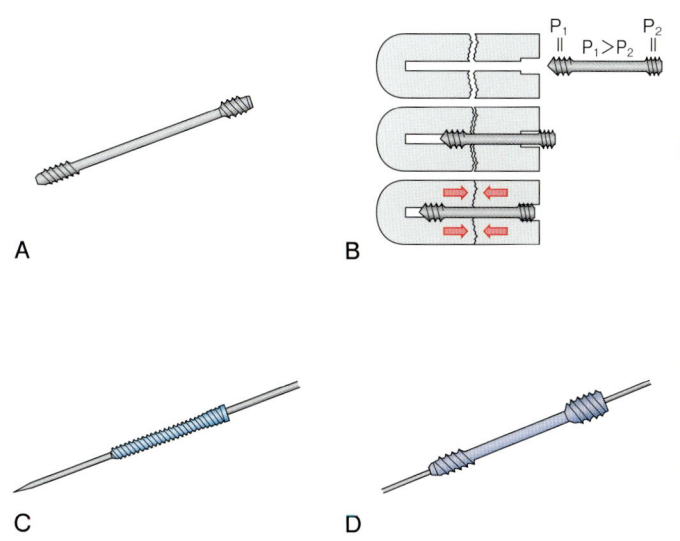

X-9 Herbert screw と Acutrak screw と DTJ screw

これら3種のスクリューはヘッドレスタイプのコンプレッションスクリューで，Herbert screw（A, B：文献⓬より）は，solid screwであり手術手技が難しいとされてきた．また近年，使用される機会は少ない．しかし，Acutrak screw（C）やDTJ screw（D）はcannulated screw 図13EF（p.17）であるためガイドワイヤーにて刺入し，正確な位置に挿入することが比較的容易になったとされている．cannulated screwの場合は，経皮的な手術も可能で近年用いられることが多くなってきている．

遷延治癒や偽関節などの陳旧例では，骨折部を新鮮化した後に骨移植を行いKirschner鋼線で固定するRusse法や，血管柄付き骨移植術が行われる．

評価 evaluation of the fracture

保存療法や術後に外固定が行われた場合は，手指の可動域，感覚，疼痛などを評価する．外固定が行われない場合やその除去後は，先の評価に加え手関節に対し基本項目を評価する．**Warp!!** 評価の基本項目（p.43）

術前の画像所見からは，骨折型を確認するとともに転位の可能性の推察とDISI変形 X-5B の有無を確認する．手術療法が選択された場合は，整形外科医に術中所見の確認とともに骨折部の安定性について確認する．

可動域検査では，通常の手関節の可動域評価に加え，手根中央関節の可動域も評価し IX-14 ，可動域制限が手根中央関節に起因するのか，橈骨・尺骨手根関節に起因するのかを明確化する．

また，前腕骨遠位部骨折と同様に長母指屈筋，深指屈筋，浅指屈筋，示指伸筋の他動伸張性も評価する．

握力などの筋力検査は，骨癒合が確認されていない間は行わない．

運動療法 therapeutic exercise

外固定が行われている間は，固定が行われた隣接関節の可動域を維持する．特に，示指〜小指のMP関節と母指IP関節の可動域の維持に注意を払う．

外固定が行われない場合や除去後は，手関節の可動域の維持・改善が主な目標となる．しかし，本骨折は骨折部が小さく仮骨が観察されにくいため，早期には骨折部の状態が把握しにくい可能性がある．よって，舟状骨に加わる力学的なストレスを可能な限り少なくする配慮が必要である．まず，手関節の外在筋に対し筋収縮練習とストレッチング

⓬ 三浪明雄．カラーアトラス手・肘の外科．中外医学社；2007．p.171.

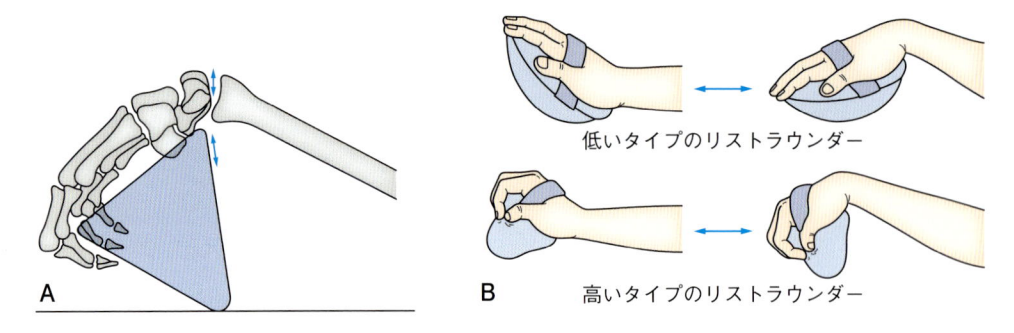

X-10 リストラウンダーの使用法

橈骨手根関節の可動域改善を目的とし，底面の角を近位手根列に一致させ装着し底-背屈，橈-尺屈，それらの複合運動を行わせる（A：文献⓭より）．
可動域が少ない場合は，低いタイプのリストラウンダーから使用し徐々に高いタイプのものへ変化させる（B：文献⓮より）．

により十分な筋伸張距離を獲得する．そして，痛みを指標としてダーツスロー・モーション IX-12 IX-13 やリバース・ダーツスロー・モーション IX-15，掌背屈を自動および自動介助運動にて行わせ手根中央関節と橈骨・尺骨手根関節の可動域の改善を期待する．また，リストラウンダー X-10 の使用も有効な可動域練習の1つと考える．時間の経過と共に骨癒合が得られた後に，可動域制限が残存すれば徒手的な可動域練習を行う．

⓭日本ハンドセラピィ学会，編．ハンドセラピィ No3 骨折Ⅰ．メディカルプレス；1994．p. 67．
⓮整形外科リハビリテーション学会．整形外科運動療法ナビゲーション 上肢．メジカルビュー社；2008．

索 引

あ

アイディバーグの分類	54
アイロン運動	80
圧迫骨折	8
圧迫プレート	19
圧迫用スクリュー	18
インターロッキングネイル	20
異常可動性	12
異所性骨化	31
Ⅰa抑制	34
Ⅰb抑制	34
痛みの定義	38
ウルトラフレックスコンポーネント	132
烏口肩峰アーチ	83
腕相撲骨折	107
腋窩動脈	75
遠位設置型のVLP	174
遠位橈尺関節	159
遠位橈尺靱帯	157
横骨折	8

か

外固定	15
外傷後関節症	31
回旋転位	10
外側尺側側副靱帯複合体	137
外側側副靱帯複合体	145
介達牽引	15
介達痛	12
外転結帯	98
外反嵌入型骨折	75, 76
解剖学的骨盤平面	46
開放骨折	10
海綿骨スクリュー	18
嗅ぎタバコ窩	199
架橋プレート	19
化骨性筋炎	31
下垂指	144, 153
肩上方懸垂複合体	56, 57
肩上方懸垂複合体損傷	55
観血的整復	15
嵌合	10
関節外骨折	9
関節窩の中心点	61, 62
関節血症	12
関節内骨折	9, 133
関節軟骨	3
完全骨折	7
嵌入	10
嵌入骨折	8
キュンチャー	20
偽関節	30
機能障害	12
機能的装具	108
逆行性髄内釘	110, 111
逆Barton骨折	165, 167
逆Colles骨折	165
急性コンパートメント症候群	13, 127, 147
急性塑性変形	155
恐怖-回避モデル	37, 38
局所性の浮腫	120
近位設置型のVLP	174
筋収縮距離	35
筋収縮練習	36
筋伸張距離	35
筋の短縮	36
筋のリラクセーション	34
筋膜切開	13
クラビクルバンド	39, 40, 52
屈曲骨折	9
屈曲転位	10
茎状突起骨折	165
月状骨窩の掌側	170
月状骨窩背側の骨片	170
月状骨三角骨間離開	165
結帯動作	98
減圧処置	13
牽引による整復	15
肩甲上腕関節の可動域	51
肩甲上腕関節の可動域測定	45, 46, 48, 49, 51
腱断裂	165
腱板疎部	76, 93
肩峰角-ベッド間の距離	46
コーチボルト	17
コッドマン体操	80

コーレス・コリス・コリーズ・カルス骨折	167		順行性髄内釘	110
コンパートメント症候群	22		掌側ロッキングプレート	166
高エネルギー外傷	165		掌側Barton骨折	165
後骨間神経麻痺	144, 153		上腕骨遠位骨端離開	123
後上腕回旋動脈	75		上腕骨遠位部粉砕骨折	125
鋼線	16		上腕骨遠位部への後方アプローチ	111
後捻角	74		上腕骨遠位部T・Y型骨折	125
骨化性筋炎	31		上腕骨外側顆骨折	123
骨幹	3		上腕骨顆上骨折	121
骨幹端	3		上腕骨滑車骨折	124
骨吸収性スクリュー	18		上腕骨近位骨端線損傷	66
骨脆弱性骨折	165		上腕骨近位部への外側アプローチ	110
骨粗鬆症	165		上腕骨骨幹部への前方最小切開アプローチ	112
骨端	3		上腕骨小頭骨折	124
骨単位	2		上腕骨通顆骨折	124
骨頭壊死	75		上腕骨内側顆骨折	122
骨癒合不全	30		上腕骨内側上顆骨折	122
固定	15		人工橈骨頭	143
5P兆候	121		深部静脈血栓症	13
			スクリュー	18
さ			ストッキネットベルポー固定	109
サルコメア	36		ストレッチング	36
最終挙上位	95		スミス骨折	167
鎖骨胸筋筋膜	77		髄内釘	20
鎖骨バンド	39		セメス ワインスタイン モノフィラメント テスト	153
三角巾	108		ゼロポジション	93, 95
三角靱帯	159		成熟骨	31
三角線維軟骨	157		正中神経損傷	165
三角線維軟骨複合体	147, 154, 157, 158		正中神経麻痺	171
シーネ	16		静的圧迫プレート	19
ショック	11		整復	15
ショフール・運転手骨折	167		遷延治癒	30
軸圧痛	12		遷延癒合	30
支持プレート	19		前骨間神経	127
脂肪塞栓症候群	13		前上腕回旋動脈	75
尺骨手根関節	157		剪断骨折	9
尺側手根伸筋の腱鞘（床）	157		創外固定	15, 22, 108
尺側側副靱帯	157		側方転位	10
斜骨折	8		阻血の症状	121
斜索	154			
尺骨突き上げ症候群	165, 172		**た**	
縦骨折	8		ダイナミゼーション	20, 22
舟状骨月状骨間離開	165		ダイナミック回旋装具	162
舟状月状骨靱帯	197		タウメル継ぎ手	132
手根中央関節の可動域測定	181		タッピング	18
手根背屈変形	197		単純骨折	10
手術療法	14		中空型髄内釘	20
腫脹	12		中空スクリュー	18, 142
出血性関節症	12		中実型髄内釘	20
潤滑性脂肪筋膜系	27, 28, 91			

中和プレート	18, 19
長軸転位	10
長母指屈筋	165
長母指伸筋	165
直達牽引	15
ツークグルーツング法	134
デプスゲージ	18
低エネルギー外傷	165
締結用鋼線	16
投球骨折	107
橈骨尺骨靱帯	154
橈骨動脈掌側枝	196, 197
橈骨動脈背側枝	196, 197
橈側側副靱帯	137
疼痛	12
動的圧迫プレート	19
特発性骨折	7
徒手整復	15

な

内固定	15
内側側副靱帯	137
内転結帯	98
涙のしずくサイン	127
捻転骨折	9
ノルドクビスト-ピーターソンの分類	39

は

ハーデガーらの分類	54
バートン骨折	167
バイポーラータイプの人工橈骨頭	143
ハバース管	2, 5
ハバース系	2
ハンギングキャスト	68, 108, 117
肺血栓塞栓症	13
背側 Barton 骨折	165
廃用性骨萎縮	31
剝離骨折	9
抜糸	24
破裂骨折	9
反回抑制	34
半月板相同物	157
反射性交感神経性ジストロフィー	31
ピンゲージ	18
皮下骨折	10
皮質骨スクリュー	18
評価の基本項目	43
病的骨折	7
疲労骨折	7
ファイブロ-オシエス リング	145

フォルクマン管	5
プレート	18
不完全骨折	7, 166
複合性局所疼痛症候群	31
複雑骨折	10
不顕性骨折	7
不全骨折	7
吹雪様陰影	13
振り子運動	80
粉砕骨折	8
変形	12
変形性手関節症	197
変形治癒	30
変形癒合	30
防御性脂肪筋膜系	28
方形靱帯	154
保存療法	14

ま

マルゲーニュ圧痛	12
慢性骨髄炎	31
メルクマール	64
モノポーラータイプの人工橈骨頭	143

や

夜間装具	36

ら

ラグスクリュー	17
螺旋骨折	8
リーミング	17
リトルリーガーズエルボー	122
リバース・ダーツスロー・モーション	171
リバース・ダーツスロー・モーションによる可動域測定	182
両前腕骨骨幹部骨折	148
輪状靱帯	154, 156
轢音	12
裂離骨折	9
攣縮	32
ロッキングプレート	19, 41, 52, 74, 83, 169

わ

若木骨折	165, 166

A

A-I line（anterolateral tip of acromion-inferior angle line）	48, 61, 63
abnormal mobility	12
absorbable bone screw	18

acute compartment syndrome	13
acute plastic bowing	155
Acutrak screw	141, 142, 201
Allman の分類	39
amplitude	35
anatomical snuff box	199
anterior band	145
anterior path	87
AO/OTA 分類	4, 65
APP（anatomic pelvic plane）	46
arm wrestling fracture	107
axial compression pain	12

B

Barton 骨折	165, 167
bridging plate	19
buttress plate	19

C

cancellous screw	18
canulated screw	18, 142, 166
carrying angle	126, 127
Chauffeur・運転手骨折	167
Chauffeur 骨折	165
chronic osteomyelitis	31
circular cylinder cast	141
clavicle hook plate	41, 52
clavipectoral fascia	77
Codman exercise	80
Codman's pendulum exercise	80
Colles 骨折	165, 167
compression plate	19
compression screw	18
conservative treatment	14
cortical screw	18
Cotton-Loder 肢位	166, 168
Craig の分類	39, 52
crepitus	12
CRPS（complex regional pain syndrome）	31
CRPS type1	165

D

DCP（dynamic compression plate）	19
deformity	12
delayed union	30
delto-pectoral approach	68, 76, 85, 86
deltoid-splitting approach	69, 76, 110
direct traction	15
disc proper	157
DISI（dorsiflexed intercalated segment instability）変形	197
DISI 変形	198
disuse bone atrophy	31
DPF（die punchfragment）	170
drop finger	144, 153
DRUJ（distal radioulnar joint）	159
DTJ screw	141, 201
DVT（deep vain thrombosis）	13
dynamization	20, 22
dysfunction	12

E

ectopic ossification	31
ender nail	20, 109
epiphyseal separation of the distal humerus	123
external fixation	15, 22, 108
extrinsic heeling	24

F

fascia	25
fat embolism syndrome	13
fear-avoidance model	37, 38
fibro-osseous ring	145
fixation	15
Fleiss の ICC 分類	51, 180
fracture of the capitellum of the humerus	124
fracture of the lateral epicondyle of the humerus	123
fracture of the medial epicondyle of the humerus	122
fracture of the trochlea of the humerus	124
functional brace	108

G

Galeazzi 骨折	147, 151, 152, 156
greenstick fracture	166
Gurlt による骨折の平均癒合日数	30
Gustilo-Anderson の分類	12
Gustilo らの分類	12

H

Hand Incubator	185
hanging cast	68, 108
Hardegger らの分類	54
hemarthrosis	12
Herbert screw	141, 142, 201
Herbert の分類	196
hydraulic mechanism	108

I

Ideberg の分類	54
immobilization	15
indirect pain	12
indirect traction	15
interlocking nail	20
internal fixation	15
internal impingement	93
intrafocal pinning 法	16, 170
intrinsic heeling	24
intrinsic minus position	171, 184

K

Kapandji 法	16, 166, 170
Kirschner 鋼線	16, 109, 166
Kuntscher	20

L

LAFS（lubricant adipofascial system）	27, 28, 91
lag screw	17
landmark	64
lateral column	125
little leaguer's elbow	122
little leaguer's shoulder	66
localized edema	120
locking plate	19

M

Malgaigne tenderness	12
malunion	30
manual reduction	15
markmal	64
Mayo clinic の分類	133
medial column	125
meniscus homologue	157
MIPO（minimally invasive plate osteosynthesis）	112
Monteggia 骨折	133, 147, 150, 151, 156, 163
Morrey の分類	140
MUB（maximum ulnar bow）	155
multifragmentary fracture of the distal humerus	125
myositis ossificans	31

N

Neer の分類	65
neutral path	87
neutrarization plate	18
nonunion	30

Nordqvist-Peterson の分類	39
NRS（numeric rating scale）	44

O

obligate translation	59, 93, 99
Ogden の分類	10
operative treatment	14
osteon	2
oval ring	176

P

PAFS（protective adipofascial system）	28
pain	12
palmar tilt	170, 172
plate	18
post-traumatic osteoarthritis	31
posterior band	145
posterior scapula fascia	77
posterolateral path	87
posterosuperior impingement	93
pre-rotational glide	87
PTE（pulmonary thromboembolism）	13

Q

quadrilateral space	82, 88

R

radial length	170, 172
radial link	176
radial tilt	170, 172
reduction	15
Riss	7
rotational glide	87
rotator interval	76, 93
RSD（reflex sympathetic dystrophy）	31

S

safe zone	143
Salter-Harris の分類	10, 11, 66
SCP（static compression plate）	19
screw	18
SLAC（scapholunate advanced collapse）wrist	198
Smith 骨折	165, 167
SNAC（scaphoid nonunion advanced collapse）wrist	197, 198
soft wire	16
Spino-Humeral angle	70, 73, 81, 98
SSSC 損傷	55, 57
stay-suture	74
stooping exercise	74, 80, 112, 115

subacromial bursa	77
Sudeck atrophy	31
Sudeck 骨萎縮	31
sugar tongs brace	108
superior band	145
superior shoulder suspensory complex	56, 57
supporting plate	19
supraepicondylar fracture	121
surgical treatment	14
swelling	12
SWME（Semmes Weinstein monofilament examination）	153

T

T or Y shaped fracture of the distal humerus	125
T-A distance（table-acromial angle distance）	46
tensegrity structure	26
tension band wiring	125, 134
TFC（triangular fibrocartilage）	157
TFCC（triangular fibrocartilage complex）	147, 153, 157, 158
Thompson の進入路	149
throwing fracture	107
transcondylar or dicondylar fracture of the humerus	124
trochlea	125

tumor	12

U

U 字型副子	108
ulnar link	176
ulnar minus variance	172
ulnar plus variance	172
ulnar variance	170, 172
ulnocarpal abutment syndrome	165, 172

V

valgus impacted fracture	75, 76
VAS（visual analog scale）	44
VLF（volar lunatefacet）	170
VLP（volar locking plate）	166
volar tilt	170, 172
Volkmann 拘縮	121, 127

W

Walsh の分類	147
watershed line	174, 175
Weitbrecht 靱帯	154
wire	16

Z

Zuggurtung 法	134

骨折の機能解剖学的運動療法
その基礎から臨床まで 総論・上肢 ©

発　行	2015年10月15日　1版1刷
	2016年4月20日　1版2刷
	2022年1月30日　2版1刷

監修者　青木隆明
　　　　林　典雄

著　者　松本正知

発行者　株式会社　中外医学社
　　　　代表取締役　青木　滋
　　　　〒162-0805　東京都新宿区矢来町62
　　　　電　話　03-3268-2701(代)
　　　　振替口座　00190-1-98814番

印刷・製本／三報社印刷（株）　　〈MM・HO〉
ISBN 978-4-498-06721-9　　Printed in Japan

JCOPY　＜(社)出版者著作権管理機構　委託出版物＞

本書の無断複製は著作権法上での例外を除き禁じられています．
複製される場合は，そのつど事前に，(社)出版者著作権管理機構
（電話 03-5244-5088，FAX 03-5244-5089，e-mail: info@jcopy.
or.jp）の許諾を得てください．